JN024100

表現文化論入門

インターメディアリティへの誘い

寒河江光徳
村上政彦
編

はじめに

創価大学文学部において二〇一二年度カリキュラムからスタートした表現文化メジャー（専攻）、そのイントロダクトリー科目である表現文化論入門が開講いたしました。

本書は、通信教育部のカリキュラムにおいて、この講義を担当している創価大学文学部教員である山中正樹（やまなかまさき）、大野久美（おおのくみ）、村上政彦（むらかみまさひこ）、寒河江光徳（さがえみつのり）の四人によって執筆されたものです。

さらに本講義ではこれまでゲスト講師として作家、マンガ家、現代芸術家、音楽家など創作や実作の分野でご活躍の方をお招きして講演をしていただきました。この本はその方々の講演録（インタビュー形式を含む）を収めたものでもあります。さらに新進気鋭のサブカルチャー研究者である森下達（もりしたひろし）氏、同じくバレエ研究家である大林貴子（おおばやしたかこ）氏の論考も加えました。

執筆者それぞれの研究領域の範囲にはもちろん限界がありますので、表現文化という広域をすべて網羅することはできませんが、表現文化というメジャーが扱う範囲について、また、この名称によって意図する学問的ディシプリン（領域）について、あるいは、表現文化メジャーに所属し研究することによって、どういう力を身につけることができるのか、ある程度のガイドラインをここで示す必要があるかと思います。

表現文化メジャーの目指すものは、①文芸批評理論を学ぶこと、②それを生かして文学作品、表象芸術作品を批評すること、そして、③批評眼を持ちつつ可能であれば自分自身の表現活動にそれを生かしていくことにある、と定めています。さらに、それを元にして、我々が考える学問としての表現文化とは何かについて考察を加えてみます。

その上で、本書は表現文化のディシプリンについて、インターメディアリティという観点から考察することを目的にしたいと考えます。

インターメディアについてはディック・ヒギンズが一九八八年に『インターメディアの詩学』を刊行しておりますが、そこまで定着はしておりません。[※1]また、二〇一〇年代に入ってアメリカの大学等でインターメディアリティという用語が使われるようになりますが、学問的方法論としてのインターメディアリティが論じられた書物は少なくとも日本ではまだ刊行されておりませんし、オンライン上で見つけることもできません。[※2]日本おいて学科名に表現文化やインターメディアを掲げる大学は増えてきました。また、表象文化論学会等の学会においてインターメディアについて考えるパネルが開催されておりますが、まだまだ人口（じんこう）に膾炙（かいしゃ）した用語ではありません。

その意味で、本書が、これからますます注目を集めるかもしれない表現文化、あるいは、インターメディアリティについて考える上での叩き台になれば幸いです。

寒河江光徳

【注】

※1　ディック・ヒギンズ『インターメディアの詩学』岩佐哲男・庄野泰子・長木誠司・白石美雪訳、国書刊行会（クラテール叢書）、一九八八年。

※2　http://cri.histart.umontreal.ca/cri/fr/intermedialites/p6/pdfs/p6_rajewsky_text.pdf

表現文化論入門——インターメディアリティへの誘い　目次

はじめに　寒河江光徳　3

序　論　寒河江光徳　表現文化とは何か——インターメディアリティの探求　9

第一章　大野久美　演劇の学び方　27

Ⅰ　演劇とは何か　28

Ⅱ　アメリカ演劇の父 ユージン・オニール　45

Ⅲ　『マイ・フェア・レディ』とギリシア神話　50

Ⅳ　『オペラ座の怪人』——劇中歌、その裏に隠されているものは何か　68

第二章　大林貴子　バレエ鑑賞入門　89

ゲスト講師①　宮島達男　表現するということ ——Art in You——　111

第三章　山中正樹　〈文化記号論〉への招待　125
Ⅰ〈文化記号論〉とは何か　126
Ⅱ〈空間〉を読む／〈空間〉に表れた〈意味〉を探る　160
――〈都市空間論〉からの読解――
Ⅲ「東京ディズニーランド」の記号学　186
――〈物語装置〉としての「東京ディズニーランド」、その構造と〈意味〉――

ゲスト講師②　上田正樹　ブルーズ、その誕生と発展　213

第四章　寒河江光徳　表象文化論　243
Ⅰ　現代表象文化における「涙＝笑い」、「死＝生」のアンビヴァレンスについて　244
――グロテスク、グロテスク・リアリズムの視点から考察する試み
Ⅱ　ナボコフの作品における円環構造とシンメトリーにまつわる形象のパターンについて　269
――殺意の前兆、犬、カーブ、鏡そして殺人
――小説『ロリータ』および、二つの映画『ロリータ』から解き明かす試み

Ⅲ　ロシアのアニメはジブリに何を与えたか？　303
第五章　森下達　キャラクター表現を論じる　325
——「キャラ」概念を用いた『モスラ対ゴジラ』(一九六四年)分析
ゲスト講師③　みなもと太郎　マンガ表現論——何をやってもいいジャンル　347
第六章　村上政彦　文学の力と可能性　359
Ⅰ　言葉と想像力　360
Ⅱ　読書について　374
ゲスト講師④　村田喜代子　「小説」の時空をめぐる語らい　391
——現実と虚構のパラレルワールド

装丁・本文デザイン／阿部照子（テルズオフィス）

表現文化論

序論

表現文化とは何か

——インターメディアリティの探求

創価大学文学部人間学科教授
寒河江 光徳

インターメディアリティとは何か

小説、詩、演劇、舞台芸術、映画、音楽、舞踊、彫刻、絵画、漫画、アニメーション……。表現のジャンルは数多くありますが、それぞれに共通する、あるいは、すべてを包含する理論はないと考えたほうがいいでしょう。ロシア・フォルマリズムは日常的言語と詩的言語を区別し、詩には詩の構造、小説には小説の構造があると考えました。鑑賞の仕方もそれに準じて、詩には詩の読み方がある、小説には小説の読み方があると考えても問題ないかと思います。それぞれのメディア、それぞれのジャンルには独自のフォルム（創作技法）があって、その鑑賞法は、それぞれ違うものである。まずはそういう前提に立たなくてはなりません。

では、それぞれのジャンル、あるいは、それぞれの表現媒体（ここではメディアと呼ぶことにします）は、それぞれが独立した構造や鑑賞方法を有するものであって、それぞれに関係性はないのかと言われると、それはそれで言い過ぎではないかとも思われるのです。

本書が目指すもの、それを一言で言えばメディアとメディアの関係性を模索し、一つのメディアにおけるフォルムに通じるものを他のメディアに見出(みいだ)すことにあるのではないかと考えています。

この本に収められた論考は、文学研究、あるいは、小説家、漫画家、あるいはアーティストの視点によって書かれたものが中心ですが、作品の他の媒体へのアダプテーション（翻案）や、原作と翻案作品との関係性を考察し、小説の読みが映画やアニメなど他の媒体に置き換えられた時の解釈のずれや意味の拡がり、そして、（あるメディアから別のメディアへの）視点の移動が問題にされています。

小説においてはインターテクスチュアリティという言葉をジュリア・クリステヴァが唱え、一つの作品は無数の作品のモザイクとして成り立っている、また、ある（先行する）作品と別の（後続する）作品との関係性は友好と対立という両面価値的なものであることが述べられています[※1]。

インターテクスチュアリティは、テクストとテクストの関係性のみに当てはまることではありません。例えば、あるミュージシャンが奏でる楽曲（曲と歌詞）を聴く際に、その楽曲がそのミュージシャンが耳にした無数の音楽のモザイクとして成立していることを聞き分けることが時には可能です。映画でもそうです。ある作品を鑑賞し、その作品の監督が見た同時代、あるいは、先行する作品の撮影技法を垣間見たり、漫画の中にその作家が読んだ別の作品からの影響を見出すことはそれほど難しいことではありません。つまり、インターテクスチュアリティは、テクスト同士の関係性にとどまることはなく、他のメディアに置き換えても、作品と作品との間にそれと類似する関係性を見出すことが可能ではないかと考えられるのです。

次に、あるメディアと別のメディアの関係性については何が言えるでしょうか。例えば、エイゼンシュテインが説明したモンタージュ理論を漫画やアニメーションの中に見出すことは可能でしょうか。ロシア・フォルマリズムが唱えたような小説独自のフォルムを追求する鑑賞法だけであれば、他のメディアの鑑賞に置き換えることは不可能だと言えるかもしれませんが、絵を描くように歌詞を書く、音を奏でるように被写体を撮影するというのは、そのメディアの固有の鑑賞法や創作技法という観点だけでは理解できません。むしろ、あるメディアを創作、あるいは、鑑賞するための技法を他のメディアに置き換える応用的、あるいは、抽象的発想というのが求められるわけです。

本書は、文学研究を起点に据えながらも、小説、演劇、ミュージカル、バレエなどのそれぞれの芸術媒体の鑑賞法について個々に論じられたものもありますが、あるメディアの鑑賞法を別のメディアの鑑賞法へ置き換え、それぞれの作品に込められた創作の仕掛けを解き明かす方法について考察することを目的として書かれたものです。ここでは、その前提として、文学作品を読む際に基調とされるもののうち、他のメディアの鑑賞にも応用できるいくつかのポイントについてまとめてみたいと考えます。

ディエゲーシスからミメーシス、ミメーシスからポイエーシスへ

　繰り返しますが、すべての芸術媒体に通じる一貫した鑑賞方法などはないかもしれません。ただし、一つの芸術媒体への鑑賞方法、あるいは、創作スキルを身に付けることによって、それを他のメディアの鑑賞法や創作に応用することはできるように思われます。そのキーワードは一体どこにあるのでしょうか。歌手の松任谷由実さんは、美術大学を卒業され日本画を真剣に学ばれた方ですが、絵を描くことを音楽を作ることに喩えております。デッサンをしてマチエールを施すことをコード進行を綴り歌詞を書くことに置き換えている。作家の佐藤亜紀さんも著書の『小説のストラテジー』の中で、それと同様の手法を使い、絵の鑑賞術から小説の書き方について展開されています。[※2]

　要するに絵を描くのであれ、小説を書くのであれ、あるいは、曲を作るのであれ、素材（モチーフ）、テーマ、筋によって作品の価値が決まってしまうということにはなりません。「この作品は偉大な作品だ、なぜならば、友情を描いているからだ」と短絡的に述べることが可能であるならば、作品の中で人殺しのシーンがあるドストエフスキーの『カラマーゾフの兄弟』や『罪と罰』は悪い作品

ということになる。トルストイの『復活』を紐解きながら恋愛をしてはいけないと講義するのと同じくらいノンセンスであります。

テーマや筋だけでなく、デッサンや色使いを意識する。つまり、作品のメッセージ性にではなく描写性にときめく感性が持てるか否か。ディエゲーシス（叙述性）だけではなくミメーシス（描写性）を見抜く。その点がとても重要です。

アリストテレスの『詩学』を読むと、※3 それぞれの芸術の共通性はそれぞれが再現（ミメーシス）を基調していることが述べられています。ミメーシスとは模倣のことです。小説は文章による人生の再現です。詩は韻を踏んでいますから、韻律、調音による再現です。演劇は演技によって、あるいは、声を発することによって再現します。音楽は、音を奏でることによって、あるいは、その音に合わせて作られた歌詞を声に出すことによって再現します。舞踊であれ、彫刻であれ、絵画であれ、それぞれが人生を再現するものであるという点においては共通しております。前提として、当然モデルがあり、それを再現するわけなので、所詮何かを模倣したものではないのかという消極的な評価がつきまといます。例えば、戦争時代の史実を描いた作品であれば、描かれた内容は所詮史実には勝てないとするものです。また、ミメーシスに対立する語としてはポイエーシス（創造）という語があります。何かの模倣は創造的行為に比べると下位概念にもなり得ます。

しかし、芸術活動に従事する人に対して、再現（模倣）する行為は所詮創造的行為ではないと述べたら、機嫌を損ねられてしまうでしょう。芸術活動に従事している人にとってみれば、ミメーシスはポイエーシスの一部ではないかと考えられます。なぜならば、芸術は、時折、真実以上に、真実味を持つことがあります。真実以上に人の心を揺り動かすことがあるからです（もちろん、「事実は小説よりも奇なり」ということも言えます）。つまり、リアルではなくリアリティにこそ力があるわけです。また、ミメーシスというのは実は本物ではないのに、本物らしさによって観察者を騙す魔術的要素があります。つまり、自然科学でいうところの保護色によって敵を騙す擬態（ミメーシス）の意味にも関連します。

次に、ディエゲーシスとミメーシスの相関関係について考えてみます。ウラジーミル・ナボコフが講義したチェーホフの『犬を連れた奥さん』論では次のようなセリフが引用されます。「田舎町に住んでいて結構退屈しない連中が、ここへ来るや否や、『ああ退屈だ！　ああ、埃がひどい！』まるでグラナダからでも来たようにね[※4]」。チェーホフはこのセリフの前にベリョーフやジーズドラといったど田舎の代名詞とされる地名を並べ、グラナダというロシア人の誰もが憧れを感じる町の名前も具体的に挙げています。主人公グーロフは抽象的に述べるのではなく、選び抜かれた町の地名を挙げながら生き生きと表現し、ヤルタで知り合った人妻アンナの心を摑んでいきます。一方、

「才気煥発（かんぱつ）」とか言いながら具体的例を一つも出さない小説家に対して、ナボコフは二流、三流とヤジります。作品にメッセージがあるかどうかではない。その伝え方が問題であるということです。イデオロギー、つまり、伝えたいメッセージのために芸術が奴隷になってはいけない。それこそがナボコフが伝えたいメッセージとも言えます。

本題に戻りますと、グーロフの奥さんを描写する様子もいわゆる形容詞の羅列ではなく具体的例示が施されます（「ドミトリー（正しい正字法）ではなくディミトリー（旧い正字法）と呼ぶ」、「革新的な綴（つづ）り」を用いる）[※5]。『犬を連れた奥さん』におけるロルネットの喪失に代表される情念のほとばしり、あるいは、グーロフとアンナの情事の後、悔恨するアンナの嘆きに幾分興（きょう）ざめたようなグーロフが、そのやるせなさに耐えられずテーブルに置いてあったスイカをガツガツと食べるシーン。砕けた言葉で言うと「賢者の時間」をミメーシスで表現しているのがこのくだりです。芸術作品には、ロマンスの後におこるシラケについても必ず表現されていなければいけないとナボコフは述べます。詩（ここではロマンティシズムの意味）には散文、散文には詩が必要です。しかし、詩と散文のコントラストを芸術的作品の条件として示す例はそれほど多くは見受けられません。

作品のミメーシスの価値を見出す観点を映画にも応用してみましょう。小津安二郎の『長屋紳士録』[※6]という映画の中で、父親とはぐれて一人ぼっちになった少年を引き取るおたねが、少年が知人からもらった十円で宝くじを買わせようとするシーンがあります。少年は邪心がないから宝くじが当たるに違いない。そう思って少年にくじを買いに行かせるのですが、少年の無邪気さを利用したおばさんの邪心が通じてしまい、くじに外れて少年は家に戻ってくる。それを知った時のおばさんは少年に十円を返すのですが、強欲にまみれ見苦しくもひたすら粉を挽く。この粉挽きのシーンがまさしくミメーシスです。つまり、言葉でなく、態度や身振り、表情や比喩で、感情を伝えようとしています。

さらにロシア・フォルマリストのボリス・エイヘンバウムは「ゴーゴリの『外套』はいかに作られているか」という論文で、これとは違った観点でミメーシス性について論じています。[※7] つまり、喜劇的語りには叙述的語りと模写的語りがあって、ゴーゴリの作品にあっては、作品の筋以上に、作品の話し方の身振りに重点が置かれていると論証しています。すなわち、調音や地口によって調子を作り出すというものです。

これまで、芸術はジャンルにおいて、それぞれの鑑賞術を有するものであると述べてまいりました。そして、それぞれは固有のものには相違ないが、一つのジャンルの鑑賞法が他のジャンルの鑑賞に役立つことがあるということも述べました。つまり、小説の読み方が映画の鑑賞法に通じていくという意味です。では、それぞれのジャンルの特有性を尊重しながらも、いくつかのジャンルをまたがるキーワードについて模索してみたいと思います。

フレーミング

高山宏は『表象の芸術工学』[※8]の中で、ピクチャレスクについて説明しております。ピクチャレスクとは、文字通り翻訳すると「ピクチャーのような」という意味です。ここで言っているピクチャーとはフレームの中に収められた画像のことです。つまり、「枠に収める」ということです。人は目で何かを見ている。ただ、何かが見えているということと見ていることは違います。ここで言っているピクチャレスクとは、見えている視界ではなく、積極的に見ようとしてフレームで区切った世界のことです。博物学の辞典においても、アルファベットの分類以前は、目に見える内容で整理し区分を行っていました。要するに視覚で認識する世界が重要であるという意味です。見えているのではなく見ること。絵画であれば、画家は描く対象をフレームの中に収めることから始めます。また、映画であれば、撮影するショットに対してフレーミングを行っているはずです。

このフレーミングは、絵画や映画といった視覚芸術だけでなく、小説や詩の世界、あるいは、音楽における歌詞の世界にも通じるのではないかと考えられるのです。つまり、フレーミングとはある種のイメージに通じるものなのではないかということです。イメージとは、脳内で加工された画像のようなものです。例えば、ここに身長は百八十三センチ、本来は痩せていたが今や四十代終わりで中年ぶとりをしたある大学教員Sがいるとします。その男の全体像はそれほどデブと言える体型とは言えないかもしれない。しかし、お腹（なか）の部分がさすがに中性脂肪のせいで突き出ている。その突き出た部分だけ切り取って見せると、その男の人は誰から見てもデブになります。ただ、それはフレーミングによって、ある部分だけが、焦点化された結果の話です。イメージとはそういうものなのではないかと思われます。つまり、実像のどこか一部をクローズアップすることです。テレビで、ものまねタレントのコロッケが森進一のものまねをしているとします。このものまねとは一部の特徴だけを摑んで、その箇所をクローズアップして伝えることです。擬態による誇張、それによって生み出されるのがイメージではないかと思います。

それは巷（ちまた）のニュース報道と同じではないかと考えた人は鋭い人です。そうです。ニュース報道にせよ、何かの断片的な事実や映像を切り取って流しているだけといえます。つまり、それが現実だと思われたものも必ず切り取られた視点を通したものであり、世の中に現実はなく、すべてが切り取りであり、イメージであるとも考えられます。

思想のパターンではなくイメージのパターンを読みとく

ところで、一九一七年に発刊されたロシア・フォルマリズムの代表者であるヴィクトル・シクロフスキイが書いた「手法としての芸術」という論文があります。[※9]

この論文の中では、「芸術、それはイメージによる思考である」という考えは中学生でも知っていることだが、イメージには二種類あることを忘れてはいけないと述べられています。一つは思考の実用的手段として、ものをグループにまとめあげて、わかりやすくとらえるためのイメージ、いま一つは、印象を強めるための手段としての詩的イメージのことであるとし、この二つを理解しない代表格としてポチェブニャという文芸学者の考えを攻撃します。それに対してフォルマリズムは何を考えたのでしょうか？

イメージとは、視覚でとらえたフレーミング（断片化）された情景が一部だけ頭にこびりついて、何かに置き換えることではないかと先に述べました。「急ぎばやに走った」というより「足を急がせた」というほうが、肉感的に部位は強調され、より鮮やかな情景を思い浮かべることに成功します。

「傘をさした」と述べれば、「雨が降っている」と述べなくても雨が降っているとわかります（換喩）。単に「今日は晴れております」と言わずに、「お日様は笑っています」と述べてみたり、「夜空に瞬(またた)く星のように輝く君の瞳」などと喩えて言うのもイメージを伝えるでしょう。

しかし、これらの表現も何度も使うことによってだんだん陳腐(ちんぷ)になってきます。また、ある比喩やイメージが、場所を超えて、中国、インド、ロシア、チェコなど違う場所でも使われたり、時代を超越して同じような表現が繰り返されるとします。すると、その比喩、イメージの一体何が文学性なのかという疑問の念が湧いてくるはずです。

フォルマリズムというのは、そのような使い古された定式（芸術＝イメージ）に反抗しました。先ほどのシクロフスキイの説明を繰り返すと、イメージにも二種類あることを知らなければいけません。一つは思考の実用的手段として、ものをグループにまとめあげて、わかりやすくとらえるためのイメージ、もう一つは、印象を強めるための手段としての詩的イメージのことです。詩的言語といえど、何度も繰り返すことでだんだんそれは当たり前になってくる。そうならないためにはどういう定式を当てはめるべきかを考えました。その結論として、フォルマリストが考え出したのが「異化」です。日常的言語を詩的言語に換えるための一番重要なものと言えます。

シクロフスキイは次のように記しています。

> 生活の感覚を取りもどし、ものを感じるために、石を石らしくするために、芸術と呼ばれるものが存在しているのである。芸術の目的は、認知（узнавание）、すなわち、それと認め知ることとしてではなく、明視すること（видение）として、ものを感じさせることである。また、芸術の手法（приём）は、ものを自動化の状態から引きだす異化（остранение）の手法であり、知覚をむずかしくし、長びかせる難渋な形式の手法である。これは、芸術においては知覚の過程そのものが目的であり、したがってこの過程を長びかす必要があるためである。芸術は、ものが作られる過程を体験する方法であって、作られてしまったものは芸術では重要な意義をもたないのである。[※10]（傍点は原著）

石を石と名付けることが重要ではないのです。石と述べることによって私たちは石と認識してしまいますが、それは意識化とは違い、物事を真剣に見ないで、普段使っている日常の表現に頼ってしまっているわけです。本当の意味でそれを認識しようとはしていない。それでは自動化の状態に陥（おちい）ってしまいます。では、そうではなくするためには、どうすればいいのかというと、今まで私たちが日常で使っている言葉はいったん脇に置いて、その言葉をあえて使わないで、見ることに集中するべきだ、というのです。「これが石である」という認識のプロセスをあえて長引かせることが重要であり、これが異化なのです。

つまり、異化とは、定式化されたイメージのパターンをリフレッシュして、新しいイメージを作り出す手法と言えるのではないかと考えられます。

婉曲した表現

夏目漱石が〝I love you〟を「月がとっても青いから」と翻訳すべきだと主張した逸話がまことしやかに語られることがありますが[※11]、信憑性は薄いです。この話は日本文学における言い足りなさ、余白の美を称えるために頻繁に用いられます。

ナボコフの代表作『ロリータ』の中で、主人公ハンバート・ハンバートが、ラムズデールにあるシャーロットが住む屋敷に居候することを決める重要な場面でも、これと似たような表現を耳にすることができます。[※12]ハンバートによれば、ニンフェット（九〜十四歳の少女）を愛してしまうのは、少年時代愛し合い夭折したアナベル・リーの面影を忘れられないためです。彼女が輪廻転生したロリータに出会い、すぐさま恋に落ち、その母親シャーロットと娘の居る屋敷に住むことを決意するわけですが、その理由を「オタクのお嬢さんに恋したからです」とは、まさか答えられるわけがない。シャーロットがみずから育てた百合を誇らしげに見せたとき、その百合の美しさに見惚（みほ）れたことを理由として述べるのです。「すばらしい、すばらしい、実にすばらしい！」と。

自分の考えていることをはっきりと述べずに、婉曲（えんきょく）的に述べる。そのような表現は、決して日本文学の専売特許ではなく、世界のすべての文学作品に共通する要素なのではないかと考えます。

最後にここまで述べてきたことをまとめて、本書の序論に代えたいと思います。本書において試みたいこととはメディアの枠を超えた、表現文化という学問の創出を目指した新しいディシプリンの形成であることです。表現文化を学ぶこととは固定されたイメージをぶち壊しながら新しいイメージを創出する活動とも言えるのではないか、ということです。作者というものは絶えずイメージを作りながら、そのイメージをパターン化することを考えなければいけない、その一方で、そのパターンをぶち壊し、新しいイメージを作り出さなければいけないのです。

【注】

※1　ジュリア・クリステヴァ『記号の解体学――セメイオチケ1』原田邦夫訳、せりか書房、一九八三年、六〇～六一ページ。
※2　佐藤亜紀『小説のストラテジー』ちくま文庫、二〇一二年。
※3　アリストテレス『詩学』三浦洋訳、光文社古典新訳文庫、二〇一九年。
※4　ウラジーミル・ナボコフ『ナボコフのロシア文学講義（下）』小笠原豊樹訳、河出書房新社、二〇一三年、二二七ページ。
※5　『【新訳】チェーホフ短篇集』沼野充義訳、集英社、二〇一〇年。
※6　小津安二郎監督『長屋紳士録』、松竹、一九四七年。
※7　シクロフスキイ、ヤコブソン、エイヘンバウム他『ロシア・フォルマリズム論集――詩的言語の分析』新谷敬三郎・磯谷孝編訳、現代思潮社、一九七一年、二四三～二七一ページ。
※8　高山宏『表象の芸術工学　神戸芸術大学レクチャーシリーズ』工作舎、二〇〇二年、二三～二五ページ。
※9　前掲書『ロシア・フォルマリズム論集』、一〇八～一三七ページ。
※10　同前、一一七～一一八ページ。
※11　豊田有恒「あなたもSF作家になれるわけではない〔6〕翻訳の時代Ⅵ」、『奇想天外』第二巻第一三号、奇想天外社、一九七七年十一月一日発行、四～五ページ。
※12　ウラジーミル・ナボコフ『ロリータ』若島正訳、新潮文庫、二〇〇六年、七一ページ。

表現文化論

第1章

演劇の学び方

創価大学文学部人間学科教授
大野 久美

I 演劇とは何か

創価大学の創立者、池田大作先生はフランス学士院での講演「東西における芸術と精神性」のなかで、芸術は創造的生命の昇華であるという趣旨の発言をされています。[※1]

まさに、演劇は俳優、戯曲、劇作家、観客、劇場などから成り立つ総合芸術です。演劇と人間は不即不離であると言えます。人が珠玉(しゅぎょく)の芸術作品に触れた時、生命の充足感を満たし、精神が浄化される確かな実感が生まれてきます。

それでは、演劇と社会、演劇と人間との結びつきをいくつかの視点から述べましょう。

1 演劇の定義

日本でそれまで使われていた「芝居」という言葉に代わり、「演劇」という言葉が広まったのは明治以後とされます。『広辞苑』では「演劇」を次のように解説しています。「作者の仕組んだ筋書

（戯曲・台本）にもとづき、俳優（演者）が舞台の上で言葉（台詞）・動作によって物語・人物また思想・感情などを表現して観客に見せる総合芸術[※2]」。もちろん、人形劇の場合は俳優の代わりに人形が表現します。

では、観客が演劇を見物するということは、どういうことなのでしょうか。「観客は舞台上の虚構の世界を見つめ、登場人物に感情移入し、（特に、演技がうまい俳優であれば）まるで同じ体験をしたかのような感覚をもつ」と解釈できます。

ところで、演劇学者・河竹登志夫は「演劇を一口にしかも完全に定義することはむずかしい」と述べ、その理由として次の三点を挙げています。

第一に、演劇はほとんど人類の歴史と同じくらいの長い歴史と、あらゆる民族・人種のなかに分布しているという社会的ひろがりとをもち、形態も千差万別であるため、共通した特質や本質が抽出しにくい。

第二に、その構成要素が多岐で、かつ社会的営みあるいは実生活に密着しているため、他の分野ほど純粋培養的に扱うことがむずかしい。

第三に、生身の肉体によって創造される瞬間的、一回的な芸術であるため、歴史的にも実証科

学的にもとらえにくい。[※3]

そのうえで河竹は演劇の定義を行うには、「演劇史と個々の演劇の具体的現象に対する広い実証的視野に立って、多角的に考えられなければならない[※4]」と述べています。

本節では、こうした視点を踏まえ、演劇の起源からその歴史を解説します。

2　演劇の歴史――演劇の誕生・ギリシア劇――

ヨーロッパの演劇の起源はギリシア劇にあります。ギリシア劇を生む母体となったのはディオニュソス祭（Dionysia）という農耕のお祭りです。春は新酒の樽(たる)を開く祝いで支配者が主催した国家の祭典、冬は葡萄(ぶどう)の収穫と樽詰を済ませた農民の祭りです。

前出の河竹は、「まずディオニュソスをたたえる円舞合唱に劇的性格を与えたのは、アリオンであった。彼は指揮者として中央に立ち、ディオニュソスの受難の一代記を、従者の半獣神サチュロスたちに見立てた周囲の合唱団(コロス)の問いかけにこたえながら、自分が神ディオニュソスであるかのように語りうたった。他の人格への変身、対話、劇的プロットという演劇的要素の萌芽がみられる[※5]」

と、ディオニュソスの祭りと演劇との関係について述べています。

ディオニュソス祭礼の数日間、人々は一日のうち何時間も観劇に費やしました。『はじめてのギリシア悲劇』で丹羽(にわ)隆子は、「連日、観客は共感し興奮し、あるいはアリストテレス（『詩学』）がいうように、『哀れみと恐れをとおして諸感情(パテーマタ)のカタルシスを成就』したことでしょう。ちなみに『カタルシス』は医学用語としては『排出』、宗教的意味も加味されて『浄(きよ)め』の意味[※6]」がある、と述べています。

観劇によって観客たちは身も心も解放されたことでしょう。この点で演劇と宗教の結びつきは深いことがわかります。『古代芸術と祭式』でジェーン・エレン・ハリソンが「その初めにおいては同じ一つの衝動が人を教会に向わせ劇場に向わせる[※7]」と述べている通りです。これは他の芸術にも言えることですが、本物の絵画、音楽などに触れることで、我々は日常のストレスから解放され希望を見出(みいだ)していくこともできます。芸術と宗教は関連していると言えます。

なお、演劇を意味する英語のシアターtheatreやフランス語のテアトルthéâtreは、「ギリシャ劇のテアトロンtheatron、すなわち『見物する場所』を語源[※8]」とします。今も遺跡が残るギリシアの野外劇場は、丘陵(きゅうりょう)を利用して造られていました。前出の丹羽はその構造について、「扇(おうぎ)を思い切り、二〇〇度ほど開いたような形の観客席(テアトロン)は、通常、自然の地形をうまく利用して建築され、下から上へとすり鉢形に大きくひろがっています[9]」と解説しています。

仮面の使用

ギリシア劇は仮面劇と呼ばれるほど仮面が重要な役割を果たしています。大部分のギリシア劇は男三人で演じられると決まっていました。仮面は、俳優が多数の配役をこなすのに便利な小道具となりました。

丹羽は、「役者は仮面をつけることで自分を忘れ新しい人格になりきる。観客は個人の顔のない役者の演技や役柄に、よりリアルな現実の再現（ミメーシス）を見、自分自身を投影し、おもいきり共感する[10]」と述べています。

仮面が楽屋にある間は、ただの仮面にすぎません。その単なる仮面が俳優に着用され舞台上で使用されることによって、真実の生きた顔となります。要するに、仮面（プロソポン）であるとともに、顔（プロソポン）でもあります。ギリシア語では仮面も顔も同じプロソポンという語で表されます。

虚構と真実の関係が仮面によって補われました。また、野外の劇場であったので、俳優の声を拡大する拡声器の役割も務めるように工夫されていました。

俳優、コロス、作劇技法

ギリシア劇で覚えておかなければならない悲劇の劇作家は、アイスキュロス（Aeschylus、『オレステイア三部作』）、ソポクレス（Sophocles、『オイディプス王』）、エウリピデス（Euripides、『メディア』）の三人です。

西尾邦夫はこの三人について、「アイスキュロスは、『二人の俳優』をもちいて合唱団の役割を減らし『対話』をさかんにした。ついで、ソポクレスは『三人の俳優』をつかい、舞台背景を描いたりした。さらにエウリピデスは、説明的な独自の序幕を考え出し、合唱を劇の進行とはまったく関係のないものにするように試みた。このように、合唱団の指揮者が『一人の俳優』となり、それが二人、三人とふえるにつれて合唱もだんだん対話にかえられるという経過を辿（たど）って、ギリシャの悲劇は完成したのであった[※11]」と述べています。

合唱、つまりコーラスはギリシア劇の特徴の一つです。『ギリシア悲劇物語』の著者、H・R・ジョリッフは、「初期にはドラマの物語と動きは、合唱隊の踊りと歌の中に挿入（そうにゅう）されるわずかの写実部分にすぎなかった。しかし次第に、芝居の部分が多くなっていって、合唱の部分が副的なものとなった。演技者たちが劇の中心になっていくと、合唱はその場における受動的な観察者または注釈者となった[※12]」と述べています。

次に作劇技法について見てみましょう。丹下和彦はエウリピデスについて論じるなかで、その作劇技法について次のように解説しています。

まず、劇の本編が始まる前に行われるのが「プロロゴス（前口上）」と呼ばれるものです。これは「劇の冒頭に神もしくは登場人物の一人が登場し、過去現在の状況から未来の予測まで語ることによって、劇に関する情報をあらかじめ観客に告げ知らせる役割をもった作劇上の一技法[※13]」です。

この技法が巧みに使われた作品はエウリピデスの『メディア』だと言えます。乳母が冒頭に語る王女メディアの過去、現在、未来への予測は劇の上で重要な要素となっています。ぜひ、一読することをお勧めします。プロロゴスの技法の意味と重要性が理解できることと思います。

他にギリシア劇の演出技法として知られるのは「デウス・エクス・マーキナー」があります。これは「ラテン語で『機械仕掛けの神』を意味する作劇技法の一つ」であり、「劇の末尾で筋の展開が膠着（こうちゃく）状態に陥（おちい）ったとき、文字どおり吊り上げ機を用いて舞台上方テオロゲイオン（「神の座」の意）に姿を現す神、およびその出現により膠着状態を打開し解決する機能をいう[※14]」とされます。

ここで述べた劇作法は、現代の演出家たちもかたちを変容させて現代的な解釈に置き換え使用しています。

前述の『メディア』は現代でも演出を変化させながら、受け継がれているギリシア劇の代表作品です。作者のエウリピデスによって「悲劇の死」がもたらされたとニーチェは評しましたが[※15]、エウリピデスはそう言われるほど新しいことに挑戦した人物でした。日本では蜷川幸雄(にながわゆきお)が演出した『メディア』はギリシア劇の伝統を踏まえながら、再創造されたものです。ギリシア劇のなかでも伝統を逸脱した『メディア』として、現代の我々にも共鳴できるものとなっています。

このように演劇は紀元前から現在に至るまで二千年間変わらずに存在してきました。劇作品は人間の葛藤を徹底的に描きます。舞台を観(み)ると、いつも演劇のもつ生命力を感じます。これは何千年の時を経ても変わらぬものでしょう。

3　演劇の基本的な要素

古代ギリシアの五大芸術は、詩、音楽、絵画、彫刻、建築でした。これらのなかに演劇がないのは、なぜかと不思議に思うかもしれませんが、演劇はこれら五つの芸術をすべて包括していると言えるからです。つまり、詩は台詞、音楽は音響、絵画・彫刻は舞台装置、建築は劇場です。よって、演劇は総合芸術と言えるのです。

前出の河竹は、「演劇は詩や音楽の時間性・聴覚性と、絵画、彫刻、建築の空間性・視覚性とを併有し、（中略）生身の人間の肉体を媒体とするところにその本質がある。さらに言い換えれば、演劇は人間の肉体を媒体として、いわゆる劇的（ドラマチック）なものを四次元の世界に実現して、視聴覚を通して訴えかける力動的（ダイナミック）な芸術である」[※16]と述べています。

演劇を成立させる上で必要な基本的要素は、俳優、戯曲（劇作家）、観客、劇場の四つです。これら四つのどれが欠けても演劇は成立しません。なかでも、俳優と観客が重要です。演劇とは俳優が観客に見せるだけの一方向の芸術ではなく、俳優と観客が互いに影響を与え合う双方向の芸術と言えます。つまり、観客の反応一つ一つが舞台上の俳優に影響を与え、芝居の出来を左右するのです。その意味で、観客も演劇に参加していると言えます。

劇作家の加藤衛（まもる）が述べているように、「観客の『見えざる身振表現』としての『演技』と、俳優の『見える身振表現』としての『演技』との一致が、演劇を生む」[※17]のです。

このことを、『演劇の解剖』でマーティン・エスリンは、「観客は、ある意味で、孤立した個人個人の集まりであることを止めて、集合的な意識と化するのである」「観客は舞台の行動や登場人物と一体化して、またお互い同士で反応しあう」「観客は心の中で同一の思想（舞台で表現されている思想）をいだき、同一の感情とでもいうものを経験する[※18]」と述べています。

舞台の上で演じている俳優も観客の反応によって自分の演じ方を変えたりします。つまり、俳優も観客も同じ劇場という空間で演技をしています。俳優と観客はこの直接的な交流、融合を成し得ていることになります。そして、俳優と観客が一体となって素晴らしい舞台ができ上がるのです。

4　演劇の機能と構造

演劇がもともと宗教的な祭祀(さいし)と関係が深く、よりよく生きるために必要不可欠な営みであったことは述べた通りです。演劇は社会との結びつきも深く、現実に起こっていることを題材として舞台に載せることで、単なる娯楽ではなく、多様な社会的機能を果たしてきました。つまり、演劇と人間社会とは切っても切れない関係にあったのです。

演劇の機能

そもそも演劇と人間は深い関係性をもっています。その理由を人間の本能に求める説もあります。

ドイツの劇作家シラーは、「人間はまったく文字どおり人間であるときだけ遊んでいるので、彼が遊んでいるところでだけ彼は真の人間なのです[※19]」（傍点は原著）と論じています。彼の影響を受けたとされるオランダの歴史家ヨハン・ホイジンガも「人間文化は遊びのなかにおいて、遊びとして発生し、展開してきた[※20]」と述べ、「遊び」こそが人間文化の本質だと主張しました。彼のいう「遊び」には単純な娯楽だけでなく、彼が「美と神聖の遊び[※21]」と呼ぶ芸術や宗教、もちろん演劇も含まれるでしょう。

アリストテレスは芸術の本質を模倣（ミメーシス）に求めました。これはプラトンが芸術の「模倣」を否定的に論じたことに対する反論でした。アリストテレスは「再現（模倣）することは、子供のころから人間にそなわった自然な傾向」であり、「すべての者が再現されたものをよろこぶ」と説き[※22]、人間にとって模倣は本能的に不可欠であると主張しました。演劇は俳優が何らかの役柄を「模倣」するものですので、アリストテレスのいう模倣本能説にもとづいた芸術活動と言えるでしょう。

アリストテレスはまた、「カタルシス説」を唱えました。「悲劇とは（中略）あわれみとおそれを通じて、そのような感情の浄化（カタルシス）を達成するもの[※23]」と述べたのです。

まとめると、演劇は人間の本能に根差した表現活動であり、演劇で他者の人生を追体験することによって、演じる側も観る側も一歩深い人生の意味を味わえるものであると言えます。

演劇の構造

小説と演劇は似ているようで異なります。喜志哲雄はその違いについて、「小説や詩の言葉は文字言語というかたちをとっている。戯曲の言葉も文字言語だが、それが俳優によって語られると音声言語になる。演劇の言葉は俳優によって肉体化されるのである[※24]」と述べています。つまり演劇の場合は、作者と作品の受け手との間に俳優という別の人間が存在しており、小説を一人静かに読んでいるのとは異なる体験となるのです。

また、小説では言葉によってすべてを描写しなくてはなりません。登場人物を表すには、その顔立ちや体験、服装といった外見も文字で説明しなくては伝わりません。一方で演劇は、俳優の肉体や衣装によって登場人物の外見が伝わるだけでなく、時には性格まで即座に判断させることもできます。さらに、舞台装置や照明、音響によって、その人物像を際立たせることもできるのです。

これは台詞についても言えます。「こんにちは。はじめまして」という短い台詞を例にとってみましょう。普通は人と知り合いになるための一言ですが、そこに複雑な心情が込められている場面です。小説での表現は次のようになります。

「こんにちは。はじめまして」と彼は挨拶した。しかし、その表情は冷たく、その言葉にはどこか義務的な響きがあった。

このように小説では説明的な文章が必要です。一方、演劇では声の調子や表情によってその心情を伝えることができます。このことからもわかるように、演劇の場合は、登場人物の感情を単に記述されたものとして受け入れるというよりも、むしろ直接に体験することができるのです。

次に、劇を作るのに一番大切なことを考えてみましょう。先に述べたように、演劇にとって最も重要なのは俳優と観客です。特に観客が興味をもてない劇ではだめで、観客をひきつけるストーリーや物語の展開が不可欠になります。

それでは、観客をひきつける要素とは何でしょうか。前出のエスリンは「感興とサスペンスを生みだすことが、すべての劇の構造の基礎となる」と記し、そのためには、劇の「進行とリズムにはとどまることのない変化が欠かせない」と述べています。[※25] つまり、最後に幕が降りるまで、期待感をもたせ続けることが大切なのです。

では、エスリンが言う「サスペンス」とはどういったものでしょうか。少し長くなりますが、次に引用します。

サスペンスと一口に言っても、その種類はさまざまである。なるほど「次はどうなるのだろうか」という問いかけの中に、サスペンスは生まれるかもしれない。だが、「次はどうなるかはわかっている、しかしどういう風に起きるのだろうか」とか、「次はどうなるかも、どういう風に起きるのかもわかっている、しかしX氏はどのような反応を示すだろうか」という問いかけでも、同様にサスペンスは生まれる。[※26]（傍点は原著）

また、「次はどうなるか」というサスペンスだけでは、敏感な観客は早い時点で予想してしまうでしょう。よって、一つの大きなサスペンスと小さなサスペンスが重なり合って進んでいくのが望ましいと言えます。これらのことをより理解するために、シェイクスピア（Shakespeare）の四大悲劇の一つ『ハムレット』（Hamlet）を例に考えてみましょう。有名な作品ですので、簡単に粗筋を紹介します。

ハムレットの父王が死去。王の弟が王妃と結婚し、王の座に即きます。父親の急死と母親の再婚に落ち込むハムレットのもとに、父の亡霊が現れているとの噂が流れてきました。この亡霊が小さなサスペンスの要素になります。亡霊とはどういう存在なのか、本当にハムレットの前に現れるのか、はたして亡霊は何を伝えるのか——観客は興味を失わず舞台を観ることになります。

シェイクスピアは、亡霊をハムレットと対峙(たいじ)させ、「自分は今の国王である弟に殺された」とハムレットに告げさせます。これによって、ハムレットがいかに亡き父王の仇を討つのかという復讐(ふくしゅう)が、この劇の重大なサスペンスの要素となっていくのです。

シェイクスピアはこうした巧妙な表現によって、劇に緊張感を生み出しています。まさに『ハムレット』はサスペンス性を見事に表した戯曲作品と言えます。

本節で述べたように、演劇の定義、要素、機能、構造を知ることは、演劇を楽しみ、観る上で必要な基本的概念です。

しかし、演劇はあくまで自分で実感、体験することが大切です。今まで劇場で演劇を観たことのない方は、ぜひ一度、劇場に足を運んでみてください。俳優と同じ空間で劇を味わってみてほしいと思います。そうすれば、何やら難しく聞こえる、これらの基本的概念が自然に理解できるようになると思います。また、そうあることを望んでいます。

【注】

※1　『池田大作全集』第二巻、聖教新聞社、一九九九年、二七三〜二八〇ページ。
※2　『広辞苑（第七版）』岩波書店、二〇一八年、三四七ページ。
※3　河竹登志夫『演劇概論』東京大学出版会、一九七八年、二ページ。
※4　同前、三ページ。
※5　同前、二三二ページ。
※6　丹羽隆子『はじめてのギリシア悲劇』講談社現代新書、一九九八年、八ページ。
※7　J・E・ハリソン『古代芸術と祭式』佐々木理訳、筑摩書房、一九九七年、二一ページ。
※8　前掲書『演劇概論』、一ページ。
※9　前掲書『はじめてのギリシア悲劇』、二〇ページ。
※10　同前、一五ページ。
※11　西尾邦夫『演劇』本郷書房、一九六三年、一四ページ。
※12　H・R・ジョリッフ『ギリシア悲劇物語（新装復刊版）』内村直也訳、白水社、一九九七年、三一二ページ。
※13　丹下和彦「エウリーピデース」、松本仁助・岡道男・中務哲郎編『ギリシア文学を学ぶ人のために』世界思想社、一九九一年、一三八ページ。
※14　同前、一三九ページ。
※15　ニーチェ『悲劇の誕生』秋山英夫訳、岩波文庫、一九六六年、一〇六〜一一四ページ。
※16　前掲書『演劇概論』、三ページ。
※17　加藤衛『演劇の本質』白鷺書房、一九四八年、九八ページ。

※18　M・エスリン『演劇の解剖』佐久間康夫訳、北星堂書店、一九九一年、三一～三二ページ。
※19　フリードリヒ・フォン・シラー『人間の美的教育について』小栗孝則訳、法政大学出版局、一九七二年、九九ページ。
※20　ヨハン・ホイジンガ『ホモ・ルーデンス』高橋英夫訳、中公文庫、一九七三年、一二ページ。
※21　同前、五五ページ。
※22　『アリストテレース詩学・ホラーティウス詩論』松本仁助・岡道男訳、岩波文庫、一九九七年、二七～二八ページ。
※23　同前、三四ページ。
※24　喜志哲雄『英米演劇入門』研究社、二〇〇三年、八ページ。
※25　前掲書『演劇の解剖』、六七ページ。
※26　同前、六八ページ。

Ⅱ　アメリカ演劇の父　ユージン・オニール

アメリカ演劇の父と呼ばれたユージン・オニールを紹介します。

ユージン・オニール（Eugene O'Neill,1888-1953）はアメリカ近代劇の出発点と見なされる偉大な劇作家です。一九三六年にノーベル文学賞を受賞し、ピューリッツァー賞を四回受賞（四回目は、死後に受賞）するなど輝かしい業績を残しました。

演劇を学ぶ上でオニールの劇作品を知ることは大変意義があります。彼の作品には劇を作る上で重要な要素が詰まっているからです。彼の作品を要約することは難しいのですが、その特徴をあえて言うなら、「実験性に富む」と言えます。最も実験的な作品は『皇帝ジョーンズ』（The Emperor Jones,1920）と『毛猿』（The Hairy Ape,1922）で、ドイツ表現主義の基本的な特質をもちつつ、それを超えています。なぜなら彼は表現主義作品においても、心の奥底に潜む無意識の深層心理を表現することを忘れなかったからです。それこそがオニールの一貫したテーマでした。

ピューリッツァー賞受賞作の『アンナ・クリスティ』（Anna Christie,1921）はドイツ表現主義の特徴を見事に開花させ、さらにそれに加えてフロイト、ユングの思想の特徴を巧みに導入していま す。また、登場人物の内面の心理的な葛藤を追求し、それを見事に整理したことによって単純なメロドラマ的ハッピーエンドに終わらず、ユングの集合的無意識の独創性を取り入れることで、一時的なハッピーエンドとして幕を閉じさせています。永続的なハッピーエンドにしなかったことがこの劇作の特質を物語っています。つまりハッピーエンドを肯定する面、また、長期的に見れば悲劇的になるかもしれない要素を含んだハッピーエンドの両面性を表しています。このような複雑な心理的葛藤を巧みにおりこみ、しかもドラマとして独特な筋書きを確立したのです。

オニール作品のなかで難解とされる『偉大なる神ブラウン』(The Great God Brown,1926) は、登場人物たちの仮面の使い方が重要な鍵となる作品です。一般に仮面は二重人格や潜在意識を劇化するために使われますが、オニールは意識・無意識の葛藤の象徴として仮面を使用しました。また、『奇妙な幕間狂言』(Strange Interlude,1928) では、仮面を使わずに、独白という手法によって重層多元な幕間狂言を表現しています。フロイト、ユング思想を融合させた重層立体構造は、ニーチェの超意識を超えて、ショーペンハウアー的な自己調和としての「幸福と平和」を構成しています。

オニールの代表作とされるのが『喪服の似合うエレクトラ』(Mourning Becomes Electra, 1931、以下『エレクトラ』と略す) です。これはギリシア悲劇を現代化しただけではなく、ニーチェの「悲劇の誕生」を取り入れた作品となっています。ここでは、彼がどのようにギリシア劇を現代劇に取り入れ、発展させたかを見ていきましょう。

『エレクトラ』はアイスキュロスの『オレステイア』(Oresteia) 三部作の枠組みを模倣し、四幕から成る「帰還」(Homecoming)、五幕から成る「追われる者たち」(The Hunted)、四幕から成る「憑かれた者たち」(The Haunted) の三部構成の作品です。主な登場人物は男五人、女三人で、第二部第四幕の船上場面以外は、すべてニューイングランドの小さな港町郊外の丘に佇むギリシア神殿風の館、マノン邸が舞台となっています。

オニールの『エレクトラ』は次のような物語です。

南北戦争に出征していたエズラ・マノンが戦争から戻ると、妻クリスティーンは情夫でありエズラの従兄弟のアダム・ブラントと共謀し、夫エズラ・マノンを毒殺します。それを知った娘ラヴィニアは父の仇を討つために弟オリンをそそのかして、まず情夫アダム・ブラントを射殺させます。さらに、情夫を失った母クリスティーンを死に追い込むように攻めたてます。それによって母は自殺。しかし、母を死に追いやった罪を後悔し、悲嘆に暮れる弟オリンも自らの命を絶ってしまいます。ただ一人残されたラヴィニアは、死人の住むマノン家の館に自らを幽閉するのです。

『エレクトラ』は簡単に言えばこのような筋書きですが、これは娘ラヴィニアの心にあるエレクトラ・コンプレックス（女子が父親を愛し、母親を憎む心的傾向）、弟オリンのなかにあるエディプス・コンプレックス（男子が母親を愛し、父親を憎む心的傾向）が軸となったストーリー展開と言えます。ベースとなったアイスキュロスの『オレステイア』は、最終幕で劇中に神を導入することで母殺しの罪が許されますが、オニールの『エレクトラ』はラヴィニアの自己処罰というかたちでギリシア劇と訣別（けつべつ）していると言えます。ここにギリシア劇を超え、現代化したオニールの巧みな作劇法があると言えるでしょう。

オニールはこの作品を一九二六年頃に着想し、二九年になって書き始めました。つまり『エレクトラ』は、旺盛な創作活動を究（きわ）めたオニールの一九二〇年代の終着点とも言うべき作品です。オニールの当時の心境は「創作ノート」の次の一節からうかがえます。「現代心理学でギリシアの運命観を捉え、劇中で表現することで、神や天罰をも恐れない論理的な現代人を納得させ、感動を与えることが可能なのか？」（筆者による訳）と、オニールは自問自答していたようです。そして、ギリシア劇の枠組みを使いながら心理学を応用することによって、現代心理劇を生み出したのです。

一九二〇年代の集大成となる『エレクトラ』は単に精神分析学的な方法だけではなく、ユングの元型心理学を駆使した作品です。さらに心理学に影響を及ぼしたニーチェの「生命哲学」を活用し、ピューリタニズム的な自我から究極的な自己実現に至るまでの広範囲の人間学を示しています。

なお、オニールは後期の作品において自身の信仰への矛盾を暗示しており、彼は作品を通して真の信仰を探求しました。後期の作品『限りなきいのち』(Days Without End,1934) はフロイト、ユング、ニーチェを通して分析すると、オニール自身の信仰についての歴史書として展開されていることは明白です。オニールは青年時代から思想遍歴を重ねてきましたが、この当時の彼は神を見失った現代人が新しい神を探求する道を歩んでいたように感じます。『限りなきいのち』は八回も草稿の手直しをしていますが、それだけ苦心を重ねた末に書き上げた作品でした。草稿のはじめでオニールは主人公を自殺させています。しかし、のちの原稿では、苦しみ抜いた末、主人公の自己分裂を統一して生を与えるのです。心のなかに愛と神を見出(みいだ)そうとしたのでしょう。この作品で描かれた生きることの意味は、永遠の生命の表れを示していると言えるかもしれません。

ともあれ、オニール劇は難解で複雑な作品ばかりです。しかし、精神分析学、ニーチェ哲学、東洋思想の角度から多角的に分析することによって、その真髄を垣間見ることができます。ぜひ、オニールの作品を手に取ってほしいと思います。演劇の鑑賞の方法や解釈の方法が変わるはずです。

Ⅲ『マイ・フェア・レディ』とギリシア神話

ここからは、有名なミュージカル作品を分析します。最初はオードリー・ヘプバーンとレックス・ハリソンが主演した映画でも有名な『マイ・フェア・レディ』(My Fair Lady) です。本作はイギリスの劇作家ジョージ・バーナード・ショー (George Bernard Shaw) の戯曲『ピグマリオン』(Pygmalion、一九一三年初演) を原作としていますが、その戯曲はギリシア神話『ピュグマリオン』をベースにしています。

ですから、『マイ・フェア・レディ』を論じるには、バーナード・ショーの『ピグマリオン』とギリシア神話とを比較した上で分析する必要があります。

ギリシア神話の概観

ギリシア神話『ピュグマリオン』の概要はこうです。キプロス島の王ピュグマリオンには彫刻の才能がありました。現実の女性に嫌悪感を抱いていた彼は、自らの手で理想的な女の像ガラティアを彫刻しました。そして、この像を本気で愛するようになり、人間になることを願うのです。愛の女神アプロディテは彼の願いを聞き入れ、彫像に生命を与え、人間に変えました。こうしてピュグマリオンはガラティアと結婚しました。

英米演劇学者の喜志哲雄は、ピュグマリオンの伝説について、「女性についての理想を貫いた男が神の共感を得てその理想を実現させた感動的な物語なのだと言える。だが少し見方を変えると、これは女性に対して偏見と差別意識とをもっていた男が自分の考えを少しも改めようとしなかった、必ずしも後味のよくない物語と解釈することもできる[※1]」と分析しています。

ジョージ・バーナード・ショーの『ピグマリオン』

戯曲『ピグマリオン』の作者ショーは、政治の世界でも活動したリベラリストとして知られるだけに、作品には階級差別や女性差別に反対する彼の主張が盛り込まれていると思われます。

『ピグマリオン』の粗筋（あらすじ）を紹介すると、発音の訛（なま）りや癖（くせ）から出身地を当てるという音声学の天才、言語学者ヘンリー・ヒギンズが、ひょんなことで出会った花売り娘イライザに喋（しゃべ）り方を教え、彼女を淑女に仕立てるという話です。この点では、ギリシア神話のピュグマリオンとガラティアの物語をなぞっています。

しかし、戯曲『ピグマリオン』の結末は神話とも『マイ・フェア・レディ』とも異なり、イライザはヒギンズのもとを去り、没落貴族のフレディと結ばれます。

前出の喜志は、「ヒギンズは自立した女となったイライザに逃げられる。二人が結ばれることはないのだ。こういうひねりを利かせることによって、ショーはピュグマリオン伝説の後味の悪さを顕在化させている[※2]」と指摘しています。

なお、教育心理学に「ピグマリオン効果」という用語があり、「教師の期待度によって学習者の成績が向上するという現象・効果[※3]」を示唆する言葉として使われています。その言葉はショーの戯曲から取られたものですが、映画『マイ・フェア・レディ』のなかでイライザが語る、「レディと花売り娘との差は、どう振る舞うかにあるのではありません。どう扱われるかにあるのです。私は、あなたにとってずっと花売り娘でした。なぜなら、あなたは私をずっと花売り娘として扱ってきたからです」という有名な台詞は、「ピグマリオン効果」を象徴的に表現しているとされます。

『マイ・フェア・レディ』の粗筋と主な劇中歌の分析

ミュージカル『マイ・フェア・レディ』は、一九五六年にブロードウェイで初演されました。作詞・脚本はアラン・ジェイ・ラーナー、作曲はフレデリック・ローです。公演が成功した後の一九六四年には、オードリー・ヘプバーン主演で映画化もされました。

第一幕

舞台は一九一〇年代初めのロンドン。コヴェント・ガーデンにあるロイヤル・オペラハウスの前は、多くの人たちでごった返していました。当時のコヴェント・ガーデンには野菜や果物や花の卸売市場があり、着飾ってオペラハウスに行くような身分の人たちと、卸売市場で働く労働者階級の人々が共に集まる場所でした。

最初の場面は、ちょうどオペラの公演が終わったところ。急に降り出した雨を避けて、大勢の人たちが軒下でタクシー待ちをしています。母親に促され、タクシーをつかまえようとしていた貴族階級の青年フレディの背後に、イライザ・ドゥーリトルという花売り娘がぶつかってきます。イライザの抱えていた籠から飛び散る花束。雨に濡れ、泥にまみれた花を手に、「花がダメになったんだから、お代を払え」と迫るイライザ。その口調はいかにも下町流で、がらっぱち。一方で、フレディやその母親は、クールにイライザをあしらいます。この衝突の場面は、単にイライザとフレディがぶつかったというだけではなく、階級の異なる二人、もちろん言葉遣いも異なる者同士の衝突を表しています。

それから、花売り娘イライザは軍人らしい紳士（ピカリング大佐）に花を売りつけようとします。その時、一人の男が娘に「柱の陰にいる男があなたの話す言葉を書き留めているので、注意したほうがいい」と助言します。

柱の裏にいた男に向かって、「自分は何も悪いことはしていない」と抗議するイライザ。それに対して男性は、俗語だらけで訛りのある彼女の言葉遣いを非難します。彼の名はヘンリー・ヒギンズ教授。一流の言語学者で、誰かが何かを話すと、直ちにその人物の出身地を当てる能力をもっています。

その時、彼が憤りや批判を込めて歌うのが、「Why can't the English?（なぜイギリス人は英語が話せない？）」。イライザの問題は汚い服や顔じゃなく言葉だと語り、「英国人は話し方で階級が分かる。どうして手本を示してやらないのか」と訴えるのです。

下町出身者に上流階級の話し方を教えて生計を立てているというヒギンズは、イライザについても、「私が仕込めば半年で舞踏会に出せる。侍女や店員の職にだって就けるぞ」と話すのでした。「今でもイギリスでは上流階級の言葉と労働者階級の言葉にはかなりの違いがある[※4]」とされます。この作品の背景には、こうした社会模様があります。

この最初の場面では、ヒギンズ教授は傲慢(ごうまん)で、汚い言葉遣いの人間を見下すようなところが印象に残ります。この作品は、花売り娘が淑女に変身していく過程も面白いですが、女性を一人の人間として認めようともしない男性、ヒギンズ教授が人間的に成長していく過程も見応えがあります。ヒギンズ教授とともにイライザを教育するピカリング大佐も、この最初の場面に登場しています。この三人が重要な軸となり話が展開していきます。この場面は言葉による階級の差、労働階級や女性に対する蔑視(べっし)などが描かれています。

ヒギンズが歌った「Why can't the English?（なぜイギリス人は英語が話せない？）」とは逆に、イライザの生きる場所を表現した歌が、「Wouldn't it be lovely?（素敵じゃない？）」です。イライザと仲間の労働者たちが明るく、活力に満ちたダンスで歌います。

この歌は単純なメロディの四拍子の歌です。男たちの問いかけに答えるように、イライザがロンドン訛りでリフレインを歌います。「甘い香りのチョコレートと赤々と燃える暖炉の炎。体がポカポカ。きっと素敵でしょう」といった素朴な、歌いやすい歌で、ヒギンズのペダンチック（学者ぶった）な歌とは対照的です。

ヒギンズから、君にだって淑女のような言葉遣いを仕込む自信があると言われたイライザ。彼女には生花店をもちたいという夢がありました。そのためにもまともな英語を話したいと思ったのです。ヒギンズとの出会いによって彼女は自分の可能性を開きたいと目覚めていきます。

翌朝、ヒギンズの家に着飾ったイライザが現れます。自分を一人前のレディにするよう頼むイライザでしたが、ヒギンズは拒みます。「これだけ卑しく汚い娘だから」と語る彼に、「汚いもんか。顔と手は洗って来たさ（I washed my face and hands before I come, I did.）」と反論するイライザ。間を取りもったのは、居合わせた言語研究家のピカリング大佐でした。彼女をレディにすることに成功したら、イライザの授業費を全額もつという彼の提案に、ヒギンズは俄然（がぜん）乗り気になり、イライザの教育を引き受けます。

いよいよ、ヒギンズのイライザへの特訓が始まります。イライザを住み込ませ、連日夜中まで猛特訓が続きますが、一向にイライザは上達しません。

数日後、イライザの父アルフレッドが、ヒギンズの家にやって来ます。娘をやる代わりに、五ポンドくれと言うのです。金で娘を売るようなやり方に、ピカリングは「道徳はないのか」と詰問しますが、アルフレッドは悪びれることなく、「そんな余裕はないね。貧乏すりゃ皆そうなる」と答えます。一度は追い返そうとしたヒギンズでしたが、アルフレッドの独特の「道徳観」に心を動かされ、五ポンドを渡して帰します。そのうえ、アメリカの投資家に「イギリス一の独創的道徳家」としてアルフレッドを推薦する手紙まで出したのでした。

イライザへの訓練は厳しさを増します。母音の発音を覚えるまで食事抜きと言われ、逆上したイライザは「Just you wait.（今に見てろ）」を歌います。「今に見てろ、ヘンリー・ヒギンズ、私は金持になるが、お前さんが文無しになっても助けてやらない」「有名になった私は国王に拝謁するだろう」「王が何でも願いを叶えてやろうと言われたら、ヒギンズの首を下さいと言うんだ」「そしてヒギンズは銃殺される」といった詞が、イライザの空想として歌われます[※5]。

この歌は「Wouldn't it be lovely?（素敵じゃない？）」と比べると、はるかに複雑な構成になっており、このあたりにイライザの言葉の進歩がうかがえます。この歌にはイライザの反発心、ヒギンズへの敵意といった気持ちが込められていながら、ヒギンズへの憧れの心情も混ざり合っています。イライザの抵抗、反発を示しながら、淑女になりたいという純粋な彼女の気持ちが伝わる場面となっています。

ヒギンズのイライザへの訓練は続きます。ロンドンの労働者階級が話すコックニー訛りにはいろいろな特徴がありますが、その一つは母音の「エイ」という発音が「アイ」になる点が挙げられます。だから、「The rain in Spain stays mainly in the plain.（ザ・レイン・イン・スペイン・ステイズ・メインリー・イン・ザ・プレイン＝スペインの雨は主として平地に溜まる）」という文を、イライザは「ザ・ライン・イン・スパイン・スタイズ・マインリー・イン・ザ・プライン」と発音してしまいます。

この発音の訓練が夜中まで続きます。ヒギンズの使用人たちがヒギンズの心情を代弁するかのように、「可哀想なヒギンズ教授、食事を忘れて懸命だ」といった歌を歌います。この歌によってヒギンズの訓練の厳しさが観る側に伝わります。

午前三時頃。同席しているピカリングを含め、三人がすでにクタクタになっていた時、ついにイライザが標準的な発音で「スペインの雨」を発音することができます。興奮したヒギンズとイライザ、そしてピカリングが一緒に歌い踊るのが「The rain in Spain.（スペインの雨）」。この場面は有名な場面でもあり、何度観ても胸を打たれます。イライザ、ヒギンズ、ピカリングが喜び合う場面には階級の差を超えた関係性が見られます。

イライザも言葉の変化により外面だけではなく、精神的にも解放されたことを実感していきます。なぜ感動的な場面になるのかは、実際、映像を観て味わってほしいと思います。

イライザ、ヒギンズ、ピカリング三人が一つとなり歌い踊った後、ヒギンズとピカリングはそれぞれの寝室へ向かいます。イライザは興奮して眠ることができません。その時に歌われるのが「I could have danced all night.（一晩中でも踊れたのに）」です。ここも有名な場面で、私も個人的にこの楽曲が一番好きです。この歌詞はイライザの複雑な気持ちを表しています。

前出の喜志は、この場面を次のように分析しています。

イライザは「私は今、朝まで踊りたい気分でいる」と歌っているのではない。「私はあのまま朝まで踊り続けることもできた」というのが、詞の意味だ。（中略）決定的なのは、「なぜ私があれほど興奮したのかは分らない。私に分るのはただ、あの人が私と一緒に踊り始めた時、一晩中踊っていられると私が感じたことだけ」というくだりであろう。ヒギンズが彼女の手をとって踊り出したのは、もちろんそれまでになかったことだ。その瞬間、イライザは、暴君めいた男だと感じていたヒギンズが実はいい人間であること、自分が彼に好意を抱いていることに、気づいたに違いない。（中略）イライザは標準的なしゃべり方を自分のものにした喜びだけでなく、男を愛する喜びをも味わっている。※6

厳しい発声訓練を乗り越えたことで、外見だけではなく、彼女は内面的にも成長していきます。イライザの成長を喜んだ彼らは、舞踏会への練習として、上流階級の社交の場とされたアスコット競馬場に乗り込みます。しかし、競馬場での社交界デビューは失敗に終わりました。ドレスアップして、発音を直しても、中身は花売り娘のままだったからです。

しかしこの時、貴族の息子フレディがイライザに恋をします。冒頭のシーンでイライザとぶつかった、あのフレディです。もちろん、彼女があの時の花売り娘だとはまったく気づきません。彼はヒギンズの家までイライザを追いかけ、彼女に会えるまで玄関の前で待ち続けると宣言します。

第二幕

アスコットでの失敗から六週間。ついにトランシルバニア大使館での舞踏会の日が訪れます。さらなる猛特訓を受けたイライザは、見事な発音と眩いばかりの美しさで他の参加者から注目を集める存在となります。女王陛下から「なんて愛らしい」と称賛され、トランシルバニア皇太子からダンスの相手に指名されたのです。

そんな彼女の素性を探ろうと、ヒギンズの弟子だというハンガリー人の言語学者カーパシーが近づいてきます。ヒギンズ同様、彼も相手の話し方から、その出身地を見破る能力をもっています。

心配する周囲をよそに、イライザはカーパシーを見事にだまし通しました。それどころか、カーパシーは「彼女の英語は完璧で、ハンガリーの王族出身に違いない」と分析します。イライザは花売り娘からレディへと、鮮やかな変身を遂げたのです。

その夜のヒギンズ邸。完全勝利を喜び、互いの健闘をたたえ合うヒギンズとピカリング。二人が陽気に歌う歌が「You did it.（でかしたぞ）」です。ヒギンズの成功をたたえる歌でもあり、使用人たちも一緒になって歌います。

この間、疲れ切ったイライザは完全に無視されています。イライザはこの時、自分は単なる実験用のハツカネズミであったことに気づきます。ヒギンズは彼女を一人の人間として扱ってはくれなかった、と。

一人きりで泣き崩れるイライザは、スリッパを取りに戻ってきたヒギンズに対してスリッパを投げつけ、こう叫びます。「賭けに勝ってご機嫌ね。勝たせた私は無視？」。それをきっかけに大喧嘩が始まります。スリッパは「男性の自立と誇りの象徴でもある」とされ、スリッパの所在は「つねに服従すべき召使や女性に命令して探させるもの」とされていました。[※7] それを、ヒギンズめがけて投げつけるのですから、相当な怒りが爆発したことを物語っています。

彼女の怒りの原因がわからないヒギンズは、チョコレートで機嫌をとろうとしたり、結婚を勧めたり、生花店を開くことを提案したりします。それでも怒りを静めないイライザに業を煮やし、「自分のバカさがいまいましい。薄情なドブネズミに知識を授け、心を許すとは」と捨て台詞を吐いて自室に戻って行くのでした。

「この家に自分の居場所はない」、そう感じたイライザは、こっそり家を出て行く決意をします。

これを機に、イライザは本来の自分の居場所はどこであるのか、何のために外見を磨き上げてきたのか、これから先、何を目標に生きていくべきなのかという問いを自分に向けることになるのです。イライザは言葉遣いを矯正することで、外見は見事なレディとして生まれ変わったように見えます。それと同時に、本来の自分、アイデンティティに目覚めるようになっていきます。

イライザが外に出ると、そこにはフレディがいました。彼と一緒に向かったのは、自分の故郷コヴェント・ガーデンの青果市場です。しかし、昔の仲間たちは、レディとなったイライザに気づきません。ここも彼女の居場所ではなくなっていたのです。

絶望に駆られ、寂しく歩くイライザの前に、正装した父親が現れます。ヒギンズがアメリカの投資家に出した手紙によって、彼は投資家の遺産を受け取っていたのです。それでも彼はイライザに「一ペンスだってやらん」と告げ、「自分の足で立て。お前ならできる。今や立派なレディだからな」と励ますのでした。

翌朝のヒギンズ邸。イライザがいないことに気づいたヒギンズとピカリングは、警察に捜索願を出すなど大慌てです。彼女に身の回りの世話をしてもらっていたヒギンズは、物のある場所も今日の予定もわかりません。

一方、イライザはヒギンズの母親の家にいました。舞踏会の後、なんのねぎらいや称賛もなかったと聞いて、ヒギンズの母親はイライザに同情します。そこにヒギンズがやってきますが、女二人の会話は続きます。イライザは言います。「レディと花売り娘の違いは、どう振る舞うかではなく、どう扱われるかです」と。

母親が席を外し、二人きりで話すイライザとヒギンズ。話すというより議論し合うといったほうがいいでしょう。二人は完全に対等に議論します。単純な断片的な台詞しか喋れなかった彼女が、論理的な内容でヒギンズ教授を打ち負かすほどです。この場面は内面も成長したことがよく理解できるところです。

一方、ヒギンズにとっても、この場面は重要です。前出の喜志は、「おそらくヒギンズは、これまでに、自分と対等に議論できる女性に出逢ったことはなかったであろう。そういう女性がこの世に存在しているとは思ってもいなかったであろう。イライザに逢うことによって、彼は目が開かれたのだ」[※8]と分析しています。

イライザはヒギンズに「あなたのことは好きだが、人間として扱ってくれない以上、もう一緒にはいられない」と告白します。そして、あなたにはもう用はないと完全にコックニー訛りの消えた「標準英語」で歌うのが「Without you.（あなたなしで）」という歌です。イライザはヒギンズに向かって、「Without you.（あなたなしで）」を歌い、「あなただけが全宇宙と信じたなんて、なんという愚かさ。まぬけもいいとこね」「あなたがいなくても、私はやっていける」「あなたなしでも、この世は平和」と言い放つのです。

それでもヒギンズは、彼女を認めるような言葉を言えず、憎まれ口をきいて強がります。その結果、イライザは彼の前から姿を消すのです。

結局、ヒギンズとイライザが結ばれるのか、結ばれないのかが、観客にとっては最大の興味となります。自宅への帰途、ヒギンズが歌う「I've grown accustomed to her face.（忘れられないあの顔）」はイライザへの思いを告白したものです。自分のもとを去ったイライザの様子が彼の脳裏から離れません。自分を捨てて家を出てしまったイライザの行動や、彼女を喪失したことに傷ついて涙にくれます。

打ちひしがれたヒギンズは自宅に戻り、書斎で録音したイライザの声を再生して聞きます。この声はイライザが一番最初にやって来た時の声です。やはりヒギンズはイライザのことが忘れられないのです。そんなヒギンズの背後に、イライザが現れます。彼女がヒギンズのもとに戻って来たのです。彼女はかつての自分の声が流れる蓄音機のスイッチを切り、静かに語りかけます。花売り娘であった時のあの懐かしい台詞、「I washed my face and hands before I come, I did.（ここに来る前に顔と手を洗ったよ、ほんと）」と。その声を聞いたヒギンズは、わざと椅子に反り返り、帽子で顔を隠し、涙まじりの声で語ります。「Eliza?　Where the devil are my slippers?（イライザ、一体俺のスリッパはどこなんだ？）」と。これが『マイ・フェア・レディ』の最後の台詞です。

「一体俺のスリッパはどこなんだ？」はそもそも、イライザがヒギンズと大喧嘩をして家を出ていくきっかけとなった台詞でした。喧嘩別れになった言葉を、ここでもう一度言うことは何を意図しているのでしょうか。もう二人は、決して別れることはないという強い信頼関係を表しているのではないでしょうか。

この二人ともミュージカルの主人公としては珍しい存在であると思います。イライザは最初幼くて粗野ですが、内面的にも成長を遂げ、自立した女性となっていきます。一方、ヒギンズは悪人ではないものの非常に傲慢な男でしたが、イライザとの関係によってその女性観や人間性が変わっていくのです。

イライザとヒギンズの関係の変化について、英文学者の本橋哲也は次のように指摘しています。

「マイ・フェア・レディ」の「フェア」の意味が、「美しい」から「対等の」という意味へと変化したのです。(中略)「私の、美しい、淑女」という言い方のなかには、「レディ」が「私」のものであって、「美しい」かどうかを判断するのもまずは自分なのだ、という男性中心的な驕りがあるのですが、本当に「レディ」になってしまったイライザは、もはや自分の所有物ではありえない、という苦い認識もこの皮肉なタイトルには含まれているからです。※9

『マイ・フェア・レディ』は、イライザとヒギンズの人間としての成長が見える場面で終わります。ミュージカル作品の余韻を埋めるのは観客の作業です。最終場面の映像を観て、余韻に浸ってみたいと思います。

【注】

※『マイ・フェア・レディ』作中の台詞や歌詞は、映画『マイ・フェア・レディ』(監督:ジョージ・キューカー、字幕翻訳:金丸美南子、DVD販売:パラマウント)を参照した。

※1　喜志哲雄『ミュージカルが《最高》であった頃』晶文社、二〇〇六年、三六〇ページ。
※2　同前。
※3　木村利夫・Steven Paydon「コミュニカティブ言語学習とクラスルーム・ダイナミクス」、『鶴見大学紀要　第五一号　第二部　外国語・外国文学編』鶴見大学、二〇一四年、三三ページ。
※4　前掲書『ミュージカルが《最高》であった頃』、三六二ページ。
※5　歌詞の要約は同前、三七〇ページを参照。
※6　同前、三七二ページ。
※7　本橋哲也『深読みミュージカル――歌う家族、愛する身体　新装版』青土社、二〇一八年、一二六ページ。
※8　前掲書『ミュージカルが《最高》であった頃』、三七九〜三八〇ページ。
※9　前掲書『深読みミュージカル』、一二七〜一二八ページ。

Ⅳ 『オペラ座の怪人』――劇中歌、その裏に隠されているものは何か

世界中を魅了し続けるミュージカル『オペラ座の怪人』は、観客の誰もが感嘆する作品です。ミュージカル作品のなかでも出色(しゅっしょく)の傑作であると言われています。では一体、何が観客をここまで魅了するのか。このミュージカルがもつ奥深さについて述べていきます。

『オペラ座の怪人』とミュージカルの神様A・ロイド＝ウェバー

『オペラ座の怪人』がロンドンで初演されたのは一九八六年十月でした。原作はガストン・ルルー、フランスでは有名な推理小説作家です。

『オペラ座の怪人』が観客を魅了するのは、やはりミュージカルの神様と呼ばれるアンドリュー・ロイド＝ウェバーが生み出した楽曲だからでしょう。『オペラ座の怪人』を作曲した時の思いや、苦労した点について語られた彼のインタビュー記事があります。

偶然に原作と出会い、〝ここに面白い何かが潜んでいるのではないか〟と感じたのです。

なぜ原作との出会いが偶然かといえば、それは原作が必ずしも歴史的名作ではないからです。

『オペラ座の怪人』は初め、大衆小説として出版されました。殺人小説なのかホラー小説なのか、歴史小説なのか恋愛小説なのかテーマも曖昧（あいまい）で、また当時出版された他の作品から様々な案も拝借しているようです。実は、『ノートルダムのせむし男』の映画化が成功したことで気を良くした映画会社のユニバーサル・ピクチャーズが、それに続くヒット作はないかと当時のフランス文学の中から面白い作品、それもフリークを題材にした作品を探し始めたのです。それにより『オペラ座の怪人』が発見されました。

ですから、『ノートルダムのせむし男』の成功がなければ『オペラ座の怪人』の舞台は生まれず、数ある大衆小説の中のひとつとしてやがてこの世から忘れ去られていたと思います。[※1]

ミュージカル版『オペラ座の怪人』を生み出したのはロイド＝ウェバーの音楽観によるものと言えます。彼は一九四八年三月、ロンドンに生まれました。父のウィリアム・ロイド＝ウェバーは作曲家で王立音楽学校の学長を務めていました。母のジーンはピアノ教師、そして弟のジュリアンはのちに有名なチェロ奏者になるという音楽一家で育ちました。アンドリューも幼い時からピアノやバイオリンを習い、十二歳の頃にはミニ・ミュージカルの作曲を始めたと言います。

一九七一年に作曲を担当した『ジーザス・クライスト・スーパースター』が大ヒットし、二十三歳にして一躍、ミュージカル界の新しい旗手となります。この作品はオペラ形式のロックミュージカルで、ミュージカルに新しい時代の風を吹き込みました。

しかし、後年のインタビューで彼は、自身の幼少時代を振り返って興味深い発言をしています。「それこそベートーベンからビートルズまでを聞いて育った。ミュージカルはずっと好きだったが、もともとポップなものはわたしの体質にない[※2]」と断言しています。ロックミュージカルによって世に知られたロイド＝ウェバーですが、彼の音楽観のベースはポップな音楽ではなく、クラシックでした。それは、彼の音楽が常識的な区分には当てはまらないことを意味しています。

次の彼の発言も興味深いものです。「私の作品はどれも音楽にのせて、せりふを語るオペラ風のスタイルをとっている。だから、作品とオペラの間に境界線をひくのは難しい。これまでもオペラハウス用の作品を依頼されたことは何度もある。でも、そういう作品を手がけると、これまでと違う分野に足を踏み入れたとみなされるので、引き受けたことはない。カテゴリーで分類されたくない[※3]」。

つまり、「オペラ」という意識で劇場作品を作りあげているということです。彼の言葉は次のように読み替えることができます。「私の作品はミュージカルというよりは、新しい時代のオペラとして捉えてほしい」ということではないでしょうか。

『オペラ座の怪人』は台詞の合間に歌をはさむ通常のミュージカルとは異なり、普通の会話の台詞はほとんどありません。すべてを歌でつなぐオペラ形式で書かれているのです。扇田昭彦はその特徴を「劇中劇としてオペラが三つも登場するメタシアター型作品」であり、「劇中劇という形を使って、十九世紀風オペラの模作を試みることができる作品」と述べています。[※4]

劇中劇の三つのオペラは象徴的な意味合いをもっています。

一つ目は、「ハンニバル」。象を背景にプリマドンナが歌う異国趣味の曲です。これはヴェルディの「アイーダ」を連想させます。プリマドンナのソプラノ歌手カルロッタの代役としてクリスティーヌが登場する場面として使われることになります。

二つ目の「イル・ムート」は軽妙なモーツァルト風。そしてこの場面はファントムの怒りを象徴しています。

三つ目の「ドン・ファンの勝利」はファントムの怒りが、クリスティーヌに対して嫉妬に変わる場面となっています。これら三つのオペラを場面転換としてうまく使っています。

『オペラ座の怪人』の概略

前述のように、このミュージカルの原作は一九一〇年に出版されたガストン・ルルーの怪奇小説です。ロンドンでの初演は一九八六年十月、ロンドンのハー・マジェスティズ劇場にて行われました。その後、世界三十カ国百五十一都市で公演され、その観客数は延べ一億四千万人を超えたと言われています。また、日本でも浅利慶太演出により、劇団四季が一九八八年四月の東京初演以来、全国で再演を重ねています。

怪人ファントムの悲恋そして、ヒロイン・クリスティーヌの慈愛、ラウルの純愛を描いた究極のラブストーリーです。歌を教えることで、音楽の天使のようにクリスティーヌとの絆を深めようとするファントム。最初、クリスティーヌのファントムに対する気持ちは男女の恋愛とは異なります。父親のように、音楽の師として崇めめ、思慕する気持ちが大きいのです。ファントムのクリスティーヌへの想いはやがて、歌で彼女を縛ろうとする抑圧的なものとなり、彼女を自分のものにしたいという歪んだ愛情へと変貌していきます。やがて、クリスティーヌがラウルと愛し合っていることを知り、ファントムは悲しみ、怒りや嫉妬心が表れてきます。愛憎が交錯する関係へと変わってゆくのです。しかし、ラストシーンでは、ファントムはクリスティーヌとラウルの関係を許し、「仮面」だけを残し一人、舞台から去って行きます。この結末はハッピーエンドではなく、それ以上の深い、人間愛を感じさせてくれます。

『オペラ座の怪人』の粗筋と主な劇中歌の分析

プロローグ　一九〇五年パリ、オペラ座

オペラ座の舞台上でオークションが行われています。出品されるのは、この劇場に所縁（ゆかり）のある品々。シャニュイ子爵（ラウル）が三〇フランで落札したのは、シンバルをたたくペルシア服を着た猿のオルゴール。劇場の地下で発見されたと言います。オルゴールを眺め、「細かい細工まで、彼女に聞いていた通り」だと語るラウル。

次に競（せ）りにかけられたのは破損したシャンデリア。この劇場で起こった謎めいた事件に関係する品だと紹介されます。明かりが入ると、閃光（せんこう）を放ちながら客席の頭上高く上がっていくシャンデリア。

ここは現実世界から十九世紀のパリのオペラ座へ移る導入部となる場面です。舞台が暗くなり、シャンデリアが輝きを増して上昇すると、そこは一八八一年のオペラ座。この開幕に流れる楽曲の迫力には鳥肌が立つことでしょう。

①第一幕　一八八一年パリ、オペラ座

①第一場「シャリュモー作・歌劇『ハンニバル』のリハーサル」

プリマドンナのカルロッタと第一テノールのピアンジを中心に、新作オペラ「ハンニバル」の稽古が行われています。そこへオペラ座の支配人ルフェーブルが入ってきて、自らの引退を発表するとともに、新しい支配人としてフィルマンとアンドレを紹介します。二人に請われて、アリアを歌うカルロッタ。そこに突然、舞台の垂れ幕が落ちてきます。騒然とする舞台。これまでにも同様の不可解なアクシデントが繰り返されてきたと言い、カルロッタは腹を立てて去ってしまいます。

「オペラ座の幽霊の仕業だ」と不安がる人たちを前に、バレエ教師のマダム・ジリーはオペラ座の幽霊からの伝言として、①五番ボックスの席は彼のためにあけておくこと②彼に対する給料を支払うこと、という二点を告げます。思いもよらぬ展開に、困惑する新たな支配人二人。なによりプリマドンナが不在になれば、舞台は中止せざるを得ません。

その時、代役の候補として名前が挙がったのが、コーラスガールのクリスティーヌ・ダーエでした。彼女は名も知らぬ音楽教師から指導を受けてきたと言うのです。怪人の意図を察知したマダム・ジリーはクリスティーヌを代役に推薦します。その時、クリスティーヌが歌ったのが、恋愛をテーマにした「Think of Me（私を想って）」です。彼女の透き通るような歌声は聴く者を魅了し、正式に代役として舞台に立つことになるのでした。

②第二場「ガラコンサート」

クリスティーヌの代役公演。観客のなかにはオペラ座の新しいスポンサーで、クリスティーヌとは幼馴染（おさななじみ）のラウル子爵もいました。

③第三場「ガラコンサートの後」

控室でバレリーナの友人メグ・ジリーから称賛を受けるクリスティーヌ。「音楽の先生は誰？」と尋ねるメグに、「音楽の天使」について話すクリスティーヌ。ここで歌われるのが「Angel of Music（音楽の天使）」です。幼い頃亡くなった父親が話していた天使で、「姿は見えないけれど、私を導いてくれる守護天使」と。

オペラ座の地下深く住みつき、決して姿を見せない怪人から「声」だけを頼りに歌を教わるクリスティーヌ。彼女の魅力的な声を引き出したのは、怪人に他なりません。彼女は怪人を歌の師として尊敬し、憧れています。

オペラ座の怪人は原作、映画では不気味な存在です。しかし、ミュージカルの怪人は仮面を付け、その仮面の下に隠された素顔はわかりません（クリスティーヌに剝がされるまでは）。そして、怒りの言葉を吐くと同時に人を魅了させる美しい声で歌を歌い、美青年を想像させます。

なぜ、怪人とクリスティーヌが深い絆で結ばれているかというと、彼女が亡き父親の言葉を信じたからです。クリスティーヌの父親はバイオリニストで、亡くなる時に「お前には音楽を教えてくれる天使が現れる」と告げたからでした。彼女はこの父の言葉を信じて、「音楽の天使」として現れた怪人を父が天国から自分のもとに送ってくれた使者であると感じているのです。

ここで、興味深いのは、怪人とクリスティーヌは同じ境遇にあったということです。怪人（彼にもエリックという名前があります）は醜く生まれたことで、母にも捨てられ、ジプシーのサーカス団に入って見世物にされた挙げ句、オペラ座の地下に住みつくことになったのです。この時、怪人を救ってくれたのは、マダム・ジリーだったのです。

一方、クリスティーヌも両親と死別したため、七歳で寄宿舎に入れられ、孤独な生活を送った過去があります。そんなクリスティーヌを、マダム・ジリーは自分の娘のメグと同様に育ててくれたのです。ですから、マダム・ジリーは怪人とクリスティーヌにとって恩人のような存在です。そして、二人のことを見守ってきたのがマダム・ジリーだったのです。

境遇の似た二人の共通点は音楽に他なりません。怪人は地下の暗闇のなかでクリスティーヌのために曲を作り、教え導いていく「音楽の天使」なのです。彼女がオペラ座の舞台でプリマドンナとして輝く存在となっていくことが、彼の生きる証しとも言えます。

クリスティーヌの控室にラウルが訪ねてきます。再会を喜ぶ二人。ラウルは彼女を食事に誘い、帽子をとってくると言って部屋を出て行きます。その時、怪人の声が響きます。「私の宝物に手を出す無礼な若者め」と。ここで歌われるのが「The Mirror（鏡）」で、「Angel of Music（音楽の天使）」を変奏した曲です。いかにも、ミステリアスなファントムを想像させる曲です。ファントム（Phantom）とは、「幻、幻影、幽霊」などを指す言葉であり、現実的ではないということです。

ラウルの登場により、怪人とクリスティーヌの二人の関係が微妙に変化していきます。いわゆる、三角関係となっていくのです。「The Mirror（鏡）」は「クリスティーヌに恋をするとは何事か、彼女の声を造ったのは俺なのだ」という怒りを表しています。ラウルが現れたことで、怪人は声だけの存在でいられなくなり、地下から地上へと出てくることになるのです。

この場面でもう一つ大切なことは、シャンデリアや猿のオルゴールの人形のように、この場面でも象徴的なものが使われていることです。それは「鏡」の役割です。この「鏡」を通って怪人の住む世界へと導かれます。

英文学者の本橋哲也は、「鏡」の意味を考察しています。

> 鏡は自己を写す道具であると同時に、自己と他者の境界でもあります。（中略）その場所が通路に変わる、鏡の向こうへ来るようにと怪人がクリスティンを誘うことによって。この異界への通路は、クリスティン自身が長年望んでいた「音楽の天使」の正体を確かめたいという隠された欲望と、彼女を独占しておきたいという怪人の欲求とが、一致した時点で開けるのです。※5

④第四場「地下の迷路」

ラウルが席を外したわずかな間に、クリスティーヌは鏡の中から現れたオペラ座の怪人と共に、オペラ座の地下深く降りていきます。パイプオルガンの壮麗なメロディーが流れ、「The Phantom of The Opera（オペラ座の怪人）」を歌いながら、二人は船に乗って進んでいきます。外の世界とはまったく異なる幻想的な世界です。この場面も『オペラ座の怪人』のなかでは印象に残る場面となります。幻想的な感覚を味わってほしいところです。

「The Phantom of The Opera（オペラ座の怪人）」は、怪人とクリスティーヌの美しいデュエットが、興味深いところです。「二人の魂と声はひとつに結ばれている」と歌われ、まるで恋に落ちた二人のデュエットのように聞こえてきます。

二人はレッスンを続けます。何度も「シング！」と叫ぶ怪人に導かれ、クリスティーヌの歌声はさらなる高みへ到達します。

⑤第五場「湖の向こう」

次に怪人は「私のために歌ってほしい。私にゆだねてほしい」と優しく語りかけるように、「The Music of the Night（夜の調べ）」を歌います。その美声に包まれ、クリスティーヌは気を失います。

⑥第六場「翌朝」

猿のオルゴールの音で、クリスティーヌは目覚めます。怪人はオルガンで作曲に没頭していました。怪人の仮面の下の素顔を見たくなったクリスティーヌは、彼の背後に回り仮面を剝ぎ取ります。仮面の下には、ひどいやけどの痕（あと）のような素顔がありました。

クリスティーヌの行為に激怒した怪人ですが、次第に自らの心の内を語り出します。「醜い姿をしているが、ひそかに美の世界を夢見ているのだ」と。怪人の孤独な心を感じ取ったクリスティーヌは仮面を返します。

この仮面はやはり象徴的なものを意味しています。前出の本橋は、「仮面は小さな小道具にすぎませんが、怪人にとっては自らのアイデンティティそのもの」と言い、「かぶっている人からは目によって他者や外界を見ることはできるけれども、仮面の下の顔を見ることはできない、という一方的な視覚による支配関係をもたらす道具」と分析しています[※6]。

怪人はクリスティーヌにより仮面を剝がされ、一番見せたくない醜い顔を彼女にさらけ出します。このことにより、二人の関係性が崩れていきます。この時点で怪人は「音楽の天使」ではなくなります。怪人の素顔を知ったクリスティーヌは怪人に対してかける言葉もなく、地上へ戻れと怪人から言われます。クリスティーヌにとって「天使」で居続けることができなくなった怪人は、男としての嫉妬心を剝(む)きだしにします。

⑦第七場「舞台裏」

その頃、舞台裏では大道具係のブケーが踊り子たちを相手に怪人の醜さを笑い、真似(まね)をして見せていました。マダム・ジリーは怪人の怒りを感じ、ブケーをたしなめます。短い場面ですが、ブケーの死を暗示するシーンと言えます。

⑧第八場「支配人のオフィス」

まだクリスティーヌは劇場に戻ってきていません。二人の支配人、ラウル、カルロッタ、マダム・ジリーにそれぞれ怪人からの手紙が届きました。支配人には「給料が遅れている」という催促、ラウルには「クリスティーヌとはもう会うな」という警告、カルロッタとマダム・ジリーには「プリマドンナをカルロッタからクリスティーヌに交代せよ。要求に背(そむ)いた場合、諸君の想像を絶する災(わざわ)いが起こる」と脅(おど)していました。

手紙を読んで「侮辱された」と怒るカルロッタを、支配人たちが「プリマドンナはあなたしかいない」となだめ、怪人の警告を無視して「イル・ムート」の主役をカルロッタにしてしまいます。

⑨第九場「アルブリッツィオ作『イル・ムート』」

カルロッタを主役に、オペラ「イル・ムート」の幕が上がります。ところが、舞台の途中で、要求を拒否された怪人の怒りの声が響き渡ります。するとカルロッタの声が急にヒキガエルのようになってしまい、さらに、大道具係のブケーの首吊り死体が舞台上にぶら下がります。劇場中が大混乱に陥(おちい)ります。

⑩第十場「オペラハウスの屋上」

クリスティーヌはラウルを劇場の屋上に連れて行き、助けを求めます。お互いの愛を確認し合った二人は将来を約束し合います。

この時、「All I ask of You（私があなたに望むのは）」がラウルとクリスティーヌによって歌われます。クリスティーヌから怪人との出会い、地下での出来事を聞き、ラウルは怪人から愛するクリスティーヌを守る決意をこの歌に託します。クリスティーヌもラウルのことを愛するようになっていますが、怪人を悪人と見なすこともできません。ラウルとクリスティーヌの二重唱からは微妙な心のズレを感じます。

この二人の姿を陰から怪人はじっと見つめています。怪人が「音楽の天使」から嫉妬に狂う男へと転落する場面です。「お前たちはいつか、今日という日を呪うだろう」と叫ぶ怪人。怪人が怒りと復讐(ふくしゅう)心が入り混じった心情を表し、第一幕が終わります。

第二幕　半年後

⑪第一場「オペラ座の階段」

大晦日のオペラ座。仮面舞踏会に集まった人々が華やかに歌い、踊っています。にぎやかな舞踏会のなか、クリスティーヌとラウルは密かに婚約をします。しかし、そこに仮装した怪人が現れ、自作の新作オペラ「ドン・ファンの勝利」の楽譜を支配人に渡し、クリスティーヌから婚約指輪を奪って消えます。

⑫第二場「舞台裏」
ラウルがマダム・ジリーにオペラ座の怪人の秘密を問いただします。彼女は躊躇いながらも、見世物小屋の檻に入れられていた少年が逃亡したという、何年も前の出来事を話します。

⑬第三場「支配人のオフィス」
怪人から「ドン・ファンの勝利」に関する手紙が届きます。「主役はクリスティーヌ」「オーケストラメンバーやコーラスメンバーの何人かをクビにすべき」など、厳しいことが書いてありました。一方的な要求に戸惑い、憤る人たち。

その時、ラウルは思いつきます。「奴の言う通りにすれば、奴は必ず現れる。そこで捕まえるのだ」と。ラウルは怪人を罠にかけるため、クリスティーヌに主役を務めるよう言いますが、クリスティーヌは恐怖から、それを拒否します。

⑭第四場「『ドン・ファンの勝利』の稽古」

「ドン・ファンの勝利」の練習中、何度やっても楽譜通りに歌えないピアンジ。カルロッタが「どんな調子で歌っても、誰も気にしないわよ」と楽譜を軽んじた態度をとると、不穏にも、稽古場のピアノが勝手に鳴り始めます。

⑮第五場「墓場」

苦悩するクリスティーヌは家族の墓を訪れ、亡き父親に問いかけます。するとそこへ、怪人が現れ、我こそが父親の言っていた「音楽の天使」だと語りかけます。クリスティーヌは怪人の言葉に誘い込まれそうになりますが、駆けつけたラウルが「彼女を解放しろ！」と叫び、クリスティーヌと共に逃げます。怒った怪人は「今度はお前たち二人に宣戦布告だ！」と、墓地に火を放ちます。

⑯第六場「『ドン・ファンの勝利』の初日の夜。オペラ座の舞台」

怪人を罠にはめるべく、消防隊は会場封鎖の警備につき、ラウルは狙撃手（そげきしゅ）に「その時がきたら、撃つのだ」と指示を出します。その時、劇場に「オペラ座の怪人はここにいるぞ」という、怪人の声が響きます。「さあ、オペラをはじめよう」と。

⑰第七場「『ドン・ファンの勝利』」

「ドン・ファンの勝利」が開演します。最初、ピアンジがドン・ファン役を演じていましたが、途中から怪人がピアンジと入れ替わり、激しい愛を告白する「The Point of No Return（戻れない地点を越えて）」を歌います。クリスティーヌは相手役の様子が違うことに気づきましたが、舞台は続きます。

「The Point of No Return（戻れない地点を越えて）」を歌う怪人とクリスティーヌのデュエットは、他人の介入を許さず変奏されることもありません。そこでは、お互いの心の内が語られます。「戻れない地点」とは一体、どこを指しているのでしょうか。クリスティーヌにとって怪人は音楽を導いてくれた師であり、父のような存在でしたが、怪人の素顔を知ることで、それらはもう過去のことになってしまいました。あの頃にはもう戻れないのです。自分と他者との関係が変わってしまったポイント、それが「戻れない地点」と言えます。二人の、複雑で何とも切ない心情を確認してほしいシーンです。

怪人が愛を込めて、「共にどこまでも二人で。クリスティーヌ、君がすべ……」と歌い終わる寸前、クリスティーヌが怪人の仮面を剝ぎ取ります。醜い顔が顕わになり、またもや大混乱に陥る舞台。怪人はシャンデリアを落下させ、クリスティーヌを拉致して立ち去ります。この場面のシャンデリアの落下は、怪人の怒りを表した象徴的な場面です。

その後、舞台裏からはピアンジの死体が発見されたのでした。

マダム・ジリーはラウルを怪人のもとへ案内すると名乗り出て、投げ縄で首を狙われないよう、手を目の高さに上げているよう注意します。

⑱第八場「地下の迷路」

怪人はクリスティーヌの腕を引っ張りながら、「どこに行っても人々に追われ、憎まれてきたのは、この歪んだ顔のせいなのだ」と嘆きます。その後ろからは、「人殺しを追い詰めろ！」という、追っ手たちの声が近づいてきます。

⑲第九場「ファントムの隠れ家」

怪人とクリスティーヌは再び地下の隠れ家へやって来ました。クリスティーヌにウエディング・

ベールをかぶせ結婚を迫る怪人。クリスティーヌは「歪んでいるのは顔じゃなくて、あなたの魂」だと答えます。

そこにラウルが現れ、彼女を解放するよう叫びます。しかしラウルは首に縄をかけられてしまうのです。「私の愛を受け入れてラウルを助けるか、拒絶してラウルの死を見るのか、どちらかを選べ」と、怪人はクリスティーヌに選択を迫ります。

かつて師と仰いだ怪人の横暴なやり方に絶望したクリスティーヌですが、同時に憐れみの情をもって語り掛けます。「暗闇に住む哀れなひと。どんな人生を送ってきたの？　神様、どうか勇気を。あなたに教えてあげたいの。あなたは孤独じゃないと」。そしてクリスティーヌは怪人にキスをします。このクリスティーヌの行為の解釈は観る人によってさまざまだと思いますが、音楽で結ばれた絆は消え去ることはないという意味とも取れます。また、恋愛を超えた人間愛を感じることができる場面とも言えるでしょう。

生まれて初めて人間らしい扱いを受けた怪人は、ラウルを解放し、二人で逃げるように言います。一人になった怪人はソファに座り、マントを頭からかぶります。怪人を捕らえようとメグ・ジリーがマントを剥ぎ取ると、そこに怪人の姿はなく、彼の仮面だけが残されていました……。

『オペラ座の怪人』の結末は曖昧な終わり方であると言われます。しかし、ミュージカルは特に、観た後の余韻を楽しむことが大切です。その余韻によって、その作品の評価を判断することができるのではないでしょうか。それを判断することができるのは観客だけです。

【注】

※本文中の台詞や歌詞は、ブルーレイ『オペラ座の怪人 25周年記念公演inロンドン』(二〇一一年、発売・販売:ジェネオン・ユニバーサル・エンターテイメント)を参照した。

※1 劇団四季『オペラ座の怪人』ホームページ、「アンドリュー・ロイド=ウェバー氏インタビュー」https://www.shiki.jp/applause/operaza/learn_more/interview.html

※2 『AERA』一九八八年五月二十四日号、朝日新聞社。

※3 「朝日新聞」一九九五年十一月十六日付夕刊。

※4 扇田昭彦「『オペラ座の怪人』論――A・ロイド=ウェバーとオペラの関係」、角川書店編『【完全保存版】オペラ座の怪人』角川書店、一九九六年、八九ページ。

※5 本橋哲也『深読みミュージカル――歌う家族、愛する身体 新装版』青土社、二〇一八年、二五六ページ。

※6 同前、二五九ページ。

表現文化論

第2章

バレエ鑑賞入門

バレエ研究家

大林　貴子

●はじめに

バレエとはどのような芸術なのでしょうか。白い衣装に身を包んだバレリーナが、つま先で立つ姿を思い浮かべる人が多いのではないでしょうか。バレエの舞台を見たことがないという人でも、つま先立ちになって両腕を水平に広げ、ひらひらとさせてバレエを表します。このつま先で立つ、というところにバレエの特徴があります。これはバレエの基礎、上昇志向性（エレヴァシオン）、垂直性（ア・プロン）と関わっています。女性ダンサーがトウ・シューズを履いて踊るのも、この基礎があるからです。ダンサーは足の先と頭のてっぺんを常に引っ張り合うように、長く使い、四肢（しし）全体も、常に遠くへ、長く、使います。

このようなバレエの身体の使い方は、アジアの舞踊と正反対です。例えば、能、日本舞踊、歌舞伎などに見られるように、日本の伝統的な芸能、舞踊は、重心が低く、膝を曲げて腰を落とした姿勢が基本となります。西洋文化の中で生まれたバレエは、私たち日本の伝統的な身体の使い方とは全く異なったところにあるということです。

もう一つのバレエの基本は、アン・ドゥオール（開脚）です。両脚をすっかり外旋させることで、脚を自由に動かしたり、高く上げたりすることができるようになります。下の図が、バレエの基礎、五つのポジションです。ごらんの通り、脚を完全に開いています。

このように、バレエは上昇志向性と垂直性、そしてアン・ドゥオールという三つのポイントで、他の舞踊と一線を画していきます。こうしたバレエの基礎をダンス・アカデミックといいます。

プロバレエダンサーはこれらの基礎、技術を常に維持し、さらに高められるように毎朝レッスンを行います。基本の稽古はバー・レッスンとセンター・レッスンに分かれています。バー・レッスンではバーに片手を添えて、からだの片側ずつ順に訓練し、センター・レッスンでは広いフロアへ出てバー・レッスンの内容、動きを統合、発展させていきます。加えて、回転技と跳躍技などの難易度の高い組み合わせをこなします。稽古の最

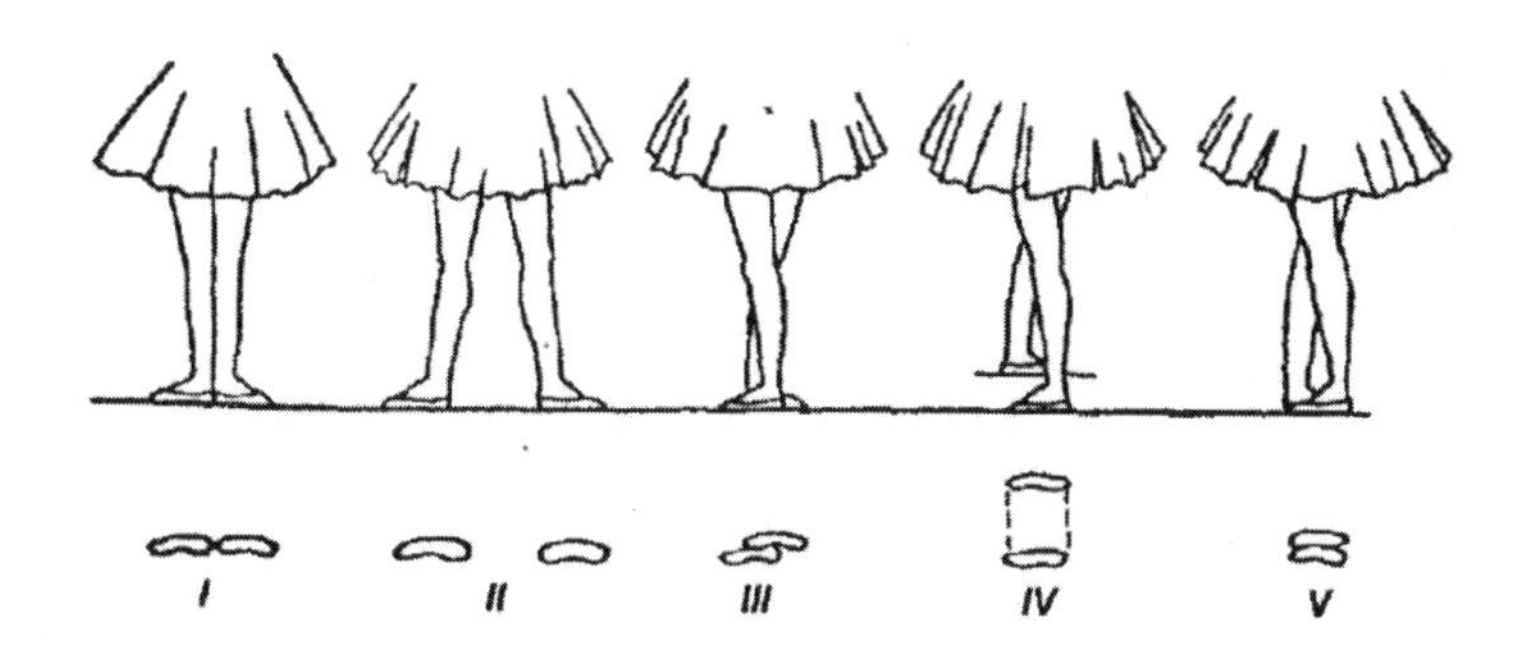

Ваганова А. Я. Основы классического танца. СПб.: Лань, 2001. С. 21.

後には男性なら大きな跳躍技を、女性なら回転技をそれぞれ磨きます。これらすべてを、およそ一時間三十分でこなします。

バレエは、一つひとつの動きやポーズにフランス語の名前がついており、それらを組み合わせて一連の動きを生み出します（アンシェヌマンと言います）。プロのバレエ団の稽古では、毎日異なるアンシェヌマンが与えられ、常にあらゆる動きをこなせるように鍛え続けます。普通なら、これだけで疲れ果ててしまいますが、午後には公演のリハーサルが行われ、夜には舞台で本番、という流れになります。

プロダンサーとはいえ、毎日体のコンディションは違いますので、午前の稽古では自分の体と「対話」をし、体の好調、不調を認識します。時には新たな「気づき」もあります。こうした日々の鍛錬、「対話」のすべては、舞台に立ち、観客の皆さんにバレエを見てもらうためです。

バレエには台詞（せりふ）がありません。すべてを身体で表現しますので、予備知識は必ずしも必要ありません。ですが、繰り返しバレエを見ていくうちに、いろいろと疑問がわいてくるかもしれません。

本稿は、知っていたらもっとバレエ鑑賞を楽しめるような情報を、皆さんと共有するためのものです。ですので、バレエ鑑賞のポイントとして、バレエの見どころや構造、形式、ジャンルを紹介していきます。もちろん、すでにバレエを何度もご覧になられている方にとっても、ご自身の作品解釈にさらなる深みが生まれるきっかけとなれば、とてもうれしく思います。

1　ダンサーを見るということ

バレエの舞台で観客を引き付けるのは、なんと言ってもダンサーです。ダンサーは声を発することなく、生身（なまみ）の身体そのもので物語やドラマを伝え、技術で観客を圧倒します。その中心にいるのが、プリンシパルです。

プリンシパルは、最高位の主役を踊る男女のダンサーのことです。バレエ団のトップに君臨するダンサーで、常にバレエ作品の主役を演じます。日本ではバレリーナという言葉が定着していますが、これは女性プリンシパルと同義です（つまり、バレエを踊る女性がみなバレリーナというわけではないのです）。プリンシパルは端正な容貌に加え、優れた技術を備えていなければなりません。また、物語の中心人物ですから、表現力（演技、役にあった身のこなし）が要求されます。

バレリーナの表現力

『白鳥の湖』を例に挙げてみましょう。これはオデット姫とジークフリート王子の愛の物語です。悪魔ロットバルトの魔法によって白鳥に変えられてしまったオデットは、自らの運命と悲哀をジークフリートに打ち明けます。真実の愛で、この魔法を解くことができると知ったジークフリートは、オデットを救うことを誓います（これが有名な「湖畔の場」です）。ところが、ロットバルトの策略で、ジークフリートはオデットに瓜二つ（うりふた）のオディールに愛を誓ってしまうのです。

『白鳥の湖』で主役を踊るバレリーナは、オデットとオディールの両方を演じます。しとやかで美しい、王子を信じる無垢（むく）なオデット姫と、妖艶（ようえん）で自信にあふれたオディール。バレリーナは、踊りの質や表情、身のこなし方で、演じ分けます。

オデットとオディールの性格の相違は、音楽にも、振付にも表れていますが、それを観客に「見せる」のはバレリーナの力量次第ということになります。オデットは焦り、不安、哀情、そして安堵、喜びなどの複雑な感情の変化を表現します。顔の表情だけでなく、腕や足先に至るまで、全身が表現体となるのです。バレリーナの踊りの表現によっては、王子に語りつつも、自らの悲哀を客観視した独白のように見える場合もあります。

一方、王子を試すように挑発し、誘惑するオディールの表現は、極めて明快です。表情だけでなく、一歩一歩踏み出す足先に至るまで自信に満ち、あふれ出る魅力で観客の心を一瞬にしてつかみます。

テクニックを見るおもしろさ

グラン・パ・ド・ドゥという、技術の見せどころがあります。これは、主役二人によって踊られるもので、アントレ、アダージオ、それぞれのヴァリエーション、そしてコーダという順番で踊りが続きます。

『白鳥の湖』のほか、『眠れる森の美女』や『くるみ割り人形』、『ドン・キホーテ』、『海賊』などのバレエにもグラン・パ・ド・ドゥがあります。リフト（女性を男性が持ち上げる）やピルエット（回転）などの技、様々な跳躍、回転技が次々に繰り広げられます。コーダでは、有名なグラン・フェッテ・アントゥールナンが披露されることもあります。バレリーナが片足を軸に、連続で三十二回転するダイナミックな技です（近年は一回転ずつではなく、二回転、三回転と回転数を加える手法もあるので、実質三十二回以上回るダンサーもいます）。

バレリーナの技術の見せ場はグラン・パ・ド・ドゥだけではありません。バレリーナは、技術で役柄、性格も表現しています。

例えば、『眠れる森の美女』の主役、オーロラ姫は気品に満ちています。オーロラ姫を踊るバレリーナにとって、最も難しい場面の一つが、第一幕の登場シーンです。この場面はチャイコフスキーの音楽によって導かれ、音色が期待の絶頂点に達したところに、オーロラ姫が登場します。この時、オーロラ姫を踊るバレリーナが、華のある存在感と気品で、観客の心をつかめなければ、舞台は成功したとは言えないでしょう。

オーロラ姫は登場するとすぐに、こまやかな足さばきで、育ちの良さと初々（ういうい）しさを表現します。すぐさま続くローズ・アダージオでは、様々な技をこなしながら、四人の従者から代わるがわる薔薇（ばら）の花を受け取ります。一番の見せどころは、アダージオの最後、アティテュード（片足で立ち、もう片足を後ろに上げ、その膝を少し曲げるポーズ）でバランスをとる場面でしょう。

また、オーロラ姫は踊りの中で、エカルテのポーズを何度もとります。このポーズは、身体を正面から四十五度斜め方向へ向けた状態で、片足を高く横に上げます。顔は上げた脚、あるいは、その反対方向に向けます。オーロラ姫の脚先の指すベクトル、目線は無限に伸び行き、まさに王家の安定と発展を象徴しています。

様々な踊りを楽しむ

バレエの魅力は主役のダンサーだけではありません。バレエはシンフォニックと言われるように、様々な踊りがあり、非常に多様性に富んだ舞踊芸術です。すでに紹介した主役の踊りのほかにも、ソリスト（準主役）の踊りのテクニックも見どころです。加えて、キャラクター・ダンスやコミカルなダンス、そしてコール・ド・バレエ（群舞）があります。

ソリストは完璧なバレエ・テクニックを持つダンサーで、作品の中にソロの踊りを持ち、将来のプリンシパルでもあります。バレエを見ながら、「この若手は将来素晴らしいバレリーナになるぞ！」と発掘する楽しみも味わえます。パ・ド・トロワ（三人の踊り）やパ・ド・カトル（四人の踊り）などを踊るのもソリストです。

また、バレエ作品を豊かにするのが、キャラクター・ダンスの存在です。キャラクター・ダンスは、スペインやハンガリー、イタリア、ポーランド、中国、アラビアなどの民族舞踊をバレエ風にアレンジしたものです。実は、バレエはエクゾティスムの影響を強く受けた時代があったので、異国情緒あふれるキャラクター・ダンスが非常に多いのです。

キャラクター・ダンスは、トウ・シューズではなく、三〜五センチの踵（かかと）のあるキャラクター・シューズを履いて踊ります。床を踏み鳴らしたり、両手を打ち合わせて鳴らしたり、頭を振ったりします。足のポジションも少し自由で、時には身体のアライメント（ダンス・アカデミックで定められた垂直性を保った姿勢）を崩し、リズミカル、かつ表現豊かに踊ります。

バレエ作品中で、このような様々な踊りが連続する華やかな場面を、ディヴェルティスマンと言います。物語の流れがいったん止まり、純粋に舞踊だけを楽しむことができます。ディヴェルティスマンは、『眠れる森の美女』や『白鳥の湖』、『くるみ割り人形』、『海賊』、『ラ・バヤデール』、『ドン・キホーテ』などのバレエに含まれ、作品の見どころの一つとなっています。最も豪華なのは『眠れる森の美女』第三幕です。主役の二人の結婚を祝うという枠組みの中で、様々なおとぎ話の主人公たちが多種多様な踊りを踊ります。主役の男女のグラン・パ・ド・ドゥも、このディヴェルティスマンの中に含まれます。

コール・ド・バレエの見せ場には、バレエ・ブランというものがあります。白い衣装を身にまとった女性ダンサーたちが幻想的に踊る場面です。コール・ド・バレエの「コール」は、もともと部隊を指すもので、ダンサーたちは文字通り「一糸乱れぬ動き」をします。よくロシアのバレエ団のコール・ド・バレエのリハーサル中には「皆で一つに！」(все как одна!) と注意されますが、これはまさにコール・ド・バレエ・ダンサーに同質性が求められている証拠と言えます。『ジゼル』、『ラ・シルフィード』の第二幕や『白鳥の湖』の「湖畔の場」、『ラ・バヤデール』第三幕の「影の王国」、『くるみ割り人形』第一幕の「雪片のワルツ」などの十九世紀に作られたバレエ作品では、コール・ド・バレエは万華鏡のようにフォーメーションを変えます。一言でいえば、左右対称的、幾何学的に動き、装飾的役割を担っています。

一方、二十世紀以降に作られたバレエ作品のコール・ド・バレエは、ダンサー一人ひとりの個性を表現する場となっています。一糸乱れぬ動きではなく、みな違う動きをするのです。例えば、『ドン・キホーテ』や『ロミオとジュリエット』などでは、民衆が広場でにぎわう様子などが表現されます（『ドン・キホーテ』第二幕の「夢の場」はバレエ・ブランですが）。コール・ド・バレエ・ダンサーたちをよく見てみると、いたずらをし合ったり、噂話（うわさ）をしていたりと、非常に生き生きしています。

古典バレエのマイム

前述の通り、バレエには表現と技術があります。ですが、もう一つ、物語のあるバレエを見る際に覚えておきたいことがあります。それは、マイム（身振り）です。

『白鳥の湖』や『眠れる森の美女』などの古典バレエは、踊りの場面と、物語が進行する場面とが明確に分けられています。両者を簡単に見分けるコツは、ダンサーがせっせと脚を動かしていれば踊りの場面、反対に、立ち止まって上半身でマイムをしていれば、それは物語が進行する場面と言えます。

ここで、バレエお決まりのマイムを五つ紹介しましょう。

まず、「糸巻き」の歌のように、両手を互いにくるくるさせながら上方へ上げる動きです。これは「踊りましょう」の意味となります。『ジゼル』第一幕で見られる動きです。

次に、左手を胸に当て、右手の人差し指と中指を立てて天に掲げるポーズ。これは「誓い」の意味があります。『白鳥の湖』で王子が愛を誓う時に使われます。

三つ目が「結婚」のマイム。これは左手の薬指を右手で指します。

そして「愛する」のマイムは、両手を左胸に当てます。どちらも『ジゼル』第一幕で見られます。そして最後に「死」あるいは「殺す」という意味ですが、これは両手でこぶしを作って体の前で交差させます。息が詰まるイメージです。この五つさえ知っていれば物語についていけます。

2　様々な演出のバレエを見比べる

現在、バレエは世界中で上演されていますが、同じ作品であってもバレエ団（劇場）によって、振付、演出は様々です。新しい解釈を加えたり、視点を変えたり、あるいは「これはバレエなのか？」という動きを加えたりと、様々な振付家が古典バレエの再解釈に挑んでいます。

『ロミオとジュリエット』

世界中で愛されるバレエに『ロミオとジュリエット』があります。「シェイクスピアの戯曲は台詞が命なのに、どうやってバレエにしたのか？」と思われるでしょう。ですが、このバレエは身体表現で深い感情表現をすることができると証明しました。

『ロミオとジュリエット』にはディヴェルティスマンやグラン・パ・ド・ドゥなどはなく、ダンサーは表情、ステップなど、身体すべてを使って、登場人物の内面感情をリアリスティックに表現します。そして言葉では言い表せない人間の感情を全身で表現します。

登場人物の心情を前面に押し出した振付、動きを可能にさせたのが、セルゲイ・プロコフィエフの音楽でした。詩的で叙情性あるメロディーや、胸を裂くような不協和音。また、ライトモティーフが用いられ、登場人物ごとのテーマや、愛のテーマなどがあるので、観客に登場人物の心情が明確に伝わります。

『ロミオとジュリエット』はマリインスキー劇場のレオニード・ラヴロフスキー版をはじめ、英国ロイヤル・バレエやミラノ・スカラ座のケネス・マクミラン版、そしてハンブルク・バレエのジョン・ノイマイヤー版などがあります。特にドラマティックで人気が高いのがマクミラン版です。

マクミラン版『ロミオとジュリエット』の見どころは、やはりバルコニーのパ・ド・ドゥとクライマックスでしょう。主人公二人の感情が最も高まる場面で、音楽とダンサーの表現が一緒になり、大変ドラマティックです。リフトやピルエットのバレエ・テクニックは、技として見せるためではなく、恋に夢中な二人の感情の高まりを表しています。

ラヴロフスキー版は、マクミラン版よりも踊りが少なく、上半身を大きく使うマイムが多いという特徴があります。ノイマイヤー版は従来の登場人物像を打ち破るような演出です。『ロミオとジュリエット』は、言葉の代わりに踊りやマイムを用いたというよりも、むしろ言葉を使わないほうが、より直接的に深い表現をすることができるのだと証明したと言えるでしょう。ぜひ、劇場へ足を運んで見てもらいたいバレエです。

また、文学作品をバレエ化したものは数多くあり、様々な振付家が演出しています。『ロミオとジュリエット』と並んで人気が高いのは、ノイマイヤーがショパンの音楽に振り付けた『椿姫』と、ジョン・クランコがチャイコフスキーの音楽に振り付けた『オネーギン』です。どちらもドラマティックで美しいバレエで、ダンサーは登場人物の心理的葛藤を全身で表現します。

プーシキンの『エヴゲーニィ・オネーギン』のバレエ化としては、クランコの『オネーギン』だけでなく、ノイマイヤーの『タチヤーナ』やボリス・エイフマンの『オネーギン』もあります。エイフマンはサンクトペテルブルクのエイフマン・バレエ団の振付家で、ロシアの文学作品をいくつもバレエ化しており、『アンナ・カレーニナ』や『白痴』、『カラマーゾフ』などがあります。エイフマンのバレエは日本では見る機会が少ないバレエですが、ローラン・プティが振り付けた『カルメン』や『ノートルダム・ド・パリ』、『スペードの女王』はＤＶＤで見ることができます。

様々な『白鳥の湖』

『白鳥の湖』には様々な演出がありますが、最もポピュラーなのは、一八九五年のプティパ＝イワノフ版に基づいたものです。よく来日公演をするマリインスキー劇場は、プティパ＝イワノフ版を少し改訂したコンスタンチン・セルゲーエフ版を上演しています。内容は先ほど紹介した通りです。

パリ・オペラ座やミラノ・スカラ座、モスクワのモスクワ音楽劇場（ダンチェンコ劇場）がレパートリーにしているのは、ウラジーミル・ブルメイステル版の『白鳥の湖』です。

ブルメイステル版では、オデットがロットバルトに突然魔法をかけられて白鳥に姿を変える、というプロローグが加えられました。そして、チャイコフスキーの意図を汲み、原曲を順番通りに使うとともに、王子のソロを増やすことで、王子の心理的葛藤を描きました。

ブルメイステル版の一番の見どころは第三幕です。プティパ＝イワノフ版ではディヴェルティスマンという枠組みの中で様々なキャラクター・ダンスが披露されるのに対し、ブルメイステル版のキャラクター・ダンスには意味があります。各国のキャラクター・ダンスは悪魔ロットバルトの手下として登場し、こぞって王子を誘惑するのです。したがって、踊りは王子に対するアピールとなります。第四幕はプロローグを結ぶ結末となっており、悲しみに打ちひしがれて身を投げたオデットは元の姿に戻り、王子と結ばれます。このように、ブルメイステル版には全体のドラマに一貫性があります。また、全体的にソロの踊りが増え、足先を細かに動かす動きが増えているなど、踊りの振付も華やかです。

古典バレエ『白鳥の湖』は、さらに再解釈が加えられました。その皮切りとなったのが、スウェーデンの振付家、マッツ・エックでした。エック版の『白鳥の湖』では、マザー・コンプレックスの王子の物語が描かれています。これはエックの引退に伴い上演されなくなってしまいましたが、ＤＶＤなどで見ることができます。

ノイマイヤー版は『幻想・「白鳥の湖」のように』と題され、バイエルン国王ルートヴィヒ二世が狂気にのみ込まれていく様（さま）を描いた作品となっています。幽閉された王が回想する形で物語が進み、有名な「湖畔の場」は劇中劇という構造になり、王は全編を通して「影」と対峙（たいじ）します（ノイマイヤーは『椿姫』でも回想、劇中劇を取り入れています）。

マシュー・ボーン版の『白鳥の湖』は男性同性愛者を主人公とし、幻想、幻影を主題に取り入れています。マシュー・ボーン版の特徴は、男性群舞が踊る白鳥たちの踊りです。

ここでは『白鳥の湖』を紹介しましたが、『眠れる森の美女』や『くるみ割り人形』、『ジゼル』

などの古典バレエは数多くの振付家が演出していますので、いろいろと見比べてみると非常におもしろいです。特にノイマイヤーは物語の枠組みから大きく捉えなおして演出しています。

3　身体そのものを見る

これまで紹介してきたバレエには物語がありました。ですが、バレエには抽象バレエと呼ばれる、物語がない作品もたくさんあります。抽象バレエには物語も感情もなく、踊る身体と、その可能性がクローズアップされています。しかしながら、ただバレエ・テクニックを披露するものではありません。無機質なものや叙情的なものもありますし、哲学的なものなど、様々あります。要は、私たちはダンサーの身体を通して何を見ているのか、と提示しているのです。

ジョージ・バランシンという振付家は、音楽を視覚化したシンフォニック・バレエを作りました。代表作に『セレナーデ』、『ジュエルズ』がありますが、このバレエでダンサーは、楽譜に記された音そのものを表現しています。『セレナーデ』は特にわかりやすく、ダンサーにそれぞれ楽器のパートが与えられ、時には舞台空間を利用して、音楽の奥行までも表します。まさに、見る音楽です。バランシンは、チャイコフスキーやストラヴィンスキーの音楽に振り付けていますので、音楽好きの方にお勧めしたいバレエです。

また、ウィリアム・フォーサイスやモーリス・ベジャール、イリ・キリアン、ナチョ・ドゥアトなどは、新しいバレエを作りました。その先駆けとなったのはフォーサイスでした。バレエの基礎では、身体に中心軸があり、動きはその中心から始まります。ところがフォーサイスは、身体のいたるところに動きの始点を見出しました。ですので、フォーサイスのバレエを見ると、一つの動きが別の動きへと流動的に変化する様を、ダンサーの身体を通じて目の当たりにすることになります。一言でいえば、フォーサイスのバレエは機械的で物質的です。

バランシンのような音楽を視覚化した抽象バレエが無機的とすれば、キリアンのバレエは叙情的です。キリアンの作品を見ると、人間精神の根底にある感傷的部分に気づかされます。『小さな死』や『優しい嘘』などは短い作品ですが、とても見ごたえがあります。彼の弟子、ドゥアトの振付は、『レマンゾ』に見られるような機敏で細かな動きが特徴です。また、バッハのチェロソナタを使った『マルティプリシティ』においては、ドゥアトは音楽の「存在」を視覚化したと言えます。

ベジャールは思想的なバレエを作りました。『春の祭典』や『ボレロ』が有名です。『春の祭典』は、人間の根源にある動物的な衝動性（性や死）を表現していると言われます。宗教的、哲学的とも言われます。ベジャールの振付はダンス・アカデミックを基礎としていますが、より自由な身体表現をしているという点でモダン・バレエのジャンルに属します。

　現在も活躍する振付家は、バレエの基礎を一度解体し、再構築する形で、独自の舞踊語彙を生み出し続けています。特に、ノイマイヤーは様々な古典バレエを改訂するだけでなく、宗教的なバレエやシンフォニック・バレエなども手掛けており、その活動は多岐にわたります。

　新しい現代のバレエは古典バレエの規範から解き放たれ、身体の持つ可能性、そしてダンサーの身体そのものに注目することで、常に新しいバレエを創出しているのです。

4　生の舞台を見るということ

　最近は衛星劇場やインターネット動画サイトなど、バレエを見ることができる場が増えました。でもやはり、劇場へ足を運び、生の舞台を見るのが一番です。画面からは伝わらないダンサーの呼吸、気配がそこにあるからです。

　それに、映像化されたバレエの舞台では、全体を見ることができません。動画では踊りの中心となっている部分だけが映っており、その周りのダンサーたちが何をしているのか、全くわかりません。先ほど紹介したように、演出家はコール・ド・バレエにも役割を持たせますし、バレエは舞台の空間すべてを使って作られていますので、全体を見る必要があるのです。

また、私たちが見る舞台という空間は、様々な分野のプロフェッショナルの表現行為によって成立しています。まず作品の土台を決める台本作家や演出・振付家がいます。そして舞台上のセットをデザインする舞台美術家、それを制作する大小道具・装飾のスタッフ、さらに衣装スタッフや照明・音響のスタッフがいます。また、公演全体を運営する（スケジュール・会場管理・広報など）制作スタッフもいます。ここにダンサーが加わってバレエという舞台芸術になるのです。数多くの人の手によって作られた作品を、全身を使って感じることができるのが、劇場という空間だと思います。

●おわりに

バレエの見方に、正しいも間違いもありません。舞台上にあるものすべてを「見えるまま」に見るのがいいと思います。作品によっては一度で理解できないものもあり、私自身、何度見てもわからない作品が結構あります。

ここで紹介したバレエ作品は、ほんの一部です。鑑賞のポイントも一例に過ぎません。バレリーナによって表現方法や役柄の解釈が違うこともあれば、それぞれ得意とする役も様々です。いろいろな演出の違いを楽しむ、あるいは、お気に入りのダンサーが出演する様々なバレエ作品を見比べてみる、という楽しみ方もお勧めです。

かつては舞台に立って踊る側にいた自分が、こうして観客の視点に立ち返ってバレエについて書いているのが、とても不思議です。けれども、踊っていた時も今も、バレエって素敵だなあ、と思う気持ちは変わりません。何度見ても飽きない魅力が、バレエにはあります。

今後のバレエがどのように変化していくか、とても楽しみです。

現代美術家

宮島 達男

表現するということ
——Art in You——

表現者と鑑賞者の関係

私は、これまで現代美術家として三十年にわたり、世界二十五カ国二百五十カ所以上で展覧会や発表を行ってきました。その経験から解ったことは、「表現は表現者のみで独立して成り立つものではない」という事実でした。つまり、「あらゆる表現は見る人々がいて初めて成立するものだ」というのが私の結論です。そして、これを私は「Art in You」という言葉で表してきました。

「芸術」という世界では、主に表現をする側が、アーティストと呼ばれ、やれ「天才」だ、やれ「鬼才」だなどと、表現者そのものに焦点が当たり語られることが多いものです。しかし、「自分は天才ではない」と自覚してきた私にとって、このような価値観に長い間、違和感がありました。その私の目を開いてくれたのが、インドの詩人ラビンドラナート・タゴールでした。彼は一九三〇年代、アインシュタインとの会話の中で「美について」以下のような会話をしています。

アインシュタイン それでは、真理や美は人間とは無関係に独立して存在するのではないというのですね。

タゴール　その通りです。
アインシュタイン　では、もし人間がまったく存在しなくなれば、ベルヴェデーレのアポロはもはや美しくなくなってしまうのでしょうか？
タゴール　そうなります。[※1]

つまり、「ベルヴェデーレのアポロ」という有名な石の彫刻がどんなに素晴らしい芸術作品であっても、それを見て感動する「人」が存在しなければ、あるいは美しいと感じる受け手がいなければ、もはや、そこに美は存在しない。それは単なる石ころに過ぎないというのです。

この指摘は、私が感じていた表現にまつわる違和感を見事に払拭(ふっしょく)してくれました。そして、「表現者」と「鑑賞者」の関係も鮮やかに描き出してくれたのです。確かに、「表現者」は見る人（鑑賞者）に、何かを伝えようと一所懸命に作品を通して表現します。しかし、もし「鑑賞者」が誰もいなかったら、そもそもそれは「表現」と言えるのでしょうか？　キャッチボールで言えば、投げる人がいても、受け取る人がいないようなものです。同様に、音楽でも、絵画でも、文学でも、「表現者」は「鑑賞者」という受け手がいて初めて、表現が成立すると言えるでしょう。

見る人によって表現は変化する

実は、二十世紀美術に決定的な影響を与えたと言われるフランスのマルセル・デュシャンは、早くからこのことを指摘していました。「そう、絵というのは見物人との相互作用で出来ていく、ということ。（中略）いつもふたつの極が基本にある。見物人と、つくる人。その双極作用が散らす火花が、何かを産み落とす[※2]」と彼は述べています。この見物人とはもちろん鑑賞者を指し、つくる人とは表現者を指しています。つまり、表現とは、表現者の占有物ではないということ、むしろ、それは見る側に共有されて初めて意味を持つもの、存在する理由を与えられるものということになります。

さらに、池田大作博士はもう一歩踏み込んで次のように指摘します。

「同じものを見たとしても、内面の進歩とともに、より深く、微妙なものまで見えてくるのである。釈尊は、入滅の前、最後の旅をしているときに、何度も感嘆の声をあげたという。『ああ、この世界は美しい。人生は楽しい』（中略）反対に、〝見れども見えず〟ということがある。固定観念に眼をおおわれると、すぐそばのものも見えない[※3]」

実はあらゆるもの、あらゆる世界は常に美しく存在し続けている。しかし、見る側の心持ち次第で世界は美しくもなれば、醜くもなる。同じ世界でも違って見えるというのです。ということは、見る側（鑑賞者）次第で世界は変わってしまう。表現も見る側次第で変わる。つまり見る側こそ主体者であり、見る側によって、表現は日々変化し、生成されていると言っても過言ではないのです。

私は、パリのオルセー美術館が大好きです。そこには、印象派などの絵や彫刻が常設展示されています。ゴッホやゴーギャン、セザンヌ、マネ、モネなどの巨匠たちの素晴らしい作品が並んでいる。しかし、毎回、同じ作品を見ても、そのときの自分の心持ちや成長度合いによって、感動の程度が微妙に変化していることに気づきます。前は何も感じなかった作品に、今日はなぜか感動させられたり、前はあれほど好きだったのに、今回は全く興味を惹かなかったり。作品は変わっていない。変わったのは見ているこちら側なのです。

表現の本質は見る側にある

こんなふうに芸術作品の価値も、実は見る側（鑑賞者）によって決められているのです。例えば、茶碗や庭の世界でよく言われる「侘び寂び」などの感性は、「路傍の石に宇宙を見たり、一本の草花に無限を観ずる」など、特別なものではないモノが、置かれる場所や季節、時間、状況などと微妙に関係し、見る側が勝手に想像力を膨らませ味わうものです。また、絵画でも彫刻でも小説でも、古今の「名作」と言われるものは鑑賞者の様々な解釈を受け入れる器の大きさが求められます。つまり、どんな読み方にも耐えられる幅と深さを持ち、鑑賞者の想像力を掻き立て続けるものこそ「名作」と言うのです。

だから、私は「表現の本質は見る側（鑑賞者）にこそある」という結論に至りました。

こうした考え方は、私だけの専売特許ではありません。実は現代アートの歴史は、アーティスト（表現者）という聖域を壊し、開いていく歴史でもありました。アンリ・ルソーやゴーギャンは役人をしながら絵を描いて、素人として画壇を揺さぶりました。フランスのデュシャンはレディメイドというありきたりの工業製品を芸術作品として提示し、芸術には特別な表現技術は必要のないことを示しました。また、ドイツのアーティストであるヨーゼフ・ボイスは「社会彫刻」という概念を発表。彼は表現者と鑑賞者の垣根を全て取っ払い、一般の人々も社会生活の中で、ボランティアや社会活動をしているのだから、それはすでに表現行為であり、彫刻を作っているのと同じだと言いました。つまり、現代のアートの歴史は、徐々に、「表現者は決して特別な存在ではないし、祭り上げられる存在でもない。みんな、芸術、表現という名の下に平等なのだ」と言っているのです。

芸術的感性は全ての人が持っている

ところで、天才という言葉はヨーロッパでは、神の次に位の高い存在として位置付けられています。つまり、普通の人間とは一線を画す存在として差別しているのです。一方、仏教的考え方では、万人が仏になる種を持っているがゆえに、人間は等しく平等であると説きます。

驚くべき能力を発揮する表現者。それゆえ、一般の人間と差別し、彼らを神のような絶対的存在と崇（あが）め奉（たてまつ）るのか、あるいは、高い能力を認めた上で、彼らも同じ人間であり、他の人間となんらの区別なく扱うか。これは決定的な違いです。しかし、上述したように、二十世紀以降の表現者をめぐる歴史は、西欧においても確実に仏教的な考え方に傾いてきたように思います。

私が提唱する「Art in You」とは、この仏教的な考え方に深く共鳴し、全ての人にもともと備わっている「仏の種」のように、「芸術という種」や「表現という種」は、誰もが等しく生まれながらに持っている、とする考え方です。

しかし、みなさんの中にはそれに疑問を抱く人もいるかもしれません。「私は音痴で、絵は下手。文章も大の苦手。自分にそんな芸術的素養も感性もあるはずがない！」と。

子どもの頃から、ずっと絵が下手だ、音痴だと言われていては無理もありませんが、これは、日本の芸術教育の弊害だと私は思います。つまり、表現することが得意か否かで芸術的素養を判断してしまう教育です。それゆえ、誰かに「下手」と一度烙印を押された人は、芸術に全く自信がなくなって、芸術そのものを嫌いになってしまうのです。

しかし、芸術を理解する素養、感性は、表現するという「アウトプット」のみでなく、鑑賞するという「インプット」も大事な要素です。事実、諸外国ではこの点を大切に扱い、銀行家でも法律家でも芸術を深く理解する、オリジナリティー溢れる人材も多く輩出しています。

特に「インプット」の側から見ていくと、芸術的感性の捉え方が全く変わってきます。例えば、夕焼けを見て美しいと感じない人はいない。また、桜吹雪を見て、感激しない人もいないでしょう。それは、美しいと感じる感性をその人が持っているという証拠です。ロックやポップスでいいなと思う「お気に入り」は誰もが持っているのではないでしょうか。それは、いいなと思える鑑賞者としての芸術的感性が備わっているからに他ならないのです。人間である以上、誰もが持っていることの感性。それが、「アート」そのものです。だから、「Art in You」というのです。

私が表現を通して伝えたいこと

では、私はアーティストとして作品作りという表現を通して、人々に何を伝えようとしているのか？

それは、誰もが持っているこの「アート」という可能性に自ら気づいてもらうこと。そして、自分の中に眠っている「アート」を開き、彼らが生きる社会の中で、それを開花させてほしい、という願いです。

この場合の「アート」とは、先ほどから言うように、表現活動だけを指すものではありません。そして、この「アート」には「二種類のソウゾウリョク」という能力が含まれています。それは想像力（Imagine）と創造力（Creative）のことです。

まず、Imagine の〝想像力〟は文字通り、相手の心を像（イメージ）する力のこと。その究極は、人の苦しみや悲しみに想いを寄せ、他者の痛みをも、我が痛みと感じられる力のこと。いわば、同苦の心、他者と共感できる能力です。例えば、無差別テロを考える若者に、この他者の痛みがわかる想像力が少しでもあれば、悲惨な事件は減少するはずです。また、一国のリーダーがこの想像力を持つことができたら、戦争や紛争に突き進むことはない。なぜなら、彼には戦争によって家族を失い、泣き叫ぶ子どもの声が想像できるからです。紛争によって血だらけになった子どもを抱く母の涙を想像できるからです。そして、キング牧師が夢み、ジョン・レノンが歌い上げた平和で平等な世界が彼らに想像できたら、この世界はもっと素晴らしい世界になっているはずです。

もうひとつの Creative の〝創造力〟は既成概念にとらわれず、新しいものを生み出していける能力のことです。無から有を生む力。これは、社会の変化や人生の困難に直面したとき、それらを突破するアイデアを生んだり、イノベーションを起こしていく力と言えます。解決不可能な状況を斬新(ざんしん)な発想で転換する力である〝創造力〟は人間が困難な局面でサバイバルしていく力、いわば〝人間力〟と言い換えてもいいでしょう。現代社会は複雑に絡み合った解決困難な課題が山積みです。その突破口を見出(みいだ)せる唯一の能力もこの〝創造力〟に他なりません。

「アート」が持つ無限の可能性

二〇一七年度のノーベル経済学賞を取り話題となった「行動経済学」では、ナッジという手法でいろんな気づきを人々に与え、良い行動が取れるよう、少しだけ後押しします。例えば、テキサスでハイウェイに散乱するゴミを減らそうと、「ゴミの投げ棄てをやめるのは市民の義務だ」との広告キャンペーンをやったところ、全く効果がなかったようですが、地元のアメフトチーム「ダラス・カウボーイズ」の人気選手たちがゴミを拾い、ビールの空き缶を素手で潰してこうすごむ。「テキサスを汚すと怒るぜ！」と。すると、テキサス州の道路に投げ捨てられるゴミは、六年間で七二％減ったと言うのです。[※4] こうしたナッジという手法も人間の行動様式を想像し、新しい気づきを創造したからこそできたソウゾウリョクの好例だと思います。

こんなふうに、「アート」が持つ無限の可能性は人々が想像力／創造力を駆使して、実際の社会や生活を平和で豊かな社会に具体的に変えていくことができると思うのです。絵を描いたり音楽を演奏できることは素晴らしい表現活動ですが、技術がなくても誰でもができるこうした活動もまた、素晴らしい「表現」であると思います。だから、ドイツの芸術家ボイスはこうした活動を「社会彫刻」と呼び、「あらゆる人は芸術家なのである」と言ったのです。

こう考えると、「アート」とは、表現者の「専売特許」を超えて、むしろ、「全ての人にとって必要な『想像力／創造力』を鍛える活動」と捉え直したほうがしっくりくるのではないでしょうか。それは、表現が「うまい・下手」に関係なく、万人に開かれた活動になっていくでしょうし、万人に開かれることによって、社会の様々な分野に創造性が溢れ出てくるはずです。

例えば、サッカー選手にも創造性は大いに必要です。相手選手の動きを想像し、思いがけない場所へボールを蹴り出す創造性によって勝利できます。漁師も大漁にするためには、天候や季節によって魚の行動を想像できなければなりません。獲り方も創意工夫するでしょう。農業も製造業も、想像力がなければ良い結果は生みません。さらに、サラリーマンだって、周りの人々の気持ちを〝想像〟して、新しい〝創造〟をしていかなければ、厳しい社会を生き残れません。創造性は、普通に暮らす家庭のお父さんやお母さんにも当てはまります。子どもや家族の気持ちを想像して育児や家事に役立て、日々の暮らしを創造していかなければならないからです。このように、人間の営み全般に「想像力／創造力」が必要であることがわかるでしょう。

「アート」は人々のためにある

つまり、「アート」は、何の役にも立たないものではなく、実は、人間や社会にとって、「なくてはならないもの」なのです。そして、「想像力／創造力」を持った人々が、あらゆる分野で活躍するようになれば、この世界はもっと豊かで、優しさに満ちた平和な社会になっていくはずです。なぜならば、「想像力」こそが、他者をよく理解する社会「ダイバーシティー」を実現する土台になるでしょうし、また「創造力」こそが、「地球環境の改善」や「核のない世界」「紛争のない世界」を実現するイノベーションを起こす原動力になっていくはずだからです。

その意味で、私たちのように表現に関わる人間こそが意識を変えなくてはならないと思います。つまり、これまで特別視されてきた「表現／アート」や「表現者／アーティスト」という固定概念から自由になり、もっと万人に開かれた「アート」を全ての人々に伝えていくべきだと思いますし、より多くの人に「アート」を学ぶ意義を訴え、あらゆる機会を通し、人々が「想像力／創造力」を発揮できるチャンスを与える努力をしていかねばならないと思います。そして、それこそが「アート」が社会に果たす役割であり、使命であると思うからです。

私たちは、「アート」に奉仕するのではなく、人々に奉仕しなければならない。なぜなら、「アート」は人々のためにあるのですから。

（二〇一八年）

【注】

※1　NHKアインシュタイン・プロジェクト編『私は神のパズルを解きたい——アインシュタイン・ドキュメント』哲学書房、一九九二年。

※2　マルセル・デュシャン、（聞き手）カルヴィン・トムキンズ『マルセル・デュシャン　アフタヌーン・インタヴューズ――アート、アーティスト、そして人生について』中野勉訳、河出書房新社、二〇一八年。

※3　池田大作「人生は素晴らしい：第十七回　ミーナ・グレゴリー会長」、『聖教新聞』二〇〇二年十月六日付。

※4　リチャード・セイラー、キャス・サンスティーン『実践　行動経済学――健康、富、幸福への聡明な選択』遠藤真美訳、日経BP社、二〇〇九年。

表現文化論

第3章

〈文化記号論〉への招待

創価大学文学部人間学科教授

山中 正樹

I 〈文化記号論〉とは何か

1 〈記号〉と〈意味〉——はじめに——

横断歩道を渡ろうとする時、私たちは歩行者用信号機の〈赤〉色の灯火を見れば、車道の手前で止まり、〈青〉色の灯火に変わってから歩き出す。灯火の色を無視する、あるいは、何色の灯火かを見損ねたままで道路を横断することは、場合によっては生命を危険に曝すことになりかねない。自動車を運転している時もそうだろう。信号機の灯火の〈青〉色は「進め（進んでもよい）」、〈黄〉色は「注意して進め」、〈赤〉色は「止まれ」という〈意味〉であることを理解した上で、交差点に進入するか、交差点の手前で停止するのかを判断しているのである。

このように信号機の灯火の〈青〉〈黄〉〈赤〉という〈色〉は、それぞれ「進め（進んでもよい）」、「注意して進め」、「止まれ」の〈意味〉を持った、〈サイン〉として機能している。

そのほかにも、洗面所の入り口に張られた、「○▽」の図形は「男性用」を、「○△」の図形は

「女性用」ということを表している。

　これは、単純に「○（丸）」と「△（三角）」、あるいは「○」と「▽（逆三角）」という、非常に簡単な図形が組み合わされただけのものであるが、それぞれ「男性用」「女性用」という〈意味〉として認識されるのである。

　本来は、〈赤〉〈黄〉〈青〉という色そのものや、「○」「▽」「△」などの図形そのものには、「進め」とか「止まれ」、あるいは「男性用」とか「女性用」といった意味は、まったく含まれていないはずだ。ところが、それが「ある特定の場所（状況）」で、「ある文脈（条件）」のもとに使用される場合、「ある〈意味〉」を持つものとして、私たちに認識されるのである。これが〈記号〉といったものであろう。

　辞書で「記号」という語を調べてみると、

　　社会習慣的な約束によって、一定の内容を表すために用いられる文字・符号・標章などの総称。言語も記号の一つと考えられる。広く交通信号などから、象徴的なものまでを含む。また、文字と区別して特に符号類をいうこともある。しるし。符号。

（『デジタル大辞泉』JapanKnowledge Lib より）

と説明されている。

またその用法として同書には、「広く、言語・文字・各種のしるし・身振りなどを含む」、あるいは「記号と符号の相違にはあいまいな面もある。目印として付けた○は符号だが、地図上の○は記号である。一般的に、ある体系の中でのしるしは記号だが、『モールス符号』『正（負）の符号』のような例外もある」とある。

右に挙げた〈色〉や、〈図形〉の「○」や「△」も、「交通管制システム」の〈体系〉の中や、「洗面所」など、ある用途を持った〈場所〉という状況の中で、単なる〈色〉や〈図形〉の組み合わせという範疇を超えて、〈意味〉を持った〈記号〉として機能するのである。

これら、「記号」に「共通する普遍的な共通点」について、小森陽一は、「ジャンケン」におけるゲームのルールを例に挙げながら、次のように述べている。

第一に記号は、人と人との間を何らかの関係性においてつなぐもの、つまりはコミュニケーションの媒介となるものであること。第二にコミュニケーションを成立させるためには、その記号をめぐる共通の約束事が歴史的・社会的・文化的に人と人との間に共有されていることが必要で、しかもその約束事が一定の強制力をもっていること。この約束事を「コード」という。「コード」は、それに従って記号現象が生みだされ、認知されるだけでなく、あるものをあることに見立て「記号」を創造する際に、新たに創られていくものでもある。第三に記号は、人間の感覚に訴えるあるものの形、つまり一定の物理的形態で表現（手をつきだす、声をだす、文字を書く等々）されなければならない。第四に、これが記号をめぐる一番難しい問題なのだが、記号が「あるもの」（手の形）で「あること」（グー・チョキ・パーにおける勝ち負けの関係）をあらわすことから、「記号表現」（シニフィアン）としての「あるもの」と、「記号内容」（シニフィエ）としての「あること」という二つの項、二つの面を持つことである。※1

小森の言う「第四」の点については、本節第三項で触れることにして、ここではとりあえず、「記号」が私たちの「コミュニケーション」に密接な関わりを持つこと、および、「記号」が〈意味〉を持つためには、「その記号をめぐる共通の約束事」（「コード」）が、その「記号」を用いる人と人のあいだに「共有」されていることが重要である、という点を押さえておこう。

では私たちは、どうやって、信号機の灯火や図形、あるいは「ジャンケン」の「グー・チョキ・パー」のような「物理的形態」を、〈記号〉として認識し、その〈記号〉が表す〈意味〉をどのように理解しているのだろうか。そこでまず、〈記号〉におけるコミュニケーションが成立する前提となる仕組みについて考えてみよう。

2　〈記号〉によるコミュニケーションが成立する条件
――「ヤーコブソンの六機能図式」――

ロシア出身で、後にアメリカに亡命して活動を続けた著名な言語学者であるR・ヤーコブソン(Roman Osipovich Jakobson,1896~1982)は、「言語の多様な機能」を研究するにあたり、「あらゆる発言事象，あらゆる言語伝達行動に含まれる構成要因についての概観が必要である」として、その「構成要因」について次のように説明している。

発信者 addresser は受信者 addressee にメッセージ message を送る．メッセージが有効であるためには，第一に，そのメッセージによって関説されるコンテクスト context（中略）が必要である．これは受信者がとらえることのできるものでなければならず，ことばの形をとっているか，あるいは言語化され得るものである．次にメッセージはコード code を要求する．これは発信者と受信者（言い換えればメッセージの符号化者と復号化者）に全面的に，あるいは少なくとも部分的に，共通するものでなければならない．最後に，メッセージは接触 contact を要求する．これは発信者と受信者との間の物理的回路・心理的連結で，両者をして伝達を開始し，接続することを可能にするものである．[※2]（傍線および「，」「．」は原文のまま）

これらの六つの「構成要因」は、言語伝達、あるいは言語によるコミュニケーションが成立するためには不可欠なものである。

ここにある六つの「構成要因」全体の相関は「ヤーコブソンの六機能図式」とか「ヤーコブソンの六機能モデル」などと呼ばれている。[※3] このうちのどれか一つが欠けても、十全なコミュニケーションは成立しないのである。

通常、ある情報のやり取りによって、私たちのコミュニケーションが成立するためには、言うまでもなく、その情報の「発信者」がいなければならない。また「発信者」によって送られた情報（ここでは「メッセージ」）を受け取る「受信者」の存在も必要だ。いくら「発信者」が「メッセージ」を発しても、それを受け取る「受信者」がいなければ、一方通行、あるいは「発信者」の一人相撲になってしまい、コミュニケーションは成立しない。

しかし、「発信者」と「受信者」がいるだけでは、コミュニケーションは成立しないのである。例えば、「発信者」から「受信者」に「メッセージ」が送られ、「受信者」がそれを受け取ったとしても、「メッセージ」に内容が含まれていない場合。例えば、メール作成中に誤って送信ボタンを押してしまう「空メール」や、手紙を送る際に、封筒に肝心な便箋を入れ損ねてしまった場合などは、いくら「発信者」が「受信者」に何かを送ったとしても、十全なコミュニケーションが成立したとは言えないだろう。

また、パソコンの通信においてよくある「文字化け」なども同様である。「送信者」から「受信者」に、なんらかのメッセージが送られていても、「受信者」側の、あるいは情報の伝達途中での何かの不具合によって、「メッセージ」が解読できないという場合もあろう。つまり、送られる「メッセージ」は、空疎あるいは空虚なものではなく、実効的なものでなくてはならないのである。だが、その「メッセージ」が有効（後で述べるように、「有効」とは何を以ってそう断定できるのかは、それほど単純なことではないが、とりあえずここでは、仮にそう呼んでおこう）である、あるいは〈意味〉を持つというためには、「発信者」「受信者」の存在と、有効な「メッセージ」のほかに、どのような条件を満たす必要があるだろうか。

その条件に当たるものが、右に引用したヤーコブソンの六つの「構成要因」にある「コンテクスト」「コンタクト」「コード」である。順序が入れ替わるが、より理解しやすいように「コード」から、ひとつひとつみていくことにしよう。

「コード」とは、端的に言えば「規定・規則」という意味だが、いま私たちが話題にしている領域では、「情報を表現するための記号や符号の体系」（『デジタル大辞泉』JapanKnowledge Lib）のことを言う。さらに、先に挙げた小森陽一の解説でも述べられていたように、「その記号をめぐる共通の約束事が歴史的・社会的・文化的に人と人との間に共有されていることが必要で、しかもその約束事が一定の強制力をもっていること」が、「コード」成立の前提となる。

具体的に「コード」とは、最初の信号機の例で言えば、日本における「交通規則・法規」のことであろうし、洗面所の入り口の性別を示す「○」や「▽（△）」の図形では、日本の慣習や社会制度の中で、暗黙のうちに了解されてきた共通理解のことを指すだろう。だが実は、「コード」の最も顕著なものは、〈言語〉なのである。

〈言語〉は、日本語なら日本語の、英語なら英語のそれぞれの言語ごとに、〈文法〉〈音韻〉〈語彙〉などの体系を持っている。それぞれの〈言語〉における単語や語句・表現は、その体系の中で使用されて初めて〈意味〉を持つのだ。逆に言えば、四本足で歩き、尻尾によって感情を表現するとされる「犬」と私たちが呼ぶ動物を指す「イヌ」という言葉が、世界にたったひとつあっただけでは、まったく〈意味〉を持たないのである。日本語の体系の中で、多くの動植物の名前やその他の名詞など、他の単語や表現との関係の中で使用されて初めて、「イヌ」という言葉は〈意味〉を持つのである。

これは貨幣についても同じことが言えるだろう。いくら私たちが一万円札を持っていたとしても、お店にその一万円札を持って行けば、「一万円分の商品と交換する」、あるいは「一万円分のサービスを提供する」という了解事項が成立、あるいは共有されていなければ、その一万円札にはなんの価値もない、ただの紙切れになってしまうのだ。

試みに動物園のヤギに一万円札を見せたとすると、何の躊躇もなくむしゃむしゃと口に入れてしまうだろう。ヤギには一万円札の価値と機能が共有されていないのだから当たり前のことであろう。また、海外では一万円札をそのまま利用することはできない。アメリカであればドルなどの現地通貨に交換しなければならない。これは、日本の貨幣経済とアメリカの貨幣経済、つまり現地での商品・サービス交換の媒介となるものが異なっているということである。

つまり、一万円札が有効に使用できるのは、日本の貨幣経済という体系の下での商業活動に限られるのである。この場合、「日本の貨幣経済という体系」こそが、ここでいう「コード」に当たるものである。

同様に、「日本語」という「コード」こそが、「イヌ」という言葉を機能させる「コード」であるということなのである。

この〈言語〉については、次項で詳細に検討することにして、「ヤーコブソンの六機能図式」の残りの「構成要因」についてみていこう。

「コンテクスト」は、日本語に訳せば「文脈」である。「文脈」とは、「文章の流れの中にある意味内容のつながりぐあい。多くは、文と文の論理的関係、語と語の意味的関連の中にある。文章の筋道。文の脈絡。コンテクスト」(『日本国語大辞典』JapanKnowledge Lib)のことである。同じ言葉や発言においても、それが用いられる「コンテクスト」の違いによって、まったく異なった〈意味〉を表現することになる。

そのため「発信者」が、「受信者」も共有する「コード」に則(のっと)って、有効な「メッセージ」を「受信者」に届けたとしても、「コンテクスト」が共有されていなければ、「受信者」にとって、その「メッセージ」が表す〈意味〉がまったくわからない、という事態が生ずるのだ。

次元はやや異なるが、「コンテクスト」の違いによって、同じ言葉でも異なる〈意味〉が生ずるという例を、五味太郎の絵本『わにさんどきっ　はいしゃさんどきっ』でみてみたい[※4]。

この絵本は、虫歯の治療に来た「わに」と「はいしゃさん」が、冒頭から最後まで完全に同じ言葉を発していながら(まったく同じ台詞(せりふ)が交互に繰り返される)、まったく違う(逆の)シチュエーションをみせてくれて、大変面白く、「コンテクスト」の違いによって、そこに込められた「発信者」の〈意図〉が異なる様子を見せてくれる、大変よくできた内容になっている。

例えば、絵本の最後は、「わに」と「はいしゃさん」の「だから　はみがき　はみがき。」という台詞で締め括られる（この台詞だけ、発話の順番が入れ替わっているところもポイントである）。これは、どちらも同じ意味で使用されているのだが、なぜ「はみがき」をしなくてはいけないのかについての両者の異なった意図が明確になる。「わに」は、虫歯の痛さや「はいしゃさん」の治療の怖さを二度と体験したくないために「はみがき」を励行しようと思う。一方「はいしゃさん」は、人間に襲いかかってくるかもしれない、恐ろしい「わに」の治療など、二度とごめんだ。だから「わに」にはもう虫歯になってほしくない。そこで「わに」に「はみがき」の励行を勧めるのである。

この絵本では、「わに」と「はいしゃさん」によって繰り返される台詞がまったく同じであり、それが〈意味〉する内容もまったく同じなのだが、両者の抱える状況によって、それぞれの「コンテクスト」が異なり、そのことで、台詞が表す感情や意図が異なってくるという、言葉の持つ多様性を巧みに利用しているのだ。

次の「コンタクト」は、文字通り〈接触〉のことである。「メッセージ」が「発信者」から「受信者」に届くためには、なんらかの〈接触〉がなされていなければならない。先に挙げたヤーコブソンの言説では、「発信者と受信者との間の物理的回路・心理的連結」とされており、文字通り両者の「接触」が問題になるのである。「発信者」から有効な「メッセージ」が、「受信者」に送られたとしても、それを「受信者」が、〈受け取ろうとしない〉場合は、「心理的連結」がなされておらず、「コンタクト」も成立していない、と言えるだろう。

「発信者」が「受信者」も共有する「コード」に則って、両者が共通に理解できる「コンテクスト」に沿った有効な「メッセージ」を「受信者」に届けたとしても、「コンタクト」が成立していなければ、その「メッセージ」は「受信者」の手元には届かない。

「発信者」と「受信者」が対面している時などは、「コンタクト」は成立している。だが、「発信者」と「受信者」が離れた場所にいる場合などは、電話やメール、あるいは手紙などの媒体を用いない限り、「コンタクト」は成立しない。「発信者」が送ったメールを「受信者」が開かない場合や、「受信者」が電話に出ない場合などは、「コンタクト」が成立しない顕著な例だろう。

まどみちお作詞、團伊玖磨作曲の唱歌「やぎさんゆうびん」などは、まさにそのような状況にある。[※5]

「しろやぎさん」から届いた手紙を、「くろやぎさん」が読まずに食べてしまう。そこで「くろやぎさん」は手紙の用件を尋ねる返事を「しろやぎさん」に書くのだが、こんどは「しろやぎさん」

が「くろやぎさん」の手紙を読まずに食べてしまう。歌詞は二番までだが、この後「しろやぎさん」から来た手紙を、「くろやぎさん」が読まずに食べてしまうことも容易に想像される。この繰り返しが、どこまでも続くであろうということが、この歌の面白みである。

この歌では、「てがみ」は相手に届いているのだが、中身を読む前に「てがみ」は損なわれてしまう。そのため最終的には、「コンタクト」は成立しないままなのである。

このように「手紙」の場合は、「発信者」が手紙を認めてポストに投函し、その手紙が郵便として「受信者」の手元に無事に配達されたとしても、「受信者」がその手紙を開封しない限り、「コンタクト」が成立しない。その場合は「発信者」の「メッセージ」が「受信者」に伝わらないばかりでなく（相手が何らかのメッセージを送ってきたということだけは「受信者」に理解できるだろうが）、「受信者」からのなんらかの反応がない限り、「発信者」には自分の手紙（「メッセージ」）が相手に届いたのかさえも判明しないという、非常に不安定な状況をもたらすことになる。ことに自分が送ったラブレターを、相手が読んでくれたのかどうかわからず、非常に不安な状況に陥るなどは、その顕著な例であろう。

以上、「ヤーコブソンの六機能図式」の表にある「発信者」「受信者」「メッセージ」「コンテクスト」「コンタクト」「コード」という要素が、コミュニケーション成立には必須の要件になるのだが、それを前提とした上で、「記号」の意味、およびそれが〈意味〉を持つということについて考えていきたい。

次項では、その「記号」の様態について、「言語」（ことば）という側面から考えてみたい。

3　ソシュールの〈言語論〉について

今までみてきたような〈記号〉に関する考え方の基本は、二十世紀の初頭に活躍したスイスの言語学者、フェルディナン・ド・ソシュール（Ferdinand de Saussure, 1857-1913）の〈言語論〉の発想に依拠している。「現代言語学の父」とも称されるソシュールの〈言語論〉は、「構造主義」をはじめとする現代思想の、謂わば「産みの親」とも呼べるものであり、現代の私たちの〈知〉の〈パラダイム〉[※6]の根幹を成す。

ソシュールの〈言語論〉が、同時代の思想、あるいは後世に与えた影響は絶大なもので、現代思想の根幹を成すものであるとともに、ソシュールの思想によってもたらされた〈パラダイム・シフト〉、すなわち「ある時代・集団を支配する考え方が、非連続的・劇的に変化すること。社会の規範や価値観が変わること。例えば、経済成長の継続を前提とする経営政策を、不景気を考慮したものに変えるなど。パラダイムチェンジ。パラダイム変換。パラダイム転換。発想の転換」（『デジタル大辞泉』JapanKnowledge Lib）は、〈言語〉の領域にとどまらず、〈哲学〉〈政治〉〈思想〉をはじめとして、およそ現代思想の全般に及ぶ広範な影響力を持つものであった。

では次に、〈コード〉の、あるいは〈記号〉そのものの、最も顕著な形態が〈言語〉であるから、その〈言語〉について、ソシュールの知見を紹介しながら、考察していこう。[※7]

(1)〈言葉〉とは何か――〈シニフィアン〉と〈シニフィエ〉――

一般に〈言葉〉は、「コミュニケーション」の媒介あるいは道具であり、私たちの身のまわりの「事物」を指し示す「単なる記号」であると考えられている。それは謂わば「道具」であり、「言葉X」が、現実世界に存在する「事物Y」を、指し示すとされている。

このように、ソシュール以前の言語観は、私たちのまわりに存在する事物に対して、言葉が一対一で対応する形になっている。その関係性は強固なものであり、そのために〈静態的言語観〉とも呼ばれる。また言語は、それと対応する事物の名称を集めた、謂わば「目録」のようなものであると考えられており、そのため旧来の言語観は「言語名称目録観」とも呼ばれる。その存在は、確固たるものであり、「文化を構成する基盤としての言語」と考えられてきた。

これは、私たちのまわりにあるものはすべて〈実体〉であり、その存在は疑いようのないものだという、〈実体論〉的な発想である。そしてソシュールは、このような言語の在り様を、すべて否定するのである。

さらにソシュールは、〈記号〉としての言葉が、「シニフィアン」（意味するもの）と「シニフィエ」（意味されるもの）から構成されているという（下図参照）。

そしてこの〈シニフィアン〉と〈シニフィエ〉は、紙の表と裏のように表裏一体になっていて、切り離すことができないという。

ソシュール以前の「言語名称目録観」の立場では、「言葉X」（「意味するもの」）が、現実世界に存在する「事物Y」（「意味されるもの」）を指し示すとされてきた。しかしソシュールは、分離したその対応関係を否定するのである。

〈言葉〉は〈意味〉を持った〈記号〉であり、「意味するもの」（記号表現）と「意味されるもの」（記号内容）は一体化しているのである。

日本における〈記号論〉研究の先駆者である池上嘉彦は、〈表現〉と〈記

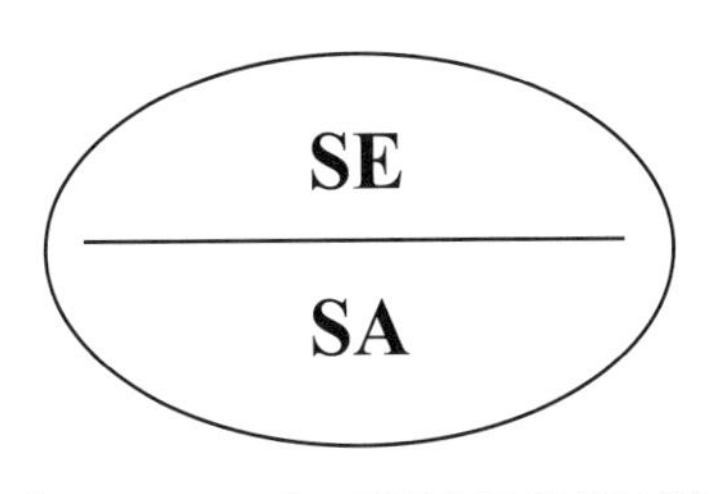

言葉：シニフィエ（SE：記号内容・聴覚映像）／シニフィアン（SA：記号表現）

号〉について、次のように述べている。

或る情報を他者に伝達したいと思っている人がまずなさなくてはならないことは、そのままでは影も形もない情報に形を与えて、相手にも感じとって貰(もら)えるようにする——つまり、「表現」する（表(おもて)に現わす）——ことである。「表現」は二つの性質を備えていなければならない。一つは、情報の内容を表わしていること、もう一つは、相手によって知覚されうるということである。（中略）それが一般に「記号」（sign）と呼ばれるものである。記号に備っている二つの面は、それぞれ「記号内容」（signifié）と「記号表現」（signifiant）と呼ばれる。[※8]

（2）ラングとパロール

ソシュールの〈言語論〉の基本は、人間が普遍的に持つ言語能力を「ランガージュ（langage）」と呼び、その社会的側面として、各国の言語を「ラング（langue）」、また、その「ラング」の具体化の場、すなわち私たち個人の発話を「パロール（parole）」と呼んで、それぞれを区別したところにある。

それまでの〈言語論〉では、これらが混同されており、問題化されてこなかった。言語を論ずる際も、語彙や文法、音韻や意味などがごちゃ混ぜになっており、言語の本質など明らかになっていなかったのである。

神郡悦子は、ソシュールが前述の区別を行った意義について、次のように位置づける。

ソシュールは言語のさまざまな相を、多くは二項対立によって取りだしてみせた（共時態／通時態、ラング／パロール、シニフィアン／シニフィエなど）。われわれにとって重要なのは、まずラングとパロールの区別である。ソシュールは、言語には、実際に話し手が発する具体的な言葉としての側面（**パロール**）と、そうした発話を可能にする潜在的な規則体系の側面（**ラング**）があることを明確にしたうえで、みずからの言語学的研究からはパロールに属する問題をとりあえず捨象することを宣言する。こうして、言語が呈する表層的な諸特徴をいわばその事例ごとに考察する従来の個別言語学のあり方を脱却して、自立した対象としての言語が獲得され、その一般原理を探求する途（みち）が拓（ひら）かれた。[※9]（ゴシック体は原文のまま）

またソシュールは、言語の〈伝達過程〉に注目した。言語が伝わる仕組みはさまざまな要素を含み複雑ではあるが、音声によって言葉および〈意味〉が伝わるという場面を想定して、その主要な要素のみを取り上げて考えてみよう。
そのモデルを、志賀隆生の解説でみてみよう。

言葉は独り言の場合もあるが、多くは他人との意思の疎通をはかるためにある。われわれはどのようにして会話を可能としているのだろうか。それは、次のようなプロセスをたどると考えられる。

①伝えたい内容を言語に変える。
②言語を物理的音声に変える。
③音波が空気中を伝わる。
④耳でその音を聞く。
⑤言語の内容を理解する。

ここで、②、③、④は物理的、生理的現象である。しかも、音声だけでなく、活字、絵、音楽、身振りなどさまざまな手段が考えられる。これらは言語の本質を考える際、副次的なものとソシュールは考える。①と⑤は心的現象である。ここに言語の本質が潜んでいる。①と⑤において、われわれは内容を言語に変換し、言語の内容を理解する。[※10]（ゴシック体は原文のまま）

志賀の言う「①」の、「発信者」が伝えたい内容を言語に変換することを「コード化」といい、また「⑤」の、「受信者」が言語から、伝えられた内容を理解することを「コード解読（または「脱コード化」）」という。この作業を潜在的に支えるのが、「言語」という「コード」なのである。

先の小森の解説にもあったように、それは「歴史的・社会的・文化的に人と人との間に共有されていることが必要で、しかもその約束事が一定の強制力」を持っていなければならない。例えば、「今日から私は、今まで〈椅子〉と呼ばれていたものを、〈お盆〉と呼ぶことにする」と思って、「そこにある、〈お盆〉（実は〈椅子〉）に座ってください」と、近くの人間に言っても、誰もその意味や意図を理解できずに、混乱を招くだろう。

このように、私たちが、頭の中にある概念やイメージを相手に伝えるには、〈言語〉という「コード」が必要なのであるが、ソシュールの考えは、そこにとどまらない。

（3）言語の〈恣意性〉について

ソシュールの言語観を支える重要な概念の一つが、言語の〈恣意性（しいせい）〉である。先にもみたように、ソシュール以前の「言語名称目録観」では、事物と言葉が一対一で結び付いており、その関係は強固なものであった。しかしソシュールは、言語と事物の対応関係は、なんら必然的なものではなく、たまたま結び付いたに過ぎないとする。言葉の〈意味〉は、アプリオリ（先験的）に付与されたものではない。それは、誰かによって〈恣意的〉に結び付けられたに過ぎないと指摘するのである。

言葉の中に本来的に、その言葉の〈意味〉などは存在しない。例えば、「イヌ」という言葉の意味について考えてみよう。一般に「イヌ」という言葉の意味は、「四本足で歩行し、（日本語の場合にはワンワンとほえ、尻尾で感情を表現する、人間に最も近しい動物」であるとされるだろう。しかし、これは「犬」という「動物」の特徴や属性を答えたものに過ぎない。「イヌ」という言葉の意味は、「イヌ」としか説明しようがないのである。

そうなると「イヌ」という言葉の〈意味〉は、「イカ」でもなく、「イシ」でもなく、「イタ」でもなく、「イワ」でもなく、「キヌ」でもなく、「ミヌ」でもなく……、と繰り返し否定していって、残った唯一のものとしか規定できないのである。つまり、他の言葉のどれでもないという、「ネガティブ（否定的）な差異」によってしか表せないもの、すなわち「ネガティブな差異の体系（システム）」によるものだと、ソシュールは説く。

こうしたことから導き出されるのは、言葉の意味を、実体的で固定的な結び付きから解放することであり、それは固定的な価値観に基づく〈図〉と〈地〉の逆転を生むだろうし、物事の意味は、それを見る視点によって切り出されるもの、すなわち多様な〈差異線〉によって切り出された〈恣意的〉なものであるということになる。（この実例としてすぐに思い浮かぶのは、一つの絵が、見方によって二通りに見えるという、心理学者ルビンによって名高い「ルビンの壺」や、「アヒルウサギのだまし絵」だろう）。

ソシュールの言語観が、〈動態的言語観〉と呼ばれ、「従来の文化を破壊し、新しい意味を生成する言語」だと評されるのは、こうした多元的な見方をもたらすことによるものなのである。

言い換えれば、ソシュールの〈言語論〉から導き出されるのは、世界をそれまでの〈実体論〉としてみるのではなく、すべてはその体系（システム）内の要素同士の関係性によって成り立つものと考える〈関係論〉にシフトすることである。

このようなソシュールの思想が現代思想にもたらした意義について、伊藤直哉は次のように述べている。

> ソシュールにおけるこのようなシステムとシーニュ（引用者注：「記号」）の考え方は、事物に実体的価値を見いだした古典的記号観を唱える哲学者とは、決定的に袂を分けていることが理解できよう。事物や概念に、実体的な価値や意味を見いだすことができると考える「事物の存在論

的優先主義者」。それに対し、ソシュールは、事物や概念には実体的な価値や意味を見いだすことはできず、システム内のネガティヴな差異によってのみ、価値や意味が決定され、われわれの世界が構造化されていると主張した。ソシュールが創始した「シーニュ＝記号理論」は、世界の見方を、**実体論から関係論へ**とシフトさせ、さらには、この世界そのものを、実体的なものから関係的なものへと変貌させたのである。[※11]（ゴシック体は原文のまま）

（4）〈言語論的転回〉について

そもそも〈言語論的転回〉とは、「二十世紀の初頭ころより開始された、哲学の方法に関する大きな転換の動向。近代の哲学は『意識』を主題とする傾向にあったが、それに代えて『言語』の分析を中心に据えることにより、さまざまな哲学的問題を解決（または解消）しようとする動きのこと」（『情報・知識 imidas 2017』JapanKnowledge Lib）とされるが、現代思想においては、特にソシュールによる「実体論」から「関係論」へという〈パラダイム〉の転換が重要であるといえよう。

ソシュールによれば、〈言葉〉は〈意味〉を持った〈記号〉であり、〈表現〉であると同時に〈意味〉である。さらに〈言葉〉は、「連続的な現実を切り取り、世界を構造化する装置」である。これは非常に重要なテーゼである。なぜなら、それまで世界は、確固たる〈実体〉的な存在として私たちの外側にあると考えられてきた。しかし、ソシュールによれば「言語に先立って、事物は存在しない」のであり、言語によって世界は構成されているというのである。

もう少し説明しよう。私たちを取り巻く現実世界は、雑多なもので溢（あふ）れている。それらはすべて連続しており、整然と区別できるものではない。例えば、川の上流にある大きな岩は、中流から下流に下るに従って、水によって削られていく。「岩」は角が取れて丸くなり、徐々に小さくなっていく。川の中流域では「石」となり、下流では「砂」になってしまう。この「岩」「石」「砂」の境界線はどこにあるのか。どこまでが「石」でどこからが「小石」で、どうなると「砂利」と呼ばれ、どこから「砂」になるのか。

しかし考えてみれば、それらは連続しており、明確な区別などないはずだ。それが、「岩」「石」「小石」「砂利」「砂」と、異なる言葉が与えられることによって、それぞれが区切られ、他と区別されるのである。

すなわち「言葉」が「現実」を切り取り、区別していくのである。「岩」や「石」や「小石」、「砂利」や「砂」といった言葉がなければ、それはどんな大きさでも、「岩」（先にみたように言語は恣意性を持つので、特に、「岩」でなくともよい。「石」であろうと「砂」であっても構わない）と認識されるだろう。私たちは、言語によって、連続した世界を切り取って認識しているのである。

ほかにも例を挙げることができる。空にかかる虹を、日本人は「七色」と見るが、欧米では「六色」と見る（他の地域では、さらに少ない色の数で虹を認識することも知られている）。空にかかる同じ虹を並んで眺めたとしても、日本人と欧米人では、異なった色の数で認識するのである。これもやはり、言語（この場合は〈色〉を表す言葉）によって、それぞれの認識が異なる。つまりそこに存在するものが異なってしまうのである。

教室の前方の壁に、掲示板と黒板があるとしよう。これもやはり「壁」「掲示板」「黒板」という言葉があるから、私たちはそれを、それぞれ異なったものとして認識しているのだ。もしも「壁」という言葉しかなかったら、それはすべて「壁」になってしまう。「壁」にもたれかかるのはもちろんだが、「壁」に印刷物を画鋲で貼り付けたり、「壁」にチョークで字を書くということになるのであり、それでまったく違和感はないのである。私たちの目の前にある物が〈言語〉によって、まったく異なった物に変わってしまうのである。

このように、言葉によって連続する現実世界が切り取られ構造化されて、私たちに認識されるのである。それが「言語に先立って事物は存在しない」ということなのである。もちろんそれは、人間が存在するか否かによって、物理的に事物が消えたり、現れたりするわけではない。あくまでも私たちが、世界や事物をどのように認識するかという問題である。

ソシュール以前は、「事物」が先に存在し、それに「言葉（名前）」を与えていた。すなわち事物は、ありのままに絶対的にそこに存在するという〈実体論〉であり、私たちはそのように世界を捉えていたのである。しかしソシュール以後は、「言語に先立って事物は存在しない」のであり、〈言語〉が「事物」を構成するのである。こうした逆転現象が、〈言語〉によってもたらされる様を、〈言語論的転回〉というのである。それまでの認識の在り様が、まったく逆転してしまうので、〈転回〉というのである。

今までみてきたような、ソシュールの〈言語観〉および、こうした認識作用について、唐須教光は次のように述べている。

われわれは、全人類が例外なく持っている言語という文化（記号体系）を通してしか現実を構成することができないのであり、したがって、言語という記号体系が異なれば、見えてくる世界も違ったものになってくるのである。換言すると、自然という連続の世界を、われわれは言語という文化装置によって、不連続なものに分節しているのである。このことは、あるものをそれとして認識できるのは、普通、それに名称が与えられている場合であることを考えても、容易に想像されるだろう。それまでは何気なく見過してきた路傍の花が、その名称を知ることによって、急にいきいきとした存在感を持って知覚されてくることは誰でも経験したに違いない。つまり、名称という記号表現を与えられて初めて、その花はわれわれに意味を持った存在として現われてくるのである。[※12]

以上、ソシュールの〈言語論〉に依拠しつつ、〈記号〉〈言語（ことば）〉あるいは〈意味〉や〈認識〉という問題について考察してきた。次項では、これらの概念を基盤として、いよいよ〈文化記号論〉についてみていくことにしよう。[※13]

4 〈文化記号論〉とは何か？

これまで、現代思想の根幹を成すとも言える、ソシュールの〈言語論〉に基づいた〈記号〉と〈意味〉および、〈記号〉としての〈言語〉の特徴についてみてきたわけだが、それを基盤にして、〈文化〉の問題を考えてみたい。すなわち、本章の主題である〈文化記号論〉についてである。

〈文化記号論〉とは何か。磯谷孝は〈文化記号論〉を、「構造言語学が解明した言語構造の諸原理、あるいはそれが開発した諸方法を踏まえて文化を記号として研究しようとする学問[※14]」と定義付けている。ここでいう〈文化〉とは、〈文学〉などの〈言語〉を媒介とした芸術だけを指すのではないことは、言うまでもない。

磯谷の言う「文化を記号として研究」するということは、すべての文化現象を〈記号〉すなわち〈意味〉を担うものとして扱うということに言い換えられよう。そこでは、ソシュールの〈言語論〉でみてきた事柄を敷衍（ふえん）して考えることができる。

例えば、「シニフィアン（意味するもの）」と「シニフィエ（意味されるもの）」という観点から見れば、私たちの〈言葉〉だけでなく、〈表情〉はもちろん、〈しぐさ〉や〈態度〉から〈服装〉にいたるまで、「表（おもて）に現れた」ものは、すべてのものが〈記号〉として、なんらかの〈意味〉を持つものとして捉えられる。

また、音楽や美術といった芸術から、歌舞伎・能・狂言といった日本の伝統芸能、オペラや演劇などの舞台芸術も、人間の行為や舞台で用いられる小道具・大道具を含めて、それぞれがなんらかの〈意味〉を〈表現〉する〈記号〉として捉えられるだろう。

あるいは、茶道や華道なども同様であろう。こうしたジャンルでは特に、〈様式美〉といった、ある種のパターン化されたものの中に、伝統的に受け継がれてきた〈所作〉や〈型〉といったものが〈表現〉する〈意味〉も含まれていると言ってよいだろう。

さらに、人間の営為以外の事物、例えば、建築物やランドマーク、ポスターや前衛芸術。また時には、自然現象でさえもそれを捉える人間の認識や営為が加われば、それは〈文化記号〉として位置づけられるだろう。このように、〈文化記号〉とは、ありとあらゆるところにまで対象を広げて考えることができるだろう。

そこでは、〈文学〉に対置された〈アニメ〉や〈漫画〉などという区分、すなわち従来の〈メイン・カルチャー〉と〈サブ・カルチャー〉といった区分けなども有効性を失うことになるだろう。

この点についても磯谷孝は、「文化記号論は、一つの文化の内部からこの文化の論理構造を明らかにするとともに、文化の外部の視点にも立ってこれを相対化し、我々の文化的無意識を克服しようとするもので、現代における人類の知的実存といえよう」[※15]と述べ、その意義を高く評価している。

旧来の価値観では、〈アニメ〉や〈漫画〉、あるいは〈オタク〉などの大衆文化は、俗的なものとして眉を顰(ひそ)める向きもあっただろう（それも今は過去のことではあるのだが）。それは、〈文学〉などの芸術が、高尚で正当なものであり、〈アニメ〉や〈漫画〉は通俗的であるという、謂わば「文化の権威主義」による価値判断によるものだろう。

しかし〈文化記号論〉では、そのような価値観に縛られることはないだろう。すべてのものが何らかの〈意味〉を担う〈記号〉として捉えられるのであり、その観点からみれば、正当とか邪道という範疇で、一刀両断に何かを切り捨てることなど不可能である。仮に旧来の価値観からは認められないものであっても、そこに、その時代の要請や、その世代の文化を編成する〈コード〉を見出し、新たな〈価値〉を創出していくのである。

このように〈文化記号論〉とは、私たち人間を取り巻く、ありとあらゆる事物や現象を対象にしながら、それらが持つであろう、さまざまな〈意味〉を掘り起こす営為である。それは、事物の背後に隠された〈意味〉を探り当てる行為であるとともに、対象にどのような〈記号性〉や〈意味〉を見出すか（あるいは、見出さないか）によって、その対象に対峙する私たち自身や、私たちを囲繞する眼に見えない制度や価値観、認識の枠組みを炙り出すことにほかならない。

最後にもう一度、池上嘉彦の言葉を引用しておこう。

> 人間は「構造化を行なう動物」であると言われる。自らを取りまく「外界」を主体的に意味づけ、価値づけ、自らの住む世界として秩序化していく。これは「自然」を「文化」に変える営みであり、そのような営みを主体的に行なうという点で、人間は本能に縛られ「自然」の域にとどまらざるをえない他の動物と異なるというわけである。
>
> その過程で、人間がさまざまの「記号」、とりわけ「言語」をあやつるということがどのよう

な重要な意味合いを持つか（中略）。「言語」を中心とした人間の用いるさまざまの「記号」は、まず第一に、生み出された人間の文化的な秩序を確認し、維持し、機能させる。第二に、新しい事態に際してそれを能率的に処理し、その意味と価値を把握し、秩序化された世界に組み込んでいく。そして第三に、「記号」そのものを操作して、現実を超えた「虚の世界」を創造していく。人間は「記号」をあやつる動物でもある。「記号」をあやつることによって、人間は自らの身体的な存在の限界を超えて、無限の自由をわがものにする可能性を見出すのである。[※16]

【注】

※1　小森陽一「記号」、石原千秋ほか『読むための理論――文学・思想・批評』世織書房、一九九一年六月、一三五～一三六ページ。

※2　ローマン・ヤーコブソン「言語学と詩学」、『一般言語学』川本茂雄監修、みすず書房、一九七三年三月、一八七～一八八ページ。

※3　ヤーコブソンは、これら六つの要素（要因）を左ページの図のように図式化している。

※4　五味太郎『わにさんどきっ　はいしゃさんどきっ』偕成社、一九八四年四月。

※5　さくし／まど・みちお、え／渡辺有一『はじめましてのえほん12　やぎさんゆうびん』チャイルド本社、二〇〇九年十二月。

※6　「パラダイム」は、「アメリカの科学史家クーンが著書『科学革命の構造』The Structure of Scientific Revolutions（1962）

で特殊な用い方をした単語およびその概念。ことばとしては、辞書によれば範例とか模範という訳があり、また文法の語形変化の例として用いられるが、クーン以来、学界・思想界で彼の用い方が広く使われて今日に至っており、日本では訳語をあてず、パラダイムのまま通用している。〔以下略〕」（『日本大百科全書（ニッポニカ）』JapanKnowledge Lib）。また、別の辞書では、「ある時代に支配的な物の考え方・認識の枠組み。規範」（『デジタル大辞泉』JapanKnowledge Lib）とされている。

※7　ソシュールの〈言語論〉の内容については、志賀隆生「ソシュールが生みおとした記号論という大事件は何をもたらしたのか?」1～6（小阪修平ほか『わかりたいあなたのための　現代思想・入門』二〇〇〇年四月、宝島社文庫、一四〇～一五四ページ）、および神郡悦子「ソシュール言語学から構造主義文学批評へ　現代文学理論のはじまり」（土田知則ほか『ワードマップ　現代文学理論――テクスト・読み・世界』一九九六年十一月、新曜社、二五～三二ページ）と、伊藤直哉「記号とは何か?現代思想と現代文学理論を震撼させた記号理論を解明する」（同書、一八～二四ページ）を参照した。文中で直接引用した箇所以外にも、本節のソシュールの言語論の説明はこれらに拠るところが多く、記して感謝したい。

※8　池上嘉彦・山中桂一・唐須教光『文化記号論への招待――ことばのコードと文化のコード』有斐閣、一九八三年六月、三ページ。

※9　神郡悦子「ソシュール言語学から構造主義文学批評へ　現代文学理論のはじまり」、前掲書『現代文学理論』、二五～二六ページ。

コンテクスト
メッセージ
発信者　＿＿＿＿＿＿＿＿＿＿　受信者
接触
コード

（図）前掲書、R・ヤーコブソン『一般言語学』、188ページより

※10 志賀隆生「ソシュールが生みおとした記号論という大事件は何をもたらしたのか?」、前掲書『わかりたいあなたのための　現代思想・入門』、一四七〜一四八ページ。

※11 伊藤直哉「記号とは何か?　現代思想と現代文学理論を震撼させた記号理論を解明する」、前掲書『現代文学理論』、二三〜二四ページ。

※12 前掲書『文化記号論への招待』、一四二ページ。

※13 先に引用した神郡悦子の言葉にもあったのだが、これらのほかにもソシュールの提示した重要な分析概念がある。その中でも特に〈共時態〉と〈通時態〉という時空間を捕捉するモデル、あるいは〈連辞〉と〈統辞〉という言語の構造に関わる概念は、〈意味〉を捉える上でも非常に重要なものであるが、本章の内容に鑑み、これ以上詳細な解説はここでは割愛した。

※14 長谷川泉・高橋新太郎編「文芸用語の基礎知識'88五訂増補版　国文学解釈と鑑賞　十一月臨時増刊号」學燈社、一九八八年十一月、六六二〜六六三ページ。

※15 同前、六六四ページ。

※16 池上嘉彦『記号論への招待』岩波新書、一九八四年三月、一九二ページ。

【その他の参考文献】


〈雑誌（特集）〉

山口昌男ほか編「別冊国文学・知の最前線　文化記号論のA―Z」學燈社、一九八四年十月。

〈単行本〉

小阪修平『現代思想のゆくえ』彩流社、一九九三年十二月。

小林康夫『表象の光学』未來社、二〇〇三年七月。

中山元『高校生のための評論文キーワード１００』ちくま新書、二〇〇五年六月。

中村雄二郎『術語集――気になることば』岩波新書、一九八四年九月。

フェルディナン・ド・ソシュール（小林英夫訳）『一般言語学講義』岩波書店、一九四〇年三月初版、一九七二年十二月改定版。

丸山圭三郎『ソシュールの思想』岩波書店、一九八一年七月。

丸山圭三郎『ソシュールを読む』岩波書店、一九八三年六月。

山口昌男監修『説き語り記号論』国文社、一九八三年一月。

R・カワード／J・エリス『記号論と主体の思想』磯谷孝訳、誠信書房、一九八三年九月。

ロバート・スコールズ『記号論のたのしみ　文学・映画・女』富山太佳夫訳、岩波書店、二〇〇〇年七月。

II 〈空間〉を読む／〈空間〉に表れた〈意味〉を探る
――〈都市空間論〉からの読解――

1　都市の景観／景観に隠された〈意味〉を読む

イギリス連合王国に加盟するまで、スコットランド王国の首都だったエジンバラの歴史は古く、四千年前の新石器時代やローマ時代には、すでに人々が集まり定住していたとされている。現在の街並みは六〜七世紀頃に築かれたケルト人の砦（とりで）が起源だという。[※1]

街には、七世紀に建てられた砦に起源を持つエジンバラ城や、十二世紀に建てられたセント・マーガレット礼拝堂などの歴史的建造物をはじめ、十八世紀から十九世紀に活躍したエジンバラの文豪ウォルター・スコットを記念したスコット塔などもあり、訪れる人々を魅了してやまない。

エジンバラ城の麓（ふもと）に広がる旧市街は、石畳の道や石造りの建物など、中世そのままの街並みが広がっている。その中でも特に、街の中心に聳（そび）える聖ジャイルズ大聖堂は、美しい冠塔で飾られ、九百年以上の歴史を持つ由緒ある建物である。

街の中心部に教会があるというのは、ここエジンバラに限らず、ヨーロッパの古い都市に共通する特徴である。このようなヨーロッパの都市の特徴について、上田篤は次のように述べている。

ヨーロッパの都市の宗教は、いうまでもなくキリスト教である。その空間的特色は、いずれも町の中心に広場があり、その広場に面して教会が厳然と建っていることだ。西アジアにはじまった求心的都市構造が、ヨーロッパで根づき、開花し、定着した、といっていい。

それは、都市の内部にとどまらない。

有名なミレーの「晩鐘」にもあるように、郊外の田園からも、たいてい都市の教会の尖塔(せんとう)が望み見られる。一日の労働が終わって、夕暮れ迫る畑で家族が神さまに感謝を捧(ささ)げる、その向こうに都市の教会の尖塔が見える、そういう野良での祈りの光景が何百年も続いてきたのである。

このように、都市は歴史的に見ると、その誕生いらい、神さまのお蔭によって大いに発展してきたのであるが、またいいかえると、偉大な神さまというものは都市のために生まれ、そして都市とともに育ってきた、ともいえる。両者は不即不離の関係にあった、ということだろう。[※2]

上田が指摘するように、古来ヨーロッパの人々は、神とともに生き、神に見守られて暮らしてきた。そうした人々の精神性が、都市の構造や街並みの配置に大きな影響を及ぼしてきたのである。エジンバラのように、街の中心には厳然と教会の大聖堂が聳え、その荘厳な光景は、街の周囲や郊外からも眺められるようになっていた。教会の尖塔も、一面では郊外からでも眺められるためにあったと言ってもいいだろう。

右の文章の後で上田は、ロンドン周辺のいくつかのニュータウンを訪問した時の印象を記しているのだが、そのポイントは、街の中心に教会があるということである。

いずれも森に包まれた落ちついた町で、コンクリートの建物ばかりが目だつ日本のニュータウンとの違いをしみじみ実感させられた。（中略）それはタウンセンターのなかに、商業地区と向かいあって、厳然として教会が建っていることだ。[※3]

「イギリスのニュータウンを主導したのはイギリス労働党である」と上田は添えるのだが、その町の中心部に教会（「宗教施設」）があることに、上田は驚きの色を隠しきれない様子だ。上田は、日本のニュータウンとはまったく違う街づくりの様子に対する驚きを、次のように記している。

すこし前のことになるが、大阪のある住宅団地で、住民が「子供たちのために地蔵をおきたい」と陳情して公共団体から拒否された事件があった。ところが、イギリスのニュータウンにあるのはそんな「野の仏」なんぞではない。教会というれっきとした宗教施設なのだ。しかもその隣には、ニュータウンの管理センターや消防署などがあり、廻りには大駐車場まであって都市の行政センターになっている。つまり「都市のセンターのなかに教会がある」のだ。昔のイギリスの町と少しも変わっていない。[※4]

ロンドン郊外に位置するレッチワースは一九〇三年、エヴェネザー・ハワードが中心となって提唱した、世界初の計画的に開発された田園都市である。その後、世界各地の住宅地開発の見本とされてきた。レッチワースの街並みについて、堀江興は次のように説明している。

中心部は花壇をとりまくように市役所，中央公園，博物館，美術館，病院，図書館，映画館，コンサートホールを配置している．これらの施設の周囲は，家並みや庭園を円弧状に配置し，水晶宮と名付けた展示会場やショッピングセンターの他，ゆったりとした広幅員の道路に近接して教

会や学校を配置している．[※5]（「，」「．」は原文のまま）

これらのことからわかるように、古い歴史を持つエジンバラと同じく、二十世紀になって新しく開発されたレッチワースなどのニュータウンにおいても、街の中心部には、教会（宗教施設）が配置されているのである。

またロンドンでは、「セントポールズ・ハイト」という街並み規制があることは有名である。やはり上田の著作にある言葉を借りて、紹介してみよう。

わたしの住んでいたマンションの近くに、プリムローズ・ヒルという丘があって、わたしは夏の夕方よくそこを散歩した。木々の緑と、ゆるやかな芝生のアップダウンと、そして遠くロンドンの市街が見える景観は本当にすばらしいものだった。

ところがある日、ふと「遠くの市街地の中に見える丸屋根はセント・ポール大聖堂ではないか」とおもった。（中略）ロンドンは、高い建築物は多くはないけれど、それでもあちこちにビルやマンションが建っている。「よくも高い建物に隠されずにセント・ポール大聖堂が見えるものだ」と感心した。

しかし、それは早計だった。じつは、このプリムローズ・ヒルからセント・ポール大聖堂がよく見えるように、ロンドン市が、その間の建物の高さ規制をおこなっていた結果だったのである。それを「セント・ポールズ・ハイト」などという。（中略）ロンドン市内で人々が多く集まる八ヶ所ほどのところからセント・ポール大聖堂を見る眺望が保護されていたのである。「何のためか」とかんがえてみると、それはセント・ポール大聖堂がイギリス国教会の総本山だからだろう。イギリス人の「魂の故郷」なのだ。[※6]

この文章からは、ロンドンにおけるセント・ポール大聖堂の位置づけと、その眺望を守るための工夫、それに触れた上田の驚きがよく伝わってくるだろう。私たち日本人や日本の街づくりの発想からは、想像もできないようなこだわりがそこに隠されていたのである。

もちろんそれは上田も指摘するように、セント・ポール大聖堂が、イギリス人の「魂の故郷」であり、都市や国家の守護や国民とその生活を保護するために重要な役割を担っていることから生ずるものである。セント・ポール大聖堂は、国民が拠（よ）って立つべき〈精神性〉の象徴なのである。それが常に視界に入るように、生活上のさまざまな場面で祈りを捧げられるようにという配慮から、セント・ポール大聖堂の眺望が、「セントポールズ・ハイト」という高さ規制によって担保されているのである。
このように、ヨーロッパの都市の街並みや景観には、外から訪れた者が一見すると気付かないような〈意味〉や〈仕掛け〉が隠されていたのである。

2 〈都市空間論〉とは何か？――〈都市〉を解読する――

幕末から開化期の日本文学の研究から出発した後、文化記号論やテクスト論などの記号論的視点から、新たな文学研究の途（みち）を拓（ひら）いた前田愛（一九三一～一九八七）は、記号論的な立場から都市を考えるということについて、次のように語っている。

記号論的に都市を考えるというのは、これは都市がわたしたちに向けて発信している様々なまたおびただしいメッセージを解読するということである。そしてまた都市というものを、われわれが生きる空間、われわれによって生きられた空間として把握するという、そういう見方をするということになると思います。つまり、都市というものを一つのテクストとして読んでいくことである。そしてまた、都市というものの人間的な側面を明らかにしていくことである。つまり、都市というものを、つくられていくものとしてよりもまず現在あるものとして、それに隠されているメッセージ、そしてまた表面に浮上しているメッセージというものを様々な仕方で解読していく、そういうことだろうと思うわけです。[※7]

つまり、現実の都市を〈テクスト〉として捉え、それが発するメッセージを読み解こうとするのである。その意味で、都市はまさしく〈記号〉であり、〈表現〉なのである。〈テクスト〉とは何か。文芸批評の用語辞典では、次のように説明されている。

テクスト（text）「織る」の意味のラテン語が語源。ある作品の本文、すなわち各種の欄外注、解説、付録などを除いた本体部分。また、ある作品の、読者の解釈行為を受ける以前の、ページ上に印刷・刻印された文字群をテクストと言う。最近はとくに、作品（work）という言葉があらかじめ作者を予想させるために、作品という語を避けて、より中立的なテクストという語を使うことが多い。[※8]

さらに現代思想や記号論では、文学作品に限らず、広く文化現象や人間の創作物、さらには自然現象でさえも、何らかの〈記号〉とみて、そこに〈意味〉を見出そうとする。そうした様態について池上嘉彦は、次のように説明している。

「記号としての世界」――それはすべてのものがそれぞれの持つ価値に従って意味づけされた世界である。その際の価値はすべて人間との関連で判断され、定められる。人間の生み出したものはもとより、自然的な対象であっても、人間との関連で判断され、価値と意味を与えられて「記号としての世界」に組み込まれる。その意味では、「記号としての世界」とはすぐれた意味での「文化」の世界である。[※9]

現代に生きる私たちは、夥しい情報と〈物〉の氾濫する世界に生きている。私たちは、すべての事物・事象に、何らかの〈意味〉を与えずにはいられない。高度に発展した知的社会では、知識や情報は価値を持つものと見なされる。そこでは〈意味〉のないものは、価値を持たない。私たちはすべての事象や事物を〈テクスト〉と見なし、そこに〈意味〉を見出そうとするのだ。

フランスを代表する哲学者であり文芸批評家でもあったロラン・バルト（一九一五～一九八〇）は、そうした私たちの特性を踏まえた上で、都市について、次のように述べている。

都市は一個の言説であり、その言説は、まさしく一個の言語活動です。都市はその住民に語りかけ、われわれは自分の都市を語ります。ただ住んだり動きまわったり眺めたりしているだけにしても、われわれは、自分が現にそこにいる都市を語ります。[※10]

バルトのこの言説はやや理解しにくいかもしれない。この言説の内容について、石田英敬は、次のように解説してくれている。

「都市は一個の言説（ディスクール）である（ママ）」という表現は分かりにくいかもしれませんが，（中略）都市を意味活動の現働態として考えてみることができると述べたものです．そして，都市の言説は「一個の言語活動」だというのは，都市の記号の現働態を言語活動のように考えてみることができるという意味です．都市を記号活動の実践系として理解することが，都市の意味論の手がかりになるということなのです．[※11]（「，」「．」は原文のまま）

バルトなどの記号論では、都市をこのように〈テクスト〉として捉え、それを「意味活動の現働態」とみて〈意味〉を読み解いていくのだが、ここには都市の持つさまざまな要素が含まれていることは言うまでもないだろう。

「意味活動の現働態」としての都市という〈テクスト〉が生み出す〈意味〉としては、第一に、本章の最初にみたように、現実の都市の街並みや構造から、その街の歴史や民族などにまつわる〈意味〉を掘り起こすことが挙げられるだろう。その上で、そこに暮らす人々の意識や街づくりの基本となったコンセプトや意図なども、解読可能な〈意味〉と呼べるだろう。さらに都市がもたらす経済的価値やそれに伴う商業活動などを、都市の意匠やデザイン、商業施設の在り様などから考察することも可能だろう。

また、「ニューヨーク」や「パリ」「ミラノ」といった、最先端の流行やトレンドなど、最新の文化を発信する国際的都市が、そこに憧れ、そこを訪れる人々の欲望を喚起し、消費意欲と購買活動を生み出すことになる。そこにこめられた、象徴的・記号的価値なども含まれるだろう。

そして「渋谷」「原宿」などの、若者文化の総本山とも呼べるような街、また「秋葉原〈いわゆる〝アキバ〟〉」なども、ある年代や階層の人々にとって、特別な空間であり、そこから一つの〈意味〉を探り出すことも可能だろう。

このように、都市はさまざまな要素を孕(はら)み、種々の位相から捉えられることができるだろう。それでは次に、今まで紹介してきた分析概念、あるいはヨーロッパの都市の特徴を下敷きにしながら、実際の都市の〈意味〉についてみていくことにしよう。その都市とは、〈東京〉である。

3　ヨーロッパの都市と〈東京〉の違い
――豊穣な〈中心〉と空虚な〈中心〉――

第一項でみたように、ヨーロッパの都市はその中心に、そこに暮らす人々の精神的支柱ともなるべき「魂の故郷」である、教会（宗教施設）を持っていた。それでは、現在の日本の首都である〈東京〉にはいかなる中心があり、いかなる〈意味〉を生み出しているのか。その点について考えていくことにしよう。

ロラン・バルトは、一九六六年の五月から六月と、翌一九六七年の三月から四月、および十二月から翌年の一月と日本に滞在している。この時のバルトの様子を、石川美子は次のように述べている。

ロラン・バルトがはじめて日本を訪れたのは、一九六六年五月のことだった。フランス政府派遣文化使節として一か月ほど日本に滞在し、東京や京都でいくどか講演をおこなっている。このとき彼は日本で目にしたものすべてに魅せられて、たちまち日本に「恋」をしたのだった。そして、翌六七年の三月にも日本を訪れて一か月ほど滞在し、さらにおなじ年の十二月にも三度目の滞在をする。二年たらずのあいだに三か月間も日本ですごしたのである。[※12]

そして、日本滞在で抱いた印象を、一九七〇年に『記号の国』（邦題）として発表することになる。本書について石川美子は、右の文章に続けて、次のように解説している。

この作品は、二六の断章からなっている。とはいえ、断章がまったく自由な順序でならべられているわけではない。むしろ、テーマごとにいくつかのブロックをなしているように思われる。たとえば、最初の三つの断章は、言語の問題について書かれている。そのあとには日本料理をめぐる四つの断章が置かれ、つぎに大都市東京についての三つの断章、それから文楽についての三つの断章、そして俳句についての四つの断章というふうに続いている。[※13]

このうちの東京についての三つの断章は、順に「都市の中心、空虚な中心」「住所もなく」「駅」と題されている。いずれもバルトが捉えた〈東京〉の特徴がまとめられている。そこから引用してみよう。まずは、都市についてのバルトの考察を述べたところである。

　四角形で格子状に道路が走っている都市（たとえばロサンゼルスのような）は深い不安感を生む、と言われている。そのような都市は、わたしたちの内部にある、都市にたいする身体感覚を不快にさせるからである。いかなる都市空間にも、そこに向かって行ったり戻ってきたりする中心があることを身体感覚は求めている。その場所を夢見て、それゆえにそこを目ざしたり遠ざかったりするような、ようするに想像をふくらませてゆくための完全な場所があることを求めている。さまざまな理由（歴史的、経済的、宗教的、軍事的などの）から、西欧はこの原理をじゅうぶんに理解してきた。西欧の都市すべてが、同心円的な構造につくられているからである。だが同時に、いかなる中心も真理の場であるとする西欧の形而上学の流れそのものにしたがっているために、西欧の都市の中心はつねに充実したものとなっている。精神性（町の中心には教会がある）、権力（役所がある）、金銭（銀行がある）、商品（デパートがある）、言葉（カフェや歩行者天国の広場がある）といった文明の価値が集中し凝縮した、特別な場所となっている。街の中心へ行くことは、社会の「真理」に出会うことであり、「現実」のすばらしき充実ぶりをわかちあうことである。※14（傍点は原著のまま）

ここでバルトが述べていることは、本節第一項で述べてきたことと同じ趣旨の内容である。話題になっているのは街の中心に教会やさまざまな都市機能が集中する、ヨーロッパの都市の姿である。もっとも引用文冒頭の「四角形で格子状に道路が走っている都市（たとえばロサンゼルスのような）」は、新しく開かれたアメリカ合衆国らしい、機能的で整然としたシンメトリー構造であり、同心円状に広がるヨーロッパの都市とはまったく異なる様相を呈するものである。だが、〈東京〉はヨーロッパの都市ともロサンゼルスのような都市とも、まったく異なる姿を見せていることを、バルトは指摘するのである。続けてバルトの言葉に耳を傾けてみよう。

ところがわたしが話題にしている都市（東京）は、つぎのような貴重な逆説をしめしている。たしかに東京にも中心はあるのだが、その中心は空虚だということである。立ち入り禁止になっているとともに、だれの関心も引くことのない場所――樹木の緑で隠され、お堀で守られて、けっして人目にふれることのない天皇が、つまり文字どおり誰だかわからない人が住んでいる皇居――のまわりに、東京の都市全体が円をえがいて広がっている。（中略）中心の低い外形は、見えないものを目に見えるようにしたかたちであり、神聖なる「無」を内に秘めている。したがって、現代性という点でもっとも強いちからをもった二大都市のひとつが、城壁とお堀と屋根と樹木とからなる不可解な円環のまわりに築かれているのである。その中心自体はもはや消え去った概念にすぎなくなっているけれども、それでもなお中心が存在しているのは、なんらかの権力を発するためではない。都市の動き全体に、中心の空虚さという支えをあたえて、都市交通にかぎりない迂回を強いるためである。そのようにして、空虚な中心にそって紆余曲折がくりかえされて、想像的なものが円をえがくように広がってゆくのだという。[※15]

ヨーロッパの都市のように中心を持ちながら、それが豊穣な〈中心〉ではなく、空虚な〈中心〉になっているというのが、バルトの抱く〈東京〉のイメージなのである。[※16]

ヨーロッパの都市の中心は、精神性や権力、金銭・商品、そして言葉であふれている。それは人々の憧れや欲望の対象であり、人々がそこに向かっていくべき豊饒性を有しているだろう。

それに対して〈東京〉の中心は、私たちのような一般の人間が、日常的に出入りするような、あるいはなんらかの目的を持って、そこに向かっていくような空間では、決してないことは間違いないだろう。

そのためなのだろうか、確かに〈東京〉で人々が集まる地域は、「新宿」「渋谷」「池袋」「品川」

「上野」「浅草」「赤坂」「六本木」などさまざまであり、一つに集約しているというよりは、それぞれが独立した文化や内容を持って、別個に存在しているようにも見える。これも〈中心〉が空虚だからなのだろうか。

その判定はさておき、〈文化記号論〉という観点から見た時の〈東京〉という都市の一つの特徴については、理解していただけたのではないだろうか。では最後に、〈記号〉としての都市について考えていくことにしたい。

4 〈記号〉としての〈都市〉の特徴と意味／あるいは〈都市〉の諸相

都市を考える際の概念にはさまざまなものがあるが、まずは〈「都市」のイメージ〉あるいは〈言語都市〉としての〈都市〉についてみていきたい。日本文学研究者の島村輝は、先にも触れた〈テクスト〉としての〈都市〉について、次のように述べている。今まで触れてきた〈都市〉の問題とは別の観点を示してくれるものなので、少し長くなるが引用しておきたい。

例えば鷗外の『舞姫』を読む時、その舞台となった一八八八年のベルリンを直接体験したわけでもないのに、私たちは主人公・太田豊太郎とともにその街の中を彷徨(さまよ)い歩く感覚にとらえられるだろう。その場合、「クロステル巷」や「ウンテル・デン・リンデン」といった場所は、現実の都市・ベルリンのどこそこに対応するというよりも、むしろ現実とは別のレベルにある、〈言語都市〉を構成する要素となる。

近代小説の舞台として、都市は一種特権的な扱いを受けてきた。単に近代小説の多くが都市を舞台としているということばかりではなく、その小説に登場する都市の構造や性格が、小説の内容と深く関わってくる、その意味で、小説の重要な道具立てとなっているのが、小説中の都市の特徴である。(中略)都市生活が文化の表層で重要な役割を果している近代から現代にあっては、都市がその〈場所(トポス)〉の中心をなすものとして様々な意味を蓄積させてきたのであり、近代小説に登場する都市も、そのような〈場所〉として、小説テクストの中で扱われているとみることができよう。(中略)都市を舞台とした小説を読む・読まないにかかわらず、私たちの頭の中には、すでに「都市」についての多くの連想が、詰めこまれている。この、私たちの頭の中に、顕在的なレベルとその下に隠された潜在的なレベルとの両方にまたがって存在する「都市」のイメージが、小説テクスト中の〈言語都市〉を読み手に体験させる前提となる上位のレベルのテクスト(プレ・テクスト)である。実は私たちが現実の都市といっているものも、この「都市」のイメージの〈錯綜体〉のことなのであり、その意味では「現実の都市」という言い方はすでに不正確であって、「テクスト化された都市」または、「都市というテクスト」といった方が良い。小説の中の都市（〈言語都市〉）は、このテクストとしての都市から切りだされた、もう一つのテクスト（メタ・テクスト）と考えることができる。※17

ここで島村は、森鷗外の『舞姫』という日本の近代小説に登場するベルリンの街を例に挙げながら、「現実の都市」と小説に描かれた〈都市〉、すなわち〈言語〉で描かれた「〈言語都市〉」の違いを問題にしている。

さらにそこから、私たちが日常的に暮らし、訪れている「現実の都市」でさえも、実は「「都市」のイメージの〈錯綜体〉」であると言う。これはどういうことなのだろうか。私たちが実際に見知っている〈都市〉は、「現実」の空間ではないのか。だとすれば、私たちはいったいどこへ買い物に行き、どこへ食事に行っているというのか。

前節あるいは本節でも触れたのだが、〈記号〉というものは、それを切り出す視点によってさまざまな相を見せてくれる。一つの〈都市〉や場所に関しても、十人いれば十人なりのイメージがあるはずだ。それは時に、同じ場所について、まったく異なる印象やイメージを生み出すことになる。

では、そのどれが、その〈都市〉の「ホントウの姿」なのであろうか。

それは、インドに由来するといわれる寓話にある「群盲象を撫でる（群盲評象）」のように、何人かの盲人が同じもの（象）の一部だけを触って、それぞれが別々の印象や感想を持つということとは、まったく次元の違うものである。むしろそれとは逆に、まったく同じものを見ても、それが〈同時的〉に複数の解釈をもたらすということなのである。

言い換えれば、〈都市〉というものの実態は、例えば「政令指定都市」の条件が、人口五十万人以上で、「地方自治法第二五二条の一九」以下に定められた都市のことだというような、何かによって定められた明確な基準や適応条件を持ったものではないということを示している。つまり私たちが考える〈都市〉というものは、地理的な空間や場所の上に作り上げられた〈イメージ〉であり、それこそ多様な〈記号的な意味〉を担わされたもののことなのではないだろうか。それはさまざまな〈意味〉や〈イメージ〉あるいは〈意匠〉の錯綜体なのだろう。

第二項で引用した前田愛の言う、「記号論的に都市を考える」ということや、「都市というものを一つのテクストとして読んでいく」、あるいは「〈都市〉を〈テクスト〉として捉え」るということは、そうした〈記号的な意味〉、あるいは〈都市〉という〈テクスト〉が、さまざまな次元から発するメッセージを解読しようとする試みであり、それが〈文化記号〉としての〈都市〉を読み解くということなのではないだろうか。

このことを考えるヒントとして、川本三郎の〈都市の感受性〉という概念を紹介したい。

「都市の感受性」という新しい様相がせりあがってきている。ここでいう「都市の感受性」とはよくいわれる「都会的感覚」とはまったく違う。「都会的感覚」とは、まだ都市と農村の図式が残っていた時代の言葉であって、現代にはもはや通用しない。「都市の感受性」とは都会人の感受性ではなく、まさに都市そのものの感受性である。人間の感受性ではなく、人間を越えた、あるいは人間一人一人の個性を無化してしまうような、空間としての都市の感受性である。（中略）「都市の感受性を背負ったメディア」としての文学、というものを考えると、それは単に写真とか音楽とかあるいはテレビといった他のメディアへの近接性を増すばかりではなく、現代社会の巨大な空間である都市の自己表現という側面がせりあがってくるのだ。ここでは「文学」とは私の自己表現というよりは、より即物的な都市の自己表現であり、私は都市の背後に消えてしまうのである。次々におびただしい情報を流しては消えてゆくテレビの画面のむこうに誰も送り手の「ほんとうの姿」など求めないと同じように、都市の自己表現である文学のむこうにももはや「ほんとうの私」など求めようもないのである。

> いうまでもなく現代の都市は、人間臭い生活の場所というよりは、より無機的で殺風景な情報・記号がとびかうまるでテレビのような（あるいはまるでカタログ雑誌のような）フラットな空間である。そこでは「生活のリアリティ」や「人間の存在感」といったものは消えうせている。いや、そもそもそうした生々しい人間の息づかいは都市のなかにははじめから入ってくる余地がない。都市はいま生活の場というよりはさまざまな記号・象徴の交差しあう抽象的な空間としてあらわれているのである。都市空間は生活の場からシンボリズムの世界・象徴の体系へとその様相を変えてきているのだ。[※18]

川本は、「都市空間は生活の場からシンボリズムの世界・象徴の体系へとその様相を変えてきている」という。しかも、それは「都会人の感受性ではなく、まさに都市そのものの感受性である。人間の感受性ではなく、人間を越えた、あるいは人間一人一人の個性を無化してしまうような、空間としての都市の感受性」だという。これはまさしく〈記号〉としての〈都市〉の在り様を指していると言えるのではないだろうか。

【注】

※1 エジンバラに関する情報は、阪急旅行社のウェブサイト「イギリス観光ガイド　エジンバラの観光」、JTBのウェブサイト「エジンバラの基本情報」および『日本大百科全書（ニッポニカ）』（JapanKnowledge Lib）等を参照した。

※2 上田篤『都市と日本人――「カミサマ」を旅する』岩波新書、二〇〇三年九月、五〜六ページ。

※3 同前、六〜七ページ。

※4 同前、七ページ。

※5 堀江興「ハワードの田園都市思想と都市形成の変遷――イギリス・レッチワースを例として」、『新潟工科大学研究紀要』第六号、二〇〇一年十二月、三五ページ。

※6 前掲書『都市と日本人』、九〜一〇ページ。

※7 前田愛「都市を解読する」、山口昌男監修『説き語り記号論』国文社、一九八三年一月、三三三〜三三四ページ。

※8 川口喬一・岡本靖正編『最新　文学批評用語辞典』研究社出版、一九九八年八月、一八四〜一八五ページ。

※9 池上嘉彦・山中桂一・唐須教光『文化記号論への招待――ことばのコードと文化のコード』有斐閣、一九八三年六月、二一二ページ。

※10 ロラン・バルト『記号学の冒険』花輪光訳、みすず書房、一九八八年九月、一〇三ページ。

※11 石田英敬『記号の知／メディアの知――日常生活批判のためのレッスン』東京大学出版会、二〇〇三年十月、一三六ページ。

※12 石川美子「第七巻について」、『ロラン・バルト著作集7　記号の国　1970』石川美子訳、みすず書房、二〇〇四年十一月、ｖページ。

※13 同前、ｖ〜ⅵページ。

※14　同前、五一〜五三ページ。
※15　同前、五三ページ。
※16　バルトの〈東京〉に対するこの印象には、さまざまな批判が向けられてきた。例えば、本書の翻訳者の石川美子による解説（同書の前書にあたる上引した「第七巻について」）には、「この作品が日本をめぐって書かれていることから、日本ではさまざまな批評がなされた。たとえば日本研究者ドナルド・キーンは、二週間の訪問客が直観的に『わかった』ことを書いた本にすぎず、時代遅れの日本論である、と批判した」（viページ）とある。
また、やはり上引した石田英敬は、バルトの言説に対して、次のように直接的な批判の言葉を述べている。

東京の「空虚な中心」という，その後さまざまな解釈を呼び起こしたバルトの言葉は、その妥当性についてより詳細な検討を要すると私は思っています．なぜなら，皇居がそのような（中略）「空虚な中心」となったのは，日本の近代になってからであって，決して日本の首都の文化的本質を示すものではないからです．（中略）一般的にいって，バルトの東京についてのエッセイは，記号論者の鋭い洞察に貫かれた優れた論考ですが，日本という「記号の帝国」を固定的に捉える傾向があって，そこに働いている記号の活動が歴史的かつ社会的なものであるという視点は捨象されてしまう欠点をもっています．（中略）どのような記号の体制が日本に成立し、どのように歴史的に変化し，社会的な現象を生みだしてきたのかという，日本における「記号の生活」の歴史性・社会性の研究はむしろ私たち自身が行っていかなければならないものでしょう．（前掲書『記号の知／メディアの知』、一四三ページ。「，」「．」は原文のまま）

石田の批判は、まずは妥当なものであると首肯できるだろう。ただ、一言だけ付言すれば、前節でもみたように、言語が〈恣意性〉を持つように、〈記号〉もそれを切り出して、そこにある〈コード〉をどのように発見し、そこからどのように対象を解読するかによって、それぞれの〈差異〉を持った、多様な〈意味〉が生ずるはずのものであるから、バルトの見方が「固定的」という観点でその内容を批判するのも、〈記号〉の多様性を狭めるものであると言えるかもしれない。

※17　島村輝「都市論」、石原千秋ほか『読むための理論――文学・思想・批評』世織書房、一九九一年六月、三一〇〜三一一ページ。

※18　川本三郎『都市』の中の作家たち――村上春樹と村上龍をめぐって」、『都市の感受性』筑摩書房、一九八四年三月。引用はちくま文庫版、一九八八年八月に拠った。六〇〜六二ページ。

【その他の参考文献】

〈雑誌（特集）〉

山口昌男ほか編「別冊国文学・知の最前線　文化記号論のA―Z」學燈社、一九八四年十月。

〈単行本〉

磯田光一『思想としての東京』国文社、一九七八年十月。

鎌田東二『場所の記憶　日本という身体』岩波書店、一九九〇年七月。

櫻井進『江戸の無意識――都市空間の民俗学』講談社現代新書、一九九一年十二月。

佐藤泰正編『文学における都市（梅光女学院大学公開講座論集第二十二集）』笠間書院、一九八八年一月。

中村雄二郎『術語集――気になることば』岩波新書、一九八四年九月。

前田愛『都市空間のなかの文学』筑摩書房、一九八二年十二月。

前田愛『都市空間のなかの文学　前田愛著作集第五巻』筑摩書房、一九八九年七月。

山口昌男『文化と両義性』岩波書店、一九七五年五月。

吉原直樹編『都市空間の構想力　21世紀の都市社会学５』勁草書房、一九九六年二月。

吉見俊哉編『都市の空間　都市の身体　21世紀の都市社会学４』勁草書房、一九九六年五月。

Ⅲ 「東京ディズニーランド」の記号学

――〈物語装置〉としての「東京ディズニーランド」、その構造と〈意味〉――

はじめに ――「永遠に完成しない王国」――

「東京ディズニーランド」（以下、ＴＤＬと略記する）は一九八三年四月十五日にグランドオープンし[※1]、二〇一八年四月には開園三十五周年を迎えた。この間、さまざまな施設の新設や改修を行ってきた。さらに、本家であるアメリカのパークにも引けをとらない、日本ならではとでも言ってよい、きめ細かな顧客サービスの充実に努めてきた。そこには常に来園者の満足度を高める工夫が凝らされており、まさに「ディズニー・ドリーム」を現出すべく、全社挙げての創意と工夫が凝らされていると言ってもいいだろう。

ＴＤＬの開業初年度の来園者は九百九十九万人。翌八四年度は一千万人を突破。九〇年度には初めて千五百万人を数える。以後、多少の増減はあるものの、常に来園者は千六百から千七百万人にのぼる。二〇〇一年には「東京ディズニーシー（以下、TDSと略記する）」の開業ともあいまって、入場者数は二千二百万人を突破した。そして二〇〇二年十一月八日には、開業から十九年と二百八日で三億人目のゲストを迎えた。

開園三十周年記念のイベントがあった二〇一三年度には三千百万人に増え、その後も三千万人台を維持している。このように順調に来場者数は増加し、二〇一七年七月三十一日には、開業以来三十四年百八日目で来園者が七億人を突破（「公式東京ディズニーリゾート・ブログ」〈http://www.tokyodisneyresort.jp/blog/pr170731/〉より）した。[※2]

この間も事業は拡大し続けている。主なものだけでも、八七年七月に「ビッグサンダー・マウンテン」を導入。八九年七月には「スター・ツアーズ」が導入される。さらに九二年十月には六番目のテーマゾーンである「クリッターカントリー」がオープン。それと同時に「スプラッシュ・マウンテン」を導入。そして九六年四月には七番目のテーマゾーンである「トゥーンタウン」が新設された。

それ以降も現在まで、次々と新しいアトラクションが導入され、レギュラーショーの改編、ハロウィンやクリスマスのイベント、毎年の夏休みなど、大型休暇向けの企画に季節ごとのイベント、あるいは、さまざまなテーマに沿って繰り広げられる昼と夜それぞれのパレードなど、パークは常に進化し続けている。

二〇〇〇年七月には、日本で初めてのディズニーブランドのホテルとなる「ディズニーアンバサダーホテル」と大型ショッピングモールである「イクスピアリ」を開業。二〇〇一年九月には世界でも初めてという、海をテーマにしたTDS、およびパーク一体型のホテルである「ディズニーシー・ホテルミラコスタ」を開業した。

その際、JR京葉線舞浜駅と両パークをはじめとする関連施設や、周辺の五つのオフィシャルホテル群は、全長五キロメートルにおよぶ「ディズニーリゾートライン」というモノレールによって結ばれることになった。

これにより千葉県浦安市舞浜一帯は、「テーマパークからテーマリゾートへ」とのコンセプトのもとに、「東京ディズニーリゾート（以下、TDRと略記する）」という前代未聞の総合的レジャー施設としての姿を現した。

その後も、二〇〇八年七月には、TDLに隣接する地に、「東京ディズニーランドホテル」を開業。その後もさらに新しいホテルが建設されており、まさにウォルト・ディズニー（本名は、ウォルター・イライアス・ディズニー、Walter Elias Disney 1901-1966）が目指した「永遠に完成しない王国」の名が示す通り、これからも進化発展を続けていくことが期待されている。

しかし何よりも驚くべきことは、その目を見張る発展ぶりや驚異的な来園者数ではない。むしろ来園者のほとんどが、二回以上パークに来園している、いわゆる「リピーター」であるということなのだ。来園者に占めるリピーターの割合は、開業五年目の八八年には七五％であったものが、二〇〇〇年には九七・五％にも上る。[※3] その後も、リピーター率は非常に高く、パークの魅力が衰えていないことを表している。これは本家アメリカ・カリフォルニア州アナハイムの「ディズニーランド」のリピーター率を、大きく上回るものとなっている。

さらに来園者の居住地をみると、二〇一一年度では実に七〇％以上が関東圏からのゲストなのである（外国からの観光客が増えたこともあり、二〇一六年度は六四・七％）。言い換えれば、TDRの入場者の大半が、近県に住む圧倒的な数のリピーターなのである。いったい何が人々をこれほどまでに魅了するのか。TDRの人気の秘密はどこにあるのか。

本節では、前二節の〈文化記号論〉および〈都市空間論〉などの視点から、TDLが人々の心に、ある〈物語〉を生み出す仕掛けを持つ〈物語装置〉であると位置づけ、その文化的〈意味〉を探っていくことを目的とする。まずは、それを可能にする背景とも呼べるTDLの人気の秘密の一端に迫っていこうと思う。

1 「東京ディズニーランド」の戦略

(1)「長期的視野に立った経営計画」

今までのディズニー研究は、本場アメリカでも主に、企業経営と人事教育という観点を中心に試みられてきた。特にディズニーの経営戦略については、経営学の立場から幾多の評論が出版されている。また最近まで続いた不況の中で、ディズニーの「一人勝ち」といわれる現状に鑑み、日本においてもTDRの経営戦略から学ぼうとの声が高まって久しい。

この不況下でTDRに人が集まるというのは、取りも直さず来園者の満足感の表れなのだが、それを生み出す背景として第一に、ディズニーの持つブランド力が挙げられよう。しかしそれだけでは、今日のTDRの繁栄は語れない。実はTDRの持つ魅力とは、TDRを経営するオリエンタルランド(以下、必要に応じてOLCと略記する)の長期戦略と不断の努力の賜物なのである。西村秀幸は「客にまた行きたくさせる東京ディズニーランドの心理戦略」としてTDLの人気の秘密を分析している。[※4]

まず西村は、従来の日本の「遊園地」のルーツは「神社の祭りや寺院の縁日」などに出る「夜店や出店」であり、そこは「晴（はれ）」の時間であり、「特別な非日常を演出する」場であるとする。そこでは「泡沫の夢」が求められることから、「リピーターとか顧客管理などという発想は出てこない」[※5]とし、ＴＤＬとの違いを比較検討し、その特色を次のように指摘する。

それまでの「遊園地」に存在しなかった「継続」の発想を取り入れ、「晴」の世界から「褻（け）」の世界に移ることによって、攻撃的かつ安定的な経営パターンを現わした。これは、この業界にとって画期的であり衝撃的なことであったといえよう。[※6]

さらにそうした新しい発想に加えて、継続的な努力の存在を、次のように指摘しているのである。

ディズニーという圧倒的な知名度にもおごることなく、あくまでリピーターの獲得に力を入れてきた。それが安定的な強みのもとなのである。無論、東京ディズニーランドといえども、常にアトラクションを新しくしているわけではない。新たなテーマゾーンができているとはいえ、別に毎年というわけでもない。むしろ、開園以来まったく変わっていないアトラクションの方が多いくらいである。[※7]

ＴＤＬといえば、常に新しい何かがオープンしているような感覚を持つが、冷静に考えてみると西村の指摘の通りである。施設・設備面で常にリニューアルし続けているばかりではないのである。石井淳蔵は、現代社会において「ブランドは国を越えて富の源泉」となり、「企業ばかりでなく、国民経済にとっても富の源泉となりうる」が、それだけでは「ロングセラー商品」を生み出すことはできないとしている。そしてグリコのチョコレート菓子である「ポッキー」を例に挙げて、成功のメカニズムを次のように分析している。

（引用者注、成功のポイントは）この「ポッキー」という商品に向けてつぎつぎにこうしたマーケティングの新機軸が打ち出されていったことだ。市場に向けての大規模なそして焦点のあったマーケティング投資と、それに見合ったクラッシュとかマーブルとかの新技術開発があったことが成功の理由として強調されてよい。[※8]

確かにディズニーという「ブランド」の持つ力は、「国を越えて富の源泉」となりえた。しかしそれだけに頼るのではなく、ＯＬＣによる「長期的視野に立った経営計画」に基づく、市場に対する継続的な努力がＴＤＲの新たな魅力を創出し続ける原因となっているのである。またそれが、パークにおける〈物語〉創出の基盤となっているのだ（これらの具体的内容については、先に挙げた、ＯＬＣのウェブサイトや「東洋経済オンライン」のＴＤＲに関する記事を参照されたい）。

（２）「個人満足」主義

このような「長期経営計画」は会社側に属するものであり、ＴＤＲのハード面を支えるものであろう。そしてこのハードよりもむしろ重要だと思われるのが、そこで働く人間であり、この人材の育成こそＴＤＲのソフト面での「戦略」なのである。訪れたことのある方ならご存じかと思うが、ＴＤＲでは来園する客を〝ゲスト〟、従業員を〝キャスト〟と呼んでいる。そしてこの〝キャスト〟が自分の持ち場に誇りと責任を持って、どんな時でも活き活きと爽やかに働いている姿に好感を持ったのではないだろうか。

これは単に呼称の問題ではない。ディズニー社には、ディズニーアカデミーという新入社員研修制度があり、そこではウォルトの思想やディズニーの歴史や精神にいたるまで、徹底してディズニーのホスピタリティーが教育される。それはもちろんＴＤＲでも実施されている。また、ＴＤＲの関連企業で働く者には、なんらの差別も存在しないという。社員でもアルバイトでも同等に扱われるのである。

そこには徹底したマニュアルに沿ったオペレーションがあり、アルバイトといえども重要な職責が任せられている。また、改革についての意見はどんどん取り上げられ、会社の運営に自らも参画しているのだとの意識も高い。誰もがパークを構成するかけがえのない一員なのである。そして彼らが目指すのは、パークを訪れたゲスト一人ひとりの「夢」を紡ぐ、大切な一人になることなのである。

先ほどの西村は、ＴＤＬの接客態度が目指すものは、Customer Satisfaction（ＣＳ「顧客満足」）ではなく、Personal Satisfaction（ＰＳ「個人満足」）なのだと定義している。Customerは「顧客」つまり「お得意様」のことを指す。すなわちＣＳは「初めから客を絞り込んだ施策」である。これに対してＰＳは「多様化した個別の客の事情まで勘案しよう」とするものなのだと。[※9]

その上で西村は、来園者の心理をくみ取ってリピーターにしていく具体的方策として、当時としては革新的であった、「パスポート・チケット」の導入という「チケットの工夫」。ディズニーというテーマによって統一された「アトラクションの工夫」。人間の心理を巧みに利用した「待つイライラを減らす工夫」。徹底して自社の「内製」にこだわった「感動させるイベントの工夫」。楽しい食事を演出する「ディズニー色を盛ったフードの工夫」。オリジナル性を高めた「お土産・グッズの工夫」という六点を挙げている。[※10]

これらについては、同書を参照してもらうことにして詳述を避けるが、いずれも人間の自然な心理に基づいた、ＰＳの発想に裏打ちされたものである。こうした努力と工夫が継続して行われていることが、驚異の「リピーター率」を支えていたのである。

2　立地からみたＴＤＬの魅力

今までは経営という側面からＴＤＬの人気の秘密をみてきた。こんどはＴＤＬの地理および立地から、象徴的表象としてのＴＤＬの魅力を考えてみよう。

一九七〇年頃、ディズニー・プロダクションズ（当時）に対して、米国以外でのパーク運営について、提携の申し出をしていたのは二十社以上あったという。その中には、「ディズニーランド」の日本への誘致に名乗りをあげていた二社も含まれていた。

そのうちの一社は、京成電鉄と三井不動産を大株主に持ち、千葉県から浦安の広大な埋立地を譲り受けていたオリエンタルランド社。もう一社は、当時ディズニー映画を配給していた東宝を窓口として接近をはかった、三菱地所であった。三菱側は富士山麓に土地を用意し、ディズニー側との折衝にあたっていた。

一九七四年に来日していたディズニー・プロダクションズの幹部は、ＯＬＣと三菱の両方からプレゼンテーションを受けた上で、厳しい条件を呑んだほうと提携を結ぶ腹だった。その条件とは、「土地（用地取得資金）も建設資金も一切出さない」、その上、「毎年、入場料の一〇％と飲食・物品販売の五％のロイヤリティー・フィーを取る」という法外なものだった。

建設費も数百億円以上にのぼることが見込まれていた。しかも建設に関しては、アメリカ本社から技術者を派遣し、すべてその指示に従って施工することも条件だった（実際にアメリカ本社から派遣された技術者は、建設費用の高騰などにはいっさいお構いなく、芸術家的な立場から自分たちの意図する完全なものを造るよう要求してきたという）。

さらに「入場料の一〇％」とは、税金や必要経費等を差し引いた後の、いわゆる「純益」ではなく、それらが引かれる前の「入場料収入」に対してのものであった。

結局三菱側は、そのような厳しい条件ではとうてい採算が合わないと判断して、この条件では提携できないと回答してきた。ディズニー側は、三菱地所との交渉のスケジュールをその場でキャンセルし、当初はほとんど意中になかった、ＯＬＣとの単独交渉に絞ったのである。

こうして世界でも類をみない新しいプロジェクトは、千葉県浦安市の埋立地を開発することだけを目的として創業された、ほとんどペーパーカンパニーと呼んでもおかしくないような、ＯＬＣに

よって進められることとなったのである。[※11]

もっともOLCも、ディズニー社との提携を手放しで進めていけるような環境ではなかったわけだが、そのことはここでは措く。

ともかく注意しておかなければならないことは、ディズニー側が当初から、交通の便も良く、東京という大都市に近い、経済的効果の見込まれる浦安を、世界初のアメリカ国外での新しいパークの候補地にしていたわけではないという点である。

世界で初めて誕生した、カリフォルニア州アナハイムの「ディズニーランド」は、ロスやサンフランシスコから簡単に車で行くことができ、しかもハイウェイを降りてすぐという好立地に建設されていた。そのため日本におけるパーク建設にあたっても、ディズニー側が当初からそのようなプランを持っていたと考えるのも無理のないことだが、実情はそれとはまったく違っていたのだ。

というよりも条件さえ折り合えば、富士山麓の「ディズニーランド」が実現していたかもしれないのだ。そうなると日本の「ディズニーランド」のイメージは、今とはまったく異なったものになっていたはずだ。

TDLは、「第二のディズニーランド」ともいわれるフロリダの「ウォルト・ディズニーワールド」にある「マジック・キングダム」(「夢と魔法の王国」)を、ほぼ忠実にコピーしたものになっている。そこは現実世界を離れて、私たちを物語の世界に誘う別世界、非日常の空間として設定されている。ここを訪れる誰もが、ディズニーの世界の主人公になることができるのである。

物語の舞台となっているのは、メルヘンに満ちたディズニーアニメの世界（ファンタジーランド）、ウォルトが示した近未来の世界（トゥモローランド）、開拓時代の古きよきアメリカを彷彿とさせる世界（フロンティアランド／ウエスタンランド）、冒険とスリルに満ちた世界（アドベンチャーランド）といった、夢と冒険の世界である。さらに少なくともそこは、ディズニーというイメージをともなった非日常の空間である以上、日本以外の場所が想定されていなければならない。

だが、もしそのような物語の世界の脇に、日本一の霊峰として、古くからさまざまなイメージや意匠を帯びた富士山があったならば、私たちはいったいどのような印象を持つだろう。

ＴＤＬでは、ほぼパークのどの場所にいても、中央部のシンデレラ城の尖塔が見えるようになっている。[※12] なによりこのシンデレラ城こそ、"Dream comes true!"（「信ずる時、夢は必ずかなう！」）とのウォルトの信条を象徴するものである。

先にも触れたＴＤＬ誘致の困難さを思う時、シンデレラ城こそ、まさしく「東京ディズニーランド」に相応しい城であり、ＴＤＬの存在の象徴であるように思われてならない。

ところが富士山の偉容は、さすがのディズニーの技術力をもってしても隠しようがないだろう。

そうなると視点によっては、シンデレラ城の後ろに富士山がそびえているという、何とも不可思議な世界が立ち現れてくるのである。そこには、およそディズニーの世界や「夢と魔法の王国」とは、似ても似つかぬ奇妙で、不自然な世界が現出していたはずだ[※13]。

これに対して千葉県浦安市舞浜は、東京湾の埋立地であり、もともと周りには何も存在しない。地上の別世界を造り上げるには、格好の場所である。実際パークに入場してしまうと壁や樹木、建造物によって周囲の景色は遮(さえぎ)られる仕組みになっており、現実社会から隔離された「夢と魔法の王国」を堪能することが可能になる。

パークへのアクセスも舞浜に分がある。舞浜駅ができてからは、京葉線快速で東京から十五分というロケーションの良さは、(かつての私のような、地方からの客であっても)富士山の比ではない。さらに捨てがたいのは京葉線が、はじめに地下を走り、その後「地上に出る」という点である。トンネルを抜けてパッと明るくなった先に遠く、シンデレラ城やビッグサンダー・マウンテンが見えてくるというのも、期せずして来園者の興奮をそそる仕掛けになっている(千葉方面からの場合は暗から明への転換はないが、目指すTDLが遠くでは小さく見えたものが、だんだんと近づいてくる感興は味わえるはずだ)。

自家用車の場合は首都高速道路を利用することになるわけだが、防音壁によってやや視界が遮られるが、パークに近づくにつれて壁の向こうにシンデレラ城の尖塔も望むことができるようになり、電車の場合と同様の効果が期待される。この点でも舞浜は、「夢と魔法の王国」を訪れるには格好のロケーションであったわけだ。

3 「ディズニーランド」の文化的〈意味〉について

以上、ＴＤＬの経営戦略や立地などについてみてきたわけだが、最後に「ディズニーランド」が持つ文化的〈意味〉と、日本での受容の在り様について簡単にみておきたい。

アメリカの「ディズニーランド」の構造と、アメリカ人にとっての「ディズニーランド」の存在意味について、詳細に分析・考察した好著に、能登路雅子の『ディズニーランドという聖地』がある（本書は、カリフォルニアの「ディズニーランド」を題材にしながら、それがアメリカ人にとってどのような意味を持ち、彼らの精神性にどのような影響を及ぼしたのかを考察した、素晴らしいアメリカ文化論になっている。「ディズニーランド」ファンならずとも、非常に興味深い一書であるといえよう）。

たとえば能登路は、一九五五年七月十七日の「ディズニーランド」開園式の模様を生中継したボブ・カミングスの「今日、ここにお集まりの方々は、ディズニーランドのオープニングの席に自分が居合わせたことを、エッフェル塔の落成式に出席した人々と同様、いつの日か誇りに思うことでしょう[※14]」との言葉に注目しながら、この言葉が持つ〈意味〉について考察している。

能登路は、新興国アメリカにとって「フランス文化は昔から憧れと反撥の対象であった」と規定した上で、「(引用者注、フランス文化の象徴としての)エッフェル塔とそれが象徴するものを凌駕する何かを作り出すことはアメリカ文化にとり、一九世紀末以来の一つの重要課題であり、目標であった」とし、「ディズニーランド」こそが、「大いなる文化的象徴性を帯びて人々の前に姿を見せた」、まさしくその「何か」だとしているのである。[※15]

さらに能登路は、そのような「文化的象徴性」を帯びた「ディズニーランド」の設定や構造の特徴を、

> ディズニーランド探訪は巨大な絵解きにも似ている。そこで解き明かされていくのはウォルト・ディズニーという人間の心の内面の景色、ひいてはそれに確固たる基盤を与えたアメリカ大衆の想像力の世界である。
>
> ディズニーランドの物語世界を貫く第一のテーマは、過去のアメリカに対するノスタルジアである。それはディズニーの自伝的要素が園内でも最も強く反映されている「メインストリートU

SA」および西部開拓時代のアメリカを再現した「フロンティアランド」に明確にあらわれている。すなわち、「ディズニーの国」におけるアメリカの歴史は、この国の広大な荒野に文明が急テンポで広がっていった一九世紀はじめから今世紀（引用者注、二十世紀のこと）初頭までの約一〇〇年間に凝縮され、現代アメリカがすっぽり抜けて、一足とびに「トゥモローランド」の未来像へとつながっていく。大恐慌も世界大戦も知らなかった青春時代のアメリカへと訪問客を運ぶ舞台装置は、蒸気船、蒸気機関車など一九世紀の花形的乗り物であり、またこれらの新しい輸送機関がもたらした町の風景である。[※16]

としている。まさしく「古き良きアメリカ」の理想が、ここに込められているのである。

その構造はTDLにも、ほぼそのまま踏襲されている。もっとも、いくら戦後アメリカに憧れを抱いてきた日本人にとっても、「古き良きアメリカ」の理想はピンと来ないかもしれない。そこでTDLでは、「メインストリートUSA」は「ワールドバザール（世界の市場）」に設定そのものが変更され、「フロンティアランド」は「ウエスタンランド」に名称が変えられている。

それでも、私たち日本人は、優れて〈アメリカナイズ〉された、というよりも「アメリカそのもの」といった趣（おもむき）の「ディズニーランド」に対し、何の抵抗もなく、むしろ積極的にそれを受け容（い）れている。これはどういうことであろうか。

それはもちろん、映画において高い評価を受けてきた〈ディズニー〉のイメージが、日本でも広く受け容れられ、それがコンセプトとして設定された〈テーマパーク〉だから、特に不思議ではないかもしれない。

だが、この純アメリカ産（“made in USA”であることはもちろん、“made by USA”であり、“made of USA”でもある）の「ディズニーランド」を、現状のように受け容れ、しかもある意味で本家アメリカよりも広く人気を博するようになるには、「ディズニー」の魅力によるものだけではない何かがあるはずだ。

この興味深い点について、粟田房穂は次のように考察している。

初めのうちはアメリカから〝輸入〟されたパークに圧倒された日本人だが、いまでは「ここはアメリカ」などと意識する風はほとんどない。アメリカ産テーマパークをあたかもむかしからそこにあったかのように、あっけらかんと受け入れている。このことは、日本人のアメリカ文化へのすさまじいまでの吸収力と好奇心の証明でもある。日本人の外来文化に対する寛容さこそが、ディズニーランド人気を支える原動力かもしれない。※17

栗田の指摘するように、日本人は古来、輸入した外国文化を日本風にアレンジして受け容れていくのを得意としてきた。漢字や仏教をはじめ、さまざまな外国文化が日本風に変容されたり、あるいは外見はそのままでも、内実が日本風に変えられたりと、その適応力や順応性の高さは、世界でも類をみないものと言えよう。

同様に「ディズニーランド」も、その外貌はアメリカのものと寸分違わないのだが、その内面の〈意味〉は、大きく変えられているのではないだろうか。

私たちが抱くTDLのイメージには、実は日本人の〈外国文化〉受容の在り様に関わる、〈日本文化〉の特色をみることもできるだろう。

また栗田は、この点に関しても次のように述べている。

見様によれば、ディズニーランドは精神性のない空疎で人工的な娯楽空間にすぎない。古いアメリカの街並みや自然の風景をできるだけリアルに再現しているが、それはありのままの現実ではない。ディズニーランドで大事なことは、「フィクションのリアリズム」(キャストのオリエンテーションで使われる言葉)である。(中略)

ディズニーランドはフィクションの世界であって、そもそも、現実にこんな世界はない。それでも、人々はそれをあるものとして一定の暗黙の了解に基づいて行動する。みんな口に出さないけれど先刻承知なのだ。いまさら、それを毛嫌いしてもしようがない。なんといっても楽しい。いくらかの出費は仕方がない。こうして大衆の心を捉えたエンターテインメント・ビジネスが幸せ感覚を振りまくことで、社会での存在感が大きくなる。[※18]

ここには、〈日本文化〉の特色というよりも、現代社会が持つ特色が表れているといえるのではないだろうか。それは文字通り「フィクションのリアリズム」である。科学技術や情報関連技術が進化し、インターネットによって世界中の情報が瞬時に手に入るし、「ヴァーチャル・リアリティ」と呼ばれる仮想現実も私たちの生活に取り込まれつつある。パソコンは言うまでもなく、タブレットやスマホなどの携帯端末機器さえあれば、あらゆることが目の前にあるように感じられるという生活が日常となっているのである。

そうした「ネット上の生活」や仮想空間に対して、現実生活の充実を意味する〈リア充〈リアルな生活の充実〉〉が標榜(ひょうぼう)される、現代の私たちにとっては、「ディズニーランド」は、決して「フィクション」ではなく、〈リアル〉そのものなのだ。仮にそこにあるのが「作り物のアメリカ」であり、目の前の動物たちがすべて「機械人形」（オーディオ・アニマトロニクス）であり、ショーやパレードに登場するプリンセスたちが、エンタテナーであったとしてもである。

現代の私たちにとって、「ディズニーランド」とは、ウォルト・ディズニーが目指した以上の〈意味〉を持ったものとして存在しているのかもしれない。

まとめ

以上限られた紙幅ではあったが、ＴＤＬの人気の秘密の一端と、その文化的〈意味〉の一部について簡単に考察してきた。

フランスの社会学者Ｊ・ボードリヤールは、現代人は、物そのものよりも記号としての物や、記号に表示された社会関係の網の目を消費するのだと説いた。そこでは消費に対応するのは「欲望」である。

ボードリヤールによれば、記号にはそれに対応する実在があるのに対し、〈シミュラークル（シミュレーションの作用によって存在するもの）〉はそれに対応する実在を持たない。そしてヨーロッパにおいては、神が典型的な〈シミュラークル〉であるとした。また彼は、「ディズニーランド」

は、アメリカの〈シミュラークル〉であると述べた（もちろんこの場合の「ディズニーランド」とは、一九九二年四月、パリにオープンした「ユーロ・ディズニー」〈九四年から、「ディズニーランドパリ」に改称〉のことを指すのであり、TDLの場合とは事情は少々異なるのではあるが[※19]）。

TDLに〈リア充〉を求め、「夢と魔法の王国」に現実以上の〈夢〉をみようとする人々がいる一方、そうしたディズニーの世界はどこまでも「マンガ（cartoon）」の世界、「アメリカ文化の亜流」であり、〈幻影〉に過ぎないと手厳しく批判する向きも、いまだにある。多くの人々の、さまざまな思いを包含しつつ、TDL（あるいはTDR）は、さらなる進化を続け、新たにさまざまな〈物語〉を私たちの中に生み出し、その歴史を紡ぎ続けていくのだろう。

【注】

※1　ディズニー社の内部には、アメリカ国外に「ディズニーランド」を造るのにあたって、激しい抵抗があった。さらに東京ディズニーランド（TDL）を経営するオリエンタルランド（OLC）が「ディズニーランド」の誘致を成功させ、開園にこぎつけるまでにも数々の障害があった。それらの困難を乗り越えて、文字通り「心ある人々」の「不屈の精神力」によってTDLはオープンしたのである。その辺りの経緯と提携にいたったディズニー社側の事情などについては、有

馬哲夫『ディズニーランド物語　LA―フロリダ―東京―パリ』日経ビジネス人文庫、二〇〇一年七月の「第4章　東京ディズニーランドの成功」に詳しい。

※2　本稿に使用している数値的データは、オリエンタルランドの公式ホームページ（http://www.olc.co.jp/）によるものである。

※3　「鎌田洋氏が語る　なぜディズニーは98％のリピート率を誇るのか？　顧客満足向上に必要な6つの要素」（「ビジネス＋IT」<https://www.sbbit.jp/article/cont1/31765> 二〇一八年一月十四日参照）はじめ、以下の参考文献一覧に挙げた諸文献を参照。

※4　西村秀幸『東京ディズニーランドの秘密』エール出版社、二〇〇一年九月。本書の発行が東京ディズニーシー（TDS）開業の直前ということもあり、TDSには詳しく触れていないが、TDL／OLCの経営戦略についてさまざまな見地から分析を試みている。

※5　同前、一～二ページ。

※6　同前、三ページ。

※7　同前、二七ページ。

※8　石井淳蔵『ブランド　価値の創造』岩波新書、一九九九年九月、二二ページ。

※9　前掲書『東京ディズニーランドの秘密』、一七六～一七九ページ。

※10　同前、四二～六二ページ。

※11　前掲書『ディズニーランド物語　LA―フロリダ―東京―パリ』、一三六～一四五ページ。

※12　都市空間論によって独自の文学研究の地平を拓いた前田愛は、地図と書物というメタ＝テクストによって都市を解読しようとした。前田は「アナログ／ディジタル」「チューブ人間／目玉人間」といったユニークな分析概念を用いて、都

市を解析している。ヨーロッパの中世都市は、周りを城壁で囲み、町の中央には広場や教会の尖塔があり、それが人々の生活を律している。そこでは「塔と迷路」という概念が「人間のタイプ」になぞらえられ、都市とそこに住み、そこを訪れる人間の分析も行った。(「第十章 都市を解読する」、山口昌男監修『説き語り記号論』国文社、一九八三年一月。ほかに『前田愛著作集第五巻・都市空間のなかの文学』筑摩書房、一九八九年十二月など)。「ディズニーランド」に共通するつくりである、中央の城(尖塔)とそれを囲む形で配列されたパークの空間的布置の問題やパーク全体の構造の問題が考えられる。

※13 TDLと富士山の関係を軸とした日本文化論として、桂英史『東京ディズニーランドの神話学』(青弓社、一九九九年)がある。桂は江戸時代から続く、「富士信仰」などの文化史を踏まえながら、日本文化の基層とTDLの関係を論じている。富士山についての考察など首肯できる部分もある。しかし、TDLそのものの分析や、誘致をめぐる歴史的経緯などについては、事実に基づかない憶測や一方的な情報による表面的な分析が目立つ。ただ紙幅においても本稿の性質からいっても、本稿では桂の論評を詳しく吟味することはできない。後日別稿を期したい。

※14 能登路雅子『ディズニーランドという聖地』岩波新書、一九九〇年七月、二二ページ。翻訳は能登路による。

※15 同前、二二~二三ページ。

※16 同前、八四~八五ページ。

※17 粟田房穂『ディズニーリゾートの経済学』東洋経済新報社、二〇〇一年四月、「まえがき」ⅴページ。

※18 同前、二〇〇~二〇一ページ。

※19 ジャン・ボードリヤールの主張については、以下の文献を参考にした。ジャン・ボードリヤール『記号の経済学批判』(今村仁司ほか訳、法政大学出版局、一九八二年十二月)、ジャン・ボードリヤール『象徴交換と死(新装版)』今村仁司ほか訳、ちくま学芸文庫、一九九二年八月)、ジャン・ボードリヤール『シミュラークルとシミュレーション』(竹原あき

子訳、法政大学出版局、二〇〇八年六月）、ジャン・ボードリヤール『物の体系——記号の消費（新装版）』宇波彰訳、法政大学出版局、二〇〇八年六月）。

【その他の参考文献】

☆「ディズニーランド（ディズニーリゾート）」関係

〈参考 web site〉

ＯＬＣ　ＧＲＯＵＰ（http://www.olc.co.jp/ja/index.html）

東洋経済ＯＮ　ＬＩＮＥ関連記事

「ディズニーリゾート〝大幅改装見直し〟の真相（二〇一六年九月七日付）」（http://toyokeizai.net/articles/-/134608）

「ディズニー、期待の再開発を「あえて」縮小？　ファンタジーランドの大刷新はなぜ棚上げに（二〇一六年五月三日付）」（http://toyokeizai.net/articles/-/116477）

「東京ディズニー、「独り負け」に潜む深謀遠慮　２０１５年度上半期の客数減を読み解く（二〇一五年十一月一日付）」（http://toyokeizai.net/articles/-/89538）　ほか

〈単行本〉

青木卓『ディズニーランド裏舞台——夢の王国で働く人の物語』技術と人間、一九九三年五月。

粟田房穂ほか『ディズニーランドの経済学』朝日新聞社、一九八七年二月。

加賀美俊夫『海を超える想像力——東京ディズニーリゾート誕生の物語』講談社、二〇〇三年三月。

河野英俊『ディズニーランドの接客サービス——ディズニー商法がわかると、商売で本当に大切なものが見えてくる』ぱる出版、二〇〇三年八月。

志澤秀一『改訂版　ディズニーランドの人材教育』ウィズダムブック社、二〇〇〇年十二月。

ディズニー・インスティチュート『ディズニーが教えるお客様を感動させる最高の方法〔改訂新版〕』月沢李歌子訳、日本経済新聞出版社、二〇一二年五月。

西村秀幸『ディズニーランドとマクドナルドの人材育成』エール出版社、二〇〇二年四月。

藤井剛彦『東京ディズニーランドの魔術商法2000年版』エール出版社、一九九九年八月。

山田眞『ディズニーランド流心理学「人とお金が集まる」からくり』三笠書房、二〇〇二年七月。

TDR研究会議『ディズニーリゾート150の秘密』新潮文庫、二〇〇三年一月。

デニス・スノー『ディズニー・ワールドで私が学んだ10のルール――お客様もあなたも笑顔になる』柴田さとみ訳、実務教育出版、二〇一〇年六月。

トム・コネラン『ディズニー　7つの法則』仁平和夫訳、日経BP社、一九九七年十一月。

マイケル・アイズナー『ディズニー・ドリームの発想（上）・（下）』布施由紀子訳、徳間書店、二〇〇〇年八月。

☆文化記号論関係

〈雑誌（特集）〉

山口昌男ほか編「別冊国文学・知の最前線　文化記号論のA―Z」學燈社、一九八四年十月。

長谷川泉ほか編「文芸用語の基礎知識'88五訂増補版　国文学解釈と鑑賞　十一月臨時増刊号」學燈社、一九八八年十一月。


〈単行本〉

池上嘉彦『記号論への招待』岩波新書、一九八四年三月。

池上嘉彦ほか『文化記号論への招待――ことばのコードと文化のコード』有斐閣、一九八三年六月。

石田英敬『記号の知／メディアの知──日常生活批判のためのレッスン』東京大学出版会、二〇〇三年十月。

石原千秋ほか『読むための理論──文学・思想・批評』世織書房、一九九一年六月。

磯田光一『思想としての東京』国文社、一九七八年十月。

上田篤『都市と日本人──「カミサマ」を旅する』岩波新書、二〇〇三年九月。

鎌田東二『場所の記憶　日本という身体』岩波書店、一九九〇年七月。

川口喬一ほか編『最新　文学批評用語辞典』研究社出版、一九九八年八月。

川本三郎『都市の感受性』筑摩書房、一九八四年三月。

櫻井進『江戸の無意識──都市空間の民俗学』講談社現代新書、一九九一年十二月。

佐藤泰正編『文学における都市（梅光女学院大学公開講座論集第二十二集）』笠間書院、一九八八年一月。

中村雄二郎『術語集──気になることば』岩波新書、一九八四年九月。

前田愛『都市空間のなかの文学』筑摩書房、一九八二年十二月。

前田愛『都市空間のなかの文学　前田愛著作集第五巻』筑摩書房、一九八九年七月。

山口昌男『文化と両義性』岩波書店、一九七五年五月。

吉原直樹編『都市の構想力　21世紀の都市社会学5』勁草書房、一九九六年二月。

吉見俊哉編『都市の空間　都市の身体　21世紀の都市社会学4』勁草書房、一九九六年五月。


【付記】

本節の初出は、「桜花学園大学　比較文化セミナーⅠ」第15号（二〇〇三年四月十五日、桜花学園大学人文学部比較文化学科発行）である。今回これに大幅に改稿を施したが、旧稿と内容が一部重複する箇所もあることを、ご容赦いただきたい。

R＆B・ソウルシンガー

上田 正樹

ブルーズ、その誕生と発展

●はじめに

ブルーズ（Blues）は、アフリカとアメリカが生んだ最大の音楽文化です。世界のロック（Rock）もロックンロール（Rock'n'Roll）もジャズ（Jazz）もヒップホップ（Hip Hop）もソウルミュージック（Soul Music）もファンクミュージック（Funk Music）も、現代のおおよそのポップミュージックのルーツ（いわゆる音楽の流れの源泉）が、ブルーズにあると思います。

二十世紀最大のアーティストと言われているザ・ビートルズ（The Beatles）も、現在も活躍し続けているザ・ローリング・ストーンズ（The Rolling Stones）も、音楽雑誌『ローリングストーン』誌が選んだ歴史上最も偉大なシンガーの一位に選ばれたアレサ・フランクリン（Aretha Franklin）、同じく二位に選ばれたレイ・チャールズ（Ray Charles）も、また歴史上最も偉大なギタリストの一位に選ばれたジミ・ヘンドリックス（Jimi Hendrix）も、世界三大ギタリストと言われているエリック・クラプトン（Eric Clapton）、ジミー・ペイジ（Jimmy Page）、ジェフ・ベック（Jeff Beck）も、彼らの元を辿（たど）れば、ブルーズに出合います。

私も含めて、本当に世界の数多くのミュージシャンが、ブルーズに感銘を受け、影響を受け、ミュージシャンになりました。また実際に自身でブルーズを歌ったり、演奏したりしながら、多くのことを学ぶことができました。

私がシンガーになろうと思ったのも、高校時代にイギリスからやってきたジ・アニマルズ（The Animals）の歌う「Boom Boom」（ブーンブーン）という曲をコンサートで聴いたことがきっかけです。当時はその曲が「キング・オブ・ブギ」（King of Boogie）と言われていたジョン・リー・フッカー（John Lee Hooker）のブルーズの名曲だということも知りませんでしたが、夢中になり、何かに取り憑かれたように音楽を始めました。

このブルーズがどうやって生まれたのか、時代考察をしながら考えてみたいと思います。

第1章　ブルーズが生まれた歴史的背景

1　奴隷貿易の実態

ブルーズの誕生は、アフリカの人々が奴隷貿易のために捕らえられ、人間としてではなく、単なる労働力としてアメリカに渡ったところから始まります。

いつ、どのようにして、このような人身売買が行われるようになったのか、正確な時期は不明ですが、最大の悲劇はポルトガルをはじめ、スペイン、イギリス、フランスなどの奴隷貿易に携（たずさ）わった人達が、異人種であるアフリカの人達を同じ人間として見ていなかったことだと思います。

しかし憂（うれ）うべきなのは、ヨーロッパの奴隷貿易に携わった人達だけではありません。アフリカで、アフリカの人達をHunting（捕獲）し、Abduction（拉致（らち））したのは同じアフリカの人達だったという文献もあります（マーカス・レディカー『奴隷船の歴史』上野直子訳、みすず書房、二〇一六年）。アフリカの有力部族が弱小部族を襲い、捕らえた人達をヨーロッパの奴隷商人に売り飛ばしたというのです。

古代ギリシャにおいても、中世のイスラム世界においても、奴隷貿易が行われていたという実例が文献として残っています（同前）。しかし、「奴隷」いわゆる「Slave」の代名詞がブラックアフリカ諸民になったのは、十五世紀から始まった大西洋奴隷貿易以降の時代です。

アフリカ人奴隷貿易は、一四五〇年代に西アフリカのセネガルの奴隷収容所があったゴレ島、黒人奴隷の輸出拠点であったガンビアのクンタキンテ島、また中継地となったコンゴのサントメなどで捕らえられた人達をポルトガルの奴隷商人に売却したことから始まりました。

アフロアメリカンの著名な作家であるアレックス・ヘイリー(Alex Haley)によって書かれた『ルー

ツ(Roots)』(一九七六年。邦訳は安岡章太郎・松田銑共訳、社会思想社、一九七七年)は、十八世紀の西アフリカのガンビアの海岸沿いの小さな村で生まれた一人の男性、名前をクンタキンテという人物を始祖とする親子三代の黒人奴隷の物語です。映画にもなり(一九七七年)、ドラマにもなり、世界中で大きな反響を呼び、作家はピューリッツァー特別賞を受賞しました。この本からも歴史的な背景を知ることができます。

ともあれ、この時代の奴隷貿易による収益は膨大だったとのこと。当時のヨーロッパの経済を支える基盤でした。また、十八世紀半ばから十九世紀にかけて始まったイギリスの産業革命も、奴隷貿易によって得られた豊富な資金力があったからこそ成し遂げることができたとのことです。

アフリカは「人類誕生の地」とも「母なる大地」とも呼ばれています。世界最古の人類の化石や石器などが発見された人類のルーツでもあるアフリカが、残酷な歴史を味わいます。

アフリカで拉致され奴隷としてアメリカに渡った人の数は、フィリップ・D・カーティンの〝*The Atlantic slave trade : a census*〟(未訳、一九六九年)によると、四百年間で推定九百五十六万人余りとのことです。ただし、この数値は生きて上陸した人の数で、アフリカで拉致される際に抵抗をして殺された人達や、大西洋上の航海中に亡くなった人達は含まれていません。

前述の『奴隷船の歴史』によると、奴隷貿易に使われた奴隷船の平均的な一人分のスペースは、八十センチ×十八センチの空間だったとのこと。そこに閉じ込められ、詰め込まれ、出港してから数日間は動くこともできず、鎖につながれたまま並べられる。想像を絶する劣悪な環境で、運ばれた人の二五％〜三四％がアメリカに着く前に亡くなり、死者は海に捨てられました。その数は二百四十万人から三百二十五万人にも達しました。アフリカで拉致された際に亡くなった人も含めると、千五百万人もの人達がその犠牲になりました。

奴隷収容所だった西アフリカのゴレ島は、セネガルの首都ダカールのダウンタウン、プラトーの港からフェリーで約二十分行ったところにあります。かつてはフランスの奴隷貿易の拠点でしたが、現在は島全体が世界遺産になっています。

二〇〇一年から〇二年に私がゴレ島を訪れた際に、現地の方から案内と説明をしていただきました。それによると、アフリカの各地から捕らえられた人達がこの島に集められ、収容所で男性、女性、子どもなどに分けられて、それぞれが逃亡しないように鎖でつながれました。特に男性は、体重が六十キロ以上と六十キロ以下に分けられ、六十キロ以下の人は家畜のように飼料を食べさせられ、太らされたとのことです。唯一少女だけは、白人（Caucasian）の子を身ごもると自由の身となる可能性が残されていたそうです。

そのゴレ島の収容所の中央に海に面した船着場があり、そこに奴隷船が横付けされて奴隷となった人達を船に乗せます。船着場と収容所の間に扉があり、「帰らざる扉」(Door of No Return)とか「最後の扉」(Last Door)と呼ばれています。いわゆるその「LAST DOOR」をくぐると、それまでの人間としての権利をすべて奪われ、奴隷として生きてゆかねばならない！

今まで家族と暮らし、地域社会を築いてきた人達が突然捕らえられて、収容所に連れていかれ、奴隷船に乗せられる。この「LAST DOOR」に向かう通路は、当初、石で造られた階段だったそうです。しかし、扉に向かわされた一千万人を超える人達が当然あがいたり踏ん張ったりした。そんなたくさんの人達の最後の抵抗で、石の階段はすり減り、私が見た時は、単なるスロープ、すべり台のようになっていました。

でも、もしそこで逃げられたとしても射ち殺されるか、サメの餌食にされるかのどちらかで、逃げおおせた人は一人もいないとのことでした。

アフリカの人達は苛酷な状況で大西洋を渡り、アメリカに着くと港で競りにかけられ、売られました。逃亡できないように縛られ、足の鎖もつながれたまま、白人の雇い主に引き取られたのです。人間としてではなく単なる労働力として家畜同様の扱いを受け、また絶対服従の気持ちを持たせるために、特に反抗的な奴隷の体を不自由にすること（盲人にする、舌を抜く、睾丸を除去するなど）も所有者の自由で、また病気になれば伝染を恐れてすぐに〝殺処分〟したとのことです。

どのような奴隷生活だったのか、また、どのような扱いを受けていたのかについては、多くの書籍があります。文献の一例としては、コルソン・ホワイトヘッド『地下鉄道』（谷崎由依訳、早川書房、二〇一七年）、『アメリカの奴隷制を生きる――フレデリック・ダグラス自伝』（樋口映美監修、専修大学文学部歴史学科南北アメリカ史研究会訳、彩流社、二〇一六年）などがあります。

また、ショーン・アッシャー編『注目すべき125通の手紙：その時代に生きた人々の記憶』（北川玲訳、創元社、二〇一四年）の中には、元奴隷だったジョードン・アンダーソンが元主人にあてた手紙が収められています。

ともあれ、夜明けから夜まで監視人が見守るなか働かされ、私語も禁止で、粗末な小屋での寝泊まりを余儀なくされました。

当時のアフリカには民族が一千以上、言語も二千語以上あり、無差別に拉致されて各々のプランテーション（農園）に連れて来られた人々のほとんどは、お互い言葉が通じなかったようです。

一六四〇年代から一八六五年まで、アメリカではアフリカ人とその子孫が合法的に奴隷化されており、その所有者はほとんど全員が白人で、アメリカ南部に住んでおり、また奴隷になったアフリカ人の数も南部の人口の三分の一に達していました。

2　南北戦争と奴隷解放宣言

南北戦争の前の時点では、アメリカ南部の四軒に一軒の割合で奴隷を所有しており、十九世紀前半までのアメリカ合衆国の富の大半が、奴隷の労働の搾取（さくしゅ）により成り立っていたと言えます。しかし、一八三三年にイギリスで奴隷制度廃止法が成立し、モーリシャスやオーストリア、デンマーク、フランス、ハンガリー、オランダなどの国で、奴隷制度が廃止されたことにともない、一八六一年に奴隷制度廃止を訴える北部二十三州と、奴隷制の存続を主張する南部十一州の間で南北戦争が始まります。

一八六二年に第十六代アメリカ合衆国大統領、エイブラハム・リンカーンによって行われた奴隷解放宣言は、すべてのアメリカ人に「自由」という意味を浸透させる大義となりました。

しかし、この宣言が現実のものとなるには多くの戦闘を必要とし、いち早く解放された多くのアフリカ人が北軍や海軍に加わり、戦いました。一八六五年に南北戦争が終結するまでに約二十万人のアフロアメリカン（ここからはアメリカに渡ったアフリカ人をこう呼びます）の方々が戦いました。

四年間続いた戦争は北軍の勝利に終わり、南部の奴隷労働制は廃止され、それまで多大な利益を得ていた南部のコットン・プランテーション（綿花農園）は労働力を失くし、それ以降はあまり利益を生まなくなりました。それと同時にアメリカの北部の工業が急速に発展を遂げました。

3　奴隷解放宣言後のアフロアメリカンの人達の暮らし

戦争が終わり、アフロアメリカンの生活は大きく変わります。

白人奴隷主の家を追い出され、それぞれが自分達で生活する必要に迫られたことで、自由を獲得したはずが経済的にはそれ以前より厳しくなり、再び小作農として雇われたアフロアメリカンの人達にとっては、奴隷時代と変わらない生活が続くことになります。ただ彼らには、それまでになかった自由な時間がわずかながら生まれてきたのではないでしょうか。

それまでは奴隷主によって設けられていた農園の規則により、食事と睡眠以外を労働に縛られており、奴隷主の許可を得た奴隷のみが、教会でゴスペル（Gospel＝黒人霊歌。Negro spiritual とも言う）を歌っていました。それも当然、自主的なものではありませんでした。

個人的な会話も許されず、限られた人達が教会で「神」について歌うだけでしたが、奴隷解放によって初めて「自分」について歌う機会が生まれたのです。

第2章　ブルーズの誕生

1　自分について歌う

奴隷解放宣言および南北戦争の終了後、南部のプランテーションの白人の所有者や管理人の人達のなかにも、労働を共にし、状況をより良くするために、時には英語を教え、コミュニケーションをとり、そして収穫の喜びを分かちあう人達が現れました。こういったなかで彼らとの間にも人間関係の変化がわずかながら生まれてきました。

ブルーズという音楽がどこから生まれ、誰から始まったのかという正確な詳しいことは依然として不明ですが、アメリカの農業や産業が発展するために数多くの奴隷を必要とした場所から生まれたのは必然的だったと思います。それまで白人しか持てなかったギターやハーモニカを初めて弾いたり吹いたりしながら、彼らの歌は始まります。

アフロアメリカンの人達の集落では、演奏したり、歌ったりする人にとっても、またそれを聴く人達にとっても、音楽は最大の娯楽でした。それまでの教会や労働の現場で、あくまでも許された範囲のなかで歌われた「神への讃美」や「労働のための掛け声」ではなく、一人で歌う歌には初めて「自分」や「個人」が登場し、自分自身の本音や心の内側を歌うことができるようになりました。しかも、以前アフリカで使っていた言語ではなく、初めて完璧なアメリカ語で作った音楽でした。元来、アフリカの人達は生命の鼓動をリズムにし、力強さと美しさを表現する文化の歴史を持ち合わせていました。それはどの大陸よりも永い時間を有していました。また、生活に喜びや生きる意味を見出す歌があり、人間的尊厳を誇らしく分かちあえる陽気なダンスがありました。

　創価大学の創立者でもある池田大作先生は、一九六〇年に国連本部を初訪問した時、独立間もないアフリカのリーダー達の姿に触れ、「二十一世紀はアフリカの世紀」だと語りました。また、「アフリカは、本来は『貧しい大陸』なんかじゃなかった。『発展が遅れた国』でもなかった。全部、無理やりに、そうさせられたのです」「アフリカから、いっぱい学ぶことがある。なんでも『みんなで分け合おう』という心もそうです。お年よりの『知恵』を大事に敬う文化もそうです。自然と調和して暮らしていく生き方もそうです。それらに『学ぼう』という心が大事なのです」（『池田大作全集』第六五巻、聖教新聞社、二〇〇六年）とおっしゃっています。

　四百年以上続いた奴隷貿易と奴隷制度で潰えたかのように思えたアフリカ本源の生命力を、彼らは世代を超えて保ちながら、ブルーズという音楽に昇華させます。

人間としての権利や尊厳をすべて奪われ、奴隷として生きていかねばならなかった。そのような気持ちを、私達はとても推し量ることはできませんが、悲しみや怒りや憎しみや絶望などの感情を、彼らは「力」で返しませんでした。それらを音楽に換えたのです。

「力」には「力」で返すということが人間同士でも、国同士でも行われている現在までの世の中で、彼らは復讐（ふくしゅう）という「力」をふりかざさなかった！　この崇高な行為を私は心から賞賛します。

もう一度、創立者のお言葉をお借りしますと、「奪われても、奪われても、命の陽気な鼓動を失わなかったアフリカのエネルギーに、強さに、英知に、『世界が学ぶ』時が来たのだ」（『池田大作全集』第一二二巻、聖教新聞社、二〇〇二年）と。

ブルーズの誕生は音楽の歴史のなかでも、人類の良心が成し得た最大の結果であり、結晶であり、絶望的な環境の悲惨さのなかでも生きていく力を失わずに音楽を完成させたことは、アフリカから来られた奴隷の方達の「人間としての尊厳の大勝利」だと確信します。

2　ブルーズの形態

もともと音楽やリズムを奏（かな）でることに秀（ひい）でていたアフリカの人々が、初めてギターやハーモニカなど、アフリカ大陸になかったさまざまな楽器を手にします。今まで通りの弾き方はもとより、彼らは従来になかったアプローチを創り上げます。ギターでは、弦を今までになかったチューニングにした弾き方、またビンなどのボトルの口先を割り、小指に差し込み、それをギターのネックの上にすべらせて弦を奏でる弾き方、また弦を押さえる指で音程を上げる奏法、これらは後に、オープンチューニング、ボトルネック奏法、ベンド奏法と呼ばれるようになります。また、ハーモニカでも、舌を使いながら音程を下げたりするベンド奏法なども、彼らの演奏のなかから生まれたものでした。これらの演奏形態がやがてブルーズに欠かせないものになっていきます。

一般的なブルーズの誕生は、奴隷として労働に従事させられていた人達から生まれたField Holler（Field＝野原、Holler＝掛け声）と呼ばれた労働歌と、白人達がヨーロッパから持ち込んだ、歴史や伝説を歌のかたちで表現するBallads（バラッズ）と、西アフリカのグリオと呼ばれる世襲制の伝統伝達者が部族の歴史や伝説を伝えた伝承音楽などが組み合わさったものと言われています。

しかし、それまでの西洋の音階（Scale）とは違い、メロディとしてはBlue Noteと呼ばれる音が加わり、歌にともなう伴奏の和音（Chord）やハーモニー（Harmony）なども7th、いわゆる属七和音で形成されているものが多くあり、どの場面でも、クラシック音楽の見地から言うと、音楽的な意味合いの不安定要素が入っています。

また、ブルーズの基本構成としては12小節で綴（つづ）られる歌詞と長さが多くあり、A・A・Bの形式をとります。4小節の同じ歌詞を繰り返し、最後の4小節で締めの歌詞を歌います。しかし、ここに到るまでに少し長い時間を要します。さまざまなやり方で音楽をスタートさせますが、そのなかの一人がA・A・Bの形式で12小節単位の歌を始めます。

残念ながら、誰が最初だったのかは依然として不明ではありますが、その表現が素晴らしく、他の人達もそれに感動し感化されて、同じやり方をするようになったのだと思います。アメリカ大陸は広く、時差も四時間あり、当時は情報伝達の方法もなかったため、このブルーズという音楽の形態が一般的になるまでに時間がかかりましたが、逆にそれが要因となって、ひとつの形態にとどまることなく、独自のやり方で個々の音楽を発展させていった音楽家もたくさんいました。

3　ブルーズの偉大なアーティスト達

綿花栽培地域で多くのコットン・プランテーションのあったミシシッピから生まれたミシシッピデルタブルーズ(Mississippi Delta Blues)。アメリカの南部を流れるミシシッピ川のデルタ地帯は、東京都の約十倍の広さです。そこに多くのアフロアメリカンの人達が暮らしていました。ここから多くのブルーズ・アーティストが誕生します。

ミシシッピデルタブルーズの代表的なミュージシャンに、チャーリー・パットン（Charley Patton）という人がいます。チャーリー・パットンは前述のオープンチューニングやボトルネック奏法を独自に考案し、完成させた人です。通称「Voice of Delta」（デルタの声）と呼ばれました。

彼以外にも、多くのミュージシャンに多大な影響を与え、二十七歳の若さで亡くなったロバート・ジョンソン（Robert Leroy Johnson）。彼に寄せる賞賛の声は多く、「ロバート・ジョンソンはすべてのブルーズやロックの永遠の原点だ」とか「偉大な歌手かつ偉大な作曲家」とか「史上最高のフォーク・ブルーズ・ギタリスト」などと言われました。

あと、歴史的には順不同ですが、サン・ハウス（Son House）、ミシシッピ・ジョン・ハート（Mississippi John Hurt）、ブッカ・ホワイト（Booker T. Washington White）、エルモア・ジェームス（Elmore James）などがいます。

ミシシッピデルタブルーズは自己の内面的な部分の歌詞を激しく歌う曲が多いですが、当時の南部には音響機器もなく、大きい声で歌わないと多くのリスナーに伝わらなかったからではないかと思います。

ミシシッピデルタブルーズに対してテキサスブルーズがあります。ミシシッピでは奴隷解放宣言の後も、アフロアメリカンに対しての人種差別や軋轢（あつれき）やリンチなどが途絶えることはなく、ＫＫＫ（クー・クラックス・クラン）という白人至上主義団体などの脅迫や暴行が相次ぎます。

そのミシシッピデルタに比べて比較的人種差別がゆるやかだったのがテキサスです。テキサスブルーズにもたくさんのアーティストがいますが、代表的な人物がブラインド・レモン・ジェファーソン（Blind Lemon Jefferson）です。彼の演奏を聴くと、デルタブルーズよりもスムーズに聴こえます。彼はライトニン・ホプキンス（Lightnin' Hopkins）やT‐ボーン・ウォーカー（T-Bone Walker）など、テキサスブルーズのアーティストに大きな影響を与えています。

奴隷から解放されたアフロアメリカンの人達が、生活のために労働者として各地に恒常的に移動する習慣が生まれますが、ブルーズ・ミュージシャン達も同じように旅をして回ります。

デルタブルーズからシカゴブルーズに移行したマディ・ウォーターズ（Muddy Waters）は、ミシシッピ州で生まれますが、シカゴでエレクトリックギターを使い、バンドスタイルのブルーズを展開し、シカゴブルーズの形成に大いに貢献します。そして「シカゴブルーズの父」と称されました。

ミシシッピデルタブルーズはその後アメリカ中に広がり、シカゴやデトロイトなどの北部に行き、進化を遂げます。一方、テキサスブルーズはその後西に進み、アメリカ西海岸のロックミュージックなどにも多大な影響を与えます。

もう一人、テキサスブルースのなかでも異色なブルーズ・アーティストがいます。ブラインド・ウィリー・ジョンソン（Blind Willie Johnson）という人で、彼はゴスペル音楽界の先駆的な存在でありながら、ブルーズギタリストでもありました。当時は宗教的な音楽ゴスペルと、自分を自由に表現するブルーズという音楽が仲良く共存するということがなかったようです。特にゴスペル音楽をしている人達の多くは、退廃的な匂いのするブルーズを嫌っていたようです。しかし、ブラインド・ウィリー・ジョンソンはギターの弾き語りの福音伝道師（ふくいんでんどうし）として知られていながら、ボトルネック奏法の名手でもあり、ブルーズからの強い影響がうかがえました。

ブルーズという言葉には音楽表現とは別に、英語的表現として気のふさぎ、憂鬱（ゆううつ）という意味があり、「Be in the blues」と言えば、落ち込んでいるという意味があります。奴隷解放宣言後も依然として苛酷な環境が続くなか、ブルーズがどうやって進化を遂げ、発展していったのかは、次の章で述べたいと思います。

第3章　ブルーズの進化と発展、リズム・アンド・ブルーズへ

1　人種差別の合法化のなかでのリズム・アンド・ブルーズの誕生

南北戦争後に成立した憲法修正第十四条では「アメリカ合衆国で生まれた（または帰化した）すべての者に公民権を与える」とされましたが、一八八三年の公民権裁判で最高裁は「修正第十四条が禁じているのは州の差別的行為であって、私人による差別には当てはまらない」とし、個人や民間企業によって公民権を脅（おびや）かされた人々を保護しませんでした。この判決は公共施設での黒人への人種差別を禁止した一八七五年の公民権法のほとんどを、実質的に無効にしました。

一八九六年に最高裁は「公共施設での黒人分離は人種差別に当たらない」とする、事実上人種差別を容認する判決を下しました。この人種分離法は一般に「ジム・クロウ法」と呼ばれ、交通機関や水飲み場、トイレ、学校、図書館などの公共施設、さらにホテルやレストラン、バーやスケート場などにおいても、白人が有色人種すべてを分離することを合法とするものでした。また、黒人と白人の結婚を違法とする州法が生まれたり、黒人の投票権を事実上制限したり、住宅を制限するこ

とまでも合法とされました。

南部を中心に警察による不当逮捕や裁判所による冤罪（えんざい）判決などが多発し、一九一四年から一九五〇年までに百万人以上のアフロアメリカンの人達が南部から北部に移動をします。

しかし、ブルーズの発展はとどまることを知らず、ひどい環境に反比例するがごとく進化していきます。

もともとアフリカには日常的にみんなでダンスをする文化がありました。ブルーズがリズム・アンド・ブルーズ（Rhythm and Blues = R&B）に発展したのは自然の流れで、もっと踊りやすく、もっとみんなで楽しもうという娯楽的な部分も大きく膨らみますが、見方を変えれば、より人間らしさを取り戻そうとする根源的な意識や英知を感じることができます。

音楽をする喜び、聴く喜び、より気持ちの良いビート（Beat）やグルーヴ（Groove）を産み出し、歌い、踊ることができるリズム・アンド・ブルーズは、人間の復権の証しのように思えてなりません。

一般的にリズム・アンド・ブルーズは、リズムやビートに乗りながら、ブルーズ感のある歌を叫ぶように歌うのが特徴と言われていますが、最初はレイス（人種）・ミュージック（Race Music）と呼ばれていました。一九四七年に音楽雑誌『ビルボード』誌の編集部内で、もうこういう名前で呼ぶ時代ではないとの話題が起き、ジェリー・ウェクスラー氏の提案により、リズム・アンド・ブルーズと呼ばれるようになったとのことです。

ともあれ、リズム・アンド・ブルーズ、略してR&Bは、一九一四年から一九五〇年までに南部から北部へ移動した百万人以上の人達により、飛躍的に発展を遂げます。

2　公民権運動と表現の自由

一九五五年にアラバマ州モンゴメリーで、公営バスの「黒人専用席」に座っていた黒人女性のローザ・パークス（Rosa Parks）が、席のない白人から席を譲るよう求められたが譲らず、バスの運転手から白人客に席を譲るように命じられても拒否したため、「人種分離法」違反で逮捕され投獄、後に罰金刑を宣告される事件が起きました。

この事件に抗議して、マーティン・ルーサー・キング（Martin Luther King, Jr.）らがモンゴメリー市民に対して、バス・ボイコットを呼びかける運動を展開します。この呼びかけに黒人のみならず他の有色人種、さらには白人までもがボイコットに参加。この運動は一年にわたって続けられ、全米に大きな反響を呼び、一九五六年に最高裁で「バス車内における人種分離」を違憲とする判決が出ました。

その後、この公民権運動は非暴力をモットーにしていることで内外のマスコミに大きく取り上げられ、一九六三年にはワシントンDCにおいて、二十万人以上の参加者を集め、人種差別や人種隔離の撤廃を訴えた「ワシントン大行進」で最高潮に達します。一九六四年にマーティン・ルーサー・キングはノーベル平和賞を受賞しますが、一九六八年に暗殺され、三十九歳の若さで生涯を終えます。

しかし、公民権運動によるアフロアメリカンの人達の地位向上とともに、音楽も一層表現の自由が増し、アフロアメリカンとしてのルーツを誇りを持って表現する楽曲が生まれていきます。

二十世紀初頭に南部から北部へ移動したアフロアメリカンの人達の二世として、一九四二年にシカゴで生まれたカーティス・メイフィールド（Curtis Mayfield）が歌う「ピープル・ゲット・レディ」（People get ready）などは、公民権運動を背景にヒットしました。後年、来日された折に、大阪で開催された「国際花と緑の博覧会」（通称、花博）で、私も彼と共演させていただきました。

ともあれ、マーティン・ルーサー・キングによる公民権運動のなかでの有名な演説「I Have A Dream」は、すべての人による表現の自由と、未来への希望を抱かせ、ブルーズもR＆Bも、ますます進化を遂げていきます。

3　初期のR&Bの偉大なアーティスト達

一九五〇年代の初期に、ニューヨーク、ニューオーリンズ、ロサンゼルスなどの都市から、新しいスタイルが生まれつつありました。その先駆けがリトル・エスター（Little Esther）でした。彼女は十三歳でデビューし、人気シンガーになりますが、体調を崩し一時休養します。しかし、カムバックを果たし、エスター・フィリップス（Esther Phillips）と名を改めて、R＆Bはもとより、ブラック・ミュージックのあらゆる要素を表現するシンガーになります。

ニューオーリンズのファッツ・ドミノ（Fats Domino）は、ピアノを弾きながら歌うスタイルで人気を博し、後にロックンロール（Rock'n'Roll）の創始者と言われます。

東部（イースト・コースト）からはルース・ブラウン（Ruth Brown）が出てきます。彼女は二十世紀初期のポピュラーソングをR＆B的なアレンジと歌で表現をし、「ミス・リズム」（Miss Rhythm）というニックネームで呼ばれ、R＆Bの女王（Queen of R&B）として知られるようになります。R＆BとはRhythm and BluesではなくRuth Brownの略だとまで言われました。

アトランタからチャック・ウィリス（Chuck Willis）というR＆Bシンガー・ソングライターが

出てきます。彼の作品の「CCライダー」（C.C.Rider）という曲は、アフロアメリカンのミュージシャンやシンガーが好んで演奏したり、歌ったりしましたが、白人のエルヴィス・プレスリー（Elvis Presley）やジェリー・リー・ルイス（Jerry Lee Lewis）などが取り上げてヒットし、後にロックンロールの定番の曲になります。

ジョージア州生まれのレイ・チャールズも活動を始めます。彼は六歳の頃弟を亡くし、その九カ月後、緑内障のために失明します。しかし、ピアノを学び、自らの才能を高め、R&Bのみならず、ジャズ、ゴスペルなどのブラックミュージックを、自らのルーツを再発見するように表現し、たくさんの人達から「ジーニアス！」（Genius =天才）と賞賛されます。

しかし一方では、ゴスペルを大胆にアレンジしていたことから、少数のクリスチャンからは非難されていました。レイ・チャールズはジョージア州での黒人差別に反対し、同州でのコンサートをキャンセルしたため、州はレイ・チャールズを追放しますが、一九七九年にジョージア州議会は追放を撤廃し、彼の歌う「ジョージア・オン・マイ・マインド（わが心のジョージア）」（Georgia On My Mind）を正式な州歌と定めます。

また彼は、白人のカントリーミュージックの曲を取り上げ、それを歌い始めました。このことが人種差別の軋轢を和らげる大きな要因になりました。またレイ・チャールズは、私が最も尊敬するアーティストで、七〇年代の終わりに、ある雑誌で対談させていただいたことがあります。私が「あなたにとって音楽とは何ですか?」と質問したことに対して、彼は「私にとって音楽とは、私の体を流れる血のようなものだ」と答えてくれました。彼の歌う歌も奏でるピアノも、厳密には写譜できません。いわゆる譜面にできません。譜面を超えたグルーヴが、彼の表現には存在します。まさにこれは彼の血で、「血のなせる業(わざ)」だと実感しています。

その後、ブルーズの形態を変えずに発展させた巨匠達もいます。その一人、バディ・ガイ(Buddy Guy)は、現在も活躍されており、エモーショナルなギタープレイは有名で、シカゴブルーズの第一人者的な存在です。日本ツアーで私をゲストに呼んでくれたジュニア・ウェルズ(Junior Wells)。彼はハーモニカ奏者でもあり、彼の奏でるブルーズ・ハープ(Blues Harp)とシャウト気味な歌はファンキーで、グルーヴも素晴らしく、ファンクブルーズ(Funk Blues)と呼ばれました。彼と一緒に歌えたことは、本当に光栄なことでした。

また、三大キングと呼ばれたアルバート・キング(Albert King)、B・B・キング(B.B.King)、フレディ・キング(Freddy King)。

アルバート・キングは左利きのギタリストで、右利き用に弦を張ったギターを逆に持ち、彼の独創的なプレイは多くの人を魅了しました。

B・B・キングは五〇年代から六十年以上、世界中で活躍した最も有名なブルーズ・アーティストで、私も九〇年に彼のコンサートにゲストシンガーとして呼んでいただき、彼のライブアルバム『B.B.King and his sons』には、私が作曲した「Feelin' Fine」(作詞:スージー・キム、作曲:上田正樹)が収録されています。ともあれ、世界中のたくさんのミュージシャンが彼に影響を受けています。

そして、テキサス出身のフレディ・キング。彼のドライブ感あふれる歌も素晴らしいですが、親指と他の指で弦をつまんで弾くギター奏法は素晴らしく、晩年はファンク(Funk)の要素を取り入れています。

ブルーズの波及はアフロアメリカンの人達のみならず、白人のミュージシャンにも影響していきます。その代表的なアーティストに、スティーヴィー・レイボーン(Stevie Ray Vaughan)、エリック・クラプトン、また私が七〇年代に共演したジョン・メイオール(John Mayall)などが挙げられます。本稿で紹介したブルーズやR&Bのアーティストは、あくまでもほんの一部です。実際には枚挙にいとまがないほどの、たくさんのアーティストがいました。そして、彼らを支え続けてきた多くの支持者がいたからこそ、ブルーズやリズム・アンド・ブルーズが世界の文化になったと思います。

その後のミュージシャンやアーティスト達の多彩な表現から、R&Bは六〇年代にはソウルミュージック(Soul Music)と呼ばれるようになり、七〇年代にはファンキー(Funky=臭いがする）という語源からビートやグルーヴが発展したファンクミュージック（Funk Music）が生まれました。また、コンテンポラリー（Contemporary＝現代的な、現代風な）という語源から、ブラック・コンテンポラリー（Black Contemporary）というジャンルも生まれます。七〇年代はブルーズやR&Bやゴスペルや、あらゆるポップミュージックにとっても、人間性解放をめざす文化革新運動のルネッサンスのような時代だったと言えます。

●終わりに

私自身、六〇年代の終わりから現在まで、ほぼ五十年間、ミュージシャンとして生きてきました。その時、その時、さまざまな場所で、また、さまざまな国で、私を支えてくれた人達に感謝の念は尽きません。また、たくさんのミュージシャンとも一緒に演奏をしてきました。ある時は日本のさまざまな場所で、また、アメリカのロサンゼルスで、ニューヨークで、ニューオーリンズで、またアジアのさまざまな国で、また西アフリカのセネガルで。

どんな時も、どんな場所でも、自身の音楽のバックグラウンドがブルーズであり、リズム・アンド・ブルーズなんだと確認できなかったライブは一度もなかったと思います。

音楽を言葉で表現するのは、なかなか難しいですが、歌うことも含めてすべての演奏の中心にリズムがあります。ブルーズもR&Bもそのリズムに基づくノリを作ってきました。しかしそれは、日本人には保ちにくいと言われてきました。たとえば、一拍を一〇〇%とすると二等分した8分音符は五〇%ずつです。これを「V」の字で表しますと、「\」も「/」も同じです。しかし、これは普段使っている言語が大きく作用します。日本語でいうと、ほとんど最初の部分にアクセントがあり、いわゆる言語がすべてオンであるために、厳密にいうと、最初の8分音符の部分が長く、後ろのオフの部分が短くなります。

♫の音符は前半が七五%、後半が二五%です。また、♪♪♪という音符は前半が六六・六%、後半が三三・三%です。これ以外に五連符とか七連符とかも、数字上でも、またクラシックの演奏部分からも理解できます。

ブルーズやR&Bを演奏する上で大切なことは、音楽用語で言いますと、少なからずハネているということです。

ちなみに、ほとんどの白人の演奏するロックもロックンロールもハネていません。一〇〇%のハネはすべての人が表現できると思いますが、これは曲のテンポによって違い、二三%のハネ、五七%のハネのような、音符では表せない部分が実は最も大切であり、ブルーズ、R&Bの要(かなめ)でもあります。

人はどこから来て、どこへ向かうのかを教えてくださった創価大学の創立者に最大の感謝と敬意を表します。

この原稿を書くにあたっていろいろ励ましてくれたミュージシャンとスタッフに感謝です。また、このような機会を与えてくださった同大学の寒河江教授にも心から感謝申し上げます。

ともあれ、音楽はどんな時でも停滞することなく進化し続けます。私自身も限りない夢と希望を持って、未来に向かって音楽を創り続け、表現していきます。

これを読まれた一人でも多くの方が、ブルーズやリズム・アンド・ブルーズに興味を持たれたら幸いです。

上田正樹

2019. June

第4章

表象文化論

創価大学文学部人間学科教授
寒河江 光徳

I 現代表象文化における「涙＝笑い」、「死＝生」のアンビヴァレンスについて

――グロテスク、グロテスク・リアリズムの視点から考察する試み

1 はじめに――カイザーのグロテスク論について

本稿の目的は、グロテスクとグロテスク・リアリズムの意味とその差異について検討し、現代の表象文化における適用の有無について検証することにある。文学、絵画におけるグロテスクな芸術作品についての研究には、ヴォルフガング・カイザー（Wolfgang Kayser, 1906-1960）の『グロテスクなもの――その絵画と文学における表現』[※1]（一九五八年）が存在する。カイザーはこの本を執筆するにあたり、一般的な語法としてのグロテスクと学術的な用法との違いに着目する。カイザーによるとラテン語 La grotesca と grottesco は grotta（洞窟）の派生語であり、十五世紀末の発掘時に突き当たった特殊な装飾模様の名称として考案された言葉である。そのとき発見された古代装飾

はローマ土着のものではなく、新しい流行がローマに行き着いて根付いたものであった。「奇妙な形をしたもの」、あるいは、動植物が合体、あるいはヒトと動物、あるいは、植物の混合など、異次元、双極に位置するものが結合することによって生じる異様な状況に対してグロテスクという形容がなされていることをまとめている。

このカイザーのグロテスク論にアンチ・テーゼを提示したのがミハイル・バフチンの『フランソワ・ラブレーの作品と中世・ルネサンスの民衆文化』[※2]（以下、『ラブレー論』）である。バフチンは、カイザーのグロテスク論は、ロマン主義期あるいはモダニズム期におけるグロテスクのみを扱い、それをルネサンス期のグロテスクに当てはめたことを過ちと批判する。

グロテスクな表象芸術の中には、笑いと涙という相反的な状況が融合することによって生じる世界も存在する。本論においては、現代の映画、漫画、現代芸術の作品におけるグロテスクな要素についで考察を行う。その際の問題点として、カイザーが捉えるグロテスクとバフチンのそれとの違いが問題になる。

まず、簡単にカイザーが図1を通して説明を加えるグロテスクの例を紹介する。

法学者らしきものがうずくまるようにすわり、われ関せず然と冷淡になにか記帳している。だが、これでも人間であろうか。指先きは猛禽の距、足も動物かなんかの前足、耳のかわりに蝙蝠の翼がはえている。しかし、それは単に空想的な夢の世界に属する生き物であるというわけでもない。右のすみのところに絶望した戦争の犠牲者たちが泣き叫んで身もだえしている――これはわれわれの世界であり、そこに恐ろしい怪物がその支配者としての地位を占めているのだ。[※3]（罫線は論文筆者による）

カイザーの解説を読んでも、グロテスクが非人間的な魔物に支配された世界として捉えられているのが理解できる。さらにカイザーは、グロテスク装飾画について説明する。

グロテスク装飾画といえば、ラファエロが一五一五年ごろヴァチカン宮殿の開廊にある柱の表面に描き上げたもの（図2）であった（中略）すなわち、巻きこまれては解けでてくる蔓、その葉からは、いたるところ動物がはえでていたり（引用者注・動植物の区別がない）、仮面や燭台や神殿などが描かれている側壁へ細い垂直線が伸びたりする。この斬新さは、

（図1）ゴヤ「公共の福祉に反して」（出典:『グロテスクなもの――その絵画と文学における表現』竹内豊治訳、法政大学出版会、1968年、1ページより）

ここで——抽象的装飾画とは反対に——具象的世界を保持する装飾画が描かれたということではなくして、この世界にあっては自然の秩序が破棄されていたということなのである。(中略)その装飾模様はますます空想的になった要素においても、(人体の動物的なものや植物的なものへと移行する点においても)対称(シンメトリー)の遊び半分な破壊と釣合いのいっそうひどい歪曲(わいきょく)においても。[※4]

↑(図2)ラファエロのグロテスク模様。ヴァチカン宮殿の廊下の装飾に用いられている(前掲書『グロテスクなもの』、2ページより)

↓(図3)ヨーハン・ハインリヒ・ケラー「軟骨グロテスク模様」(前掲書『グロテスクなもの』、5ページより)

ヒトと動植物の合体がここではグロテスクの特徴として認められる。続いて、軟骨模様についての説明がなされる(図3)。

カンマーマイヤーとヨーハン・ハインリヒ・ケラーの銅板装飾画の複製である。明確な輪郭線はまるっきりなくなった。奇抜にゆがめられた動物や架空生物の頭と肢体がたがいに入りまじってふくれあがり、蔓や隆起物や新しい肢体がそこここに打ちだされている。デフォルメされた二つの頭が入りまじっているさまを、はっきりと見てとれる。鼻部（びぶ）は二つの頭が共有している。軟骨グロテスク模様は、これ以上の発展をゆるさないような極端なところまでいったものである。[※5]

グロテスク模様は一六〇〇年代に渦巻き模様がクラゲのような軟骨模様にとって代わられ、一つの進展を遂げたとカイザーは述べる。

さらにカイザーはこの書によってグロテスクが言葉として極めて広範な用いられ方をしながら、芸術様式としてはその定義が曖昧（あいまい）であった事実を指摘している。グロテスクの学術用語としての整理を試みている点において、この書の功績が認められるが、総括すると何が言えるのか。カイザーは、蝙蝠を例にし、Fledermausという名前が、この不気味な生物の「具体化した異なる領域の不自然な混合」を表すと捉え、これ自体をグロテスクと定義する。[※6]

さらに、カイザーはグロテスクなものは非人称的、「エス」の表現であるとする。[※7]「エス」は、世界、人間、人間の生と行動を操る異界の非人間的な力である。グロテスクの基本的なモチーフの多くは、カイザーによれば、異界の力の感覚に帰着する。グロテスクな世界において「エス」は価値を貶（おとし）められ、「おかしな怪物」に姿を変える。カイザーの分析の結論としては、「グロテスクなものにおいて問題になるのは、死の恐怖ではなく、生の恐怖である」とし、生を死に対置させる。

バフチンは、カイザーのこの解釈に異議を唱える。グロテスクという名の表象体系において死は断じて生の否定ではない。[※8] 死はあくまでも生の不可欠の一契機として、生の絶え間ない甦り、あるいは若返りの前提条件として、生全体の一部になっている。つまり、死を生と切り離したものとして捉えるのではなく、死＝生のアンビヴァレンスの意味を見出すことがグロテスクという表象体系の正しい理解であるとするものである。

カイザーは文学において使われるグロテスクの意味についても整理しているが、個々のグロテスクな現象についての説明は事足りていない部分がある。例えば、ゴーゴリの『外套』については、道徳的な意味が歴然としているとし、「グロテスクなものが展開する余地はない」[※9]と結論づけている。しかし、ロシア・フォルマリストのボリス・エイヘンバウムやウラジミール・ナボコフが述べるように、この作品に道徳的あるいは写実的な価値を見出そうとする読み方は、この作品の価値を矮小化している。

2　ボリス・エイヘンバウム「ゴーゴリの『外套』はいかに作られているか」について

ところで、ロシア・フォルマリズムにおいて、グロテスクがどのように扱われているか、考えてみるのも興味深い。なぜならば、ロシア・フォルマリストはバフチンと時代を重ね合わせながら、それとは違う方法で文学や芸術のフォルムについて論じていたからである。

ニコライ・ゴーゴリ（一八〇九〜五二）の書いた代表作『外套』（一八四二年）。この主人公アカーキー・アカーキィエヴィチ・バシマチキンについての描写は、次のようになされる。

さて、そのとある役所にとある役人が務めていた。お役人と申しましても、別段大それた人物とは言えない。背丈はちんちくりん、いささかあばた面に、髪は少々赤茶け、それどころか見たところ目も少々悪いらしく、額の上には五銭玉ぐらいの禿（はげ）があって、両のほおは皺（しわ）だらけというご面相、顔色はいわゆる痔（じ）もちときている。[※10]

ロシア語の原文[※11]では、韻律を伴いながら面白おかしく論じていく。この描写を十九世紀の功利的批評家たちは、当時のロシア社会の実像を描いたと述べている。しかし、エイヘンバウムが述べるのは、語る内容ではなく、語られ方こそ、この作品の文学的価値があるのであって、カイザーはもちろん、その点も見逃しているのである。ここに、エイヘンバウムが「ゴーゴリの『外套』はいかに作られているか」[※12]において指摘したグロテスク的な特徴について、次の三つにまとめてみた。

①喜劇的な語りの要素が突然主情的、メロドラマ的な文体に変わること

『外套』については、まず語りのレベルでグロテスクが論じられる。たとえば、主人公アカーキー・アカーキィエヴィチに対する語りの箇所を少々長いが、引用する。

役所では、彼にはいかなる敬意も払われません。彼が通行しても、守衛は席をたたないどころか、まるで受付の前をただの蠅(はえ)が飛んで行ったかのように目もくれません。上司たちは彼に、なんとなく冷ややかで横柄な態度をとりました。なんとかという課長補佐などは、「清書してください」とか「ほら、面白い、いい仕事ですよ」とか、品のよい職場でなら必ず口にされるような何か快い言葉など一切省略され、彼の鼻先にただ書類を突きつけるのです。

若い役人たちは、お役所風の機知が及ぶ限り彼をからかい、皮肉り、彼に関するさまざまな作り話を、本人の目の前で語ってみせるのでした。彼の下宿の家主が七十歳の老女で、彼女は彼をぶんなぐるとか、また二人の結婚式はいつなのかと訊(き)いたりします。彼の頭の上から、雪が降ってきたといいながら、無数の細かい紙切れを振りかけたりしました。でも、それにたいしてアカーキー・アカーキィエヴィチは一言も応えず、まるで目の前には誰もいないかのようでした。これ

は彼の仕事の邪魔には少しもなりませんでした。こうしたうんざりすることが起こる中でさえ、彼は一度も間違わずに清書を続けたのです。手のそばで直接仕事の邪魔をするような、あまりにも耐えられない悪ふざけをされると、彼は声に出して言います。

「わたしをそっとして置いてください、なぜ、あなた方はわたしをいじめるのですか?」その言葉と声の響きには何かこう奇妙なものが潜んでいました。そこには憐(あわれ)みの情をよびさます何かがありました。

面白おかしくアカーキー・アカーキィエヴィチをはやし立てる様子は、語りの面、そして、音韻的な語呂合わせの面からも非常に軽快でコミカルだが、同僚たちの悪ふざけがある一線を越え、どうしてわたしをいじめるのか、という調子になったとたんに、喜劇的な口調は、主情的な語り口に急激に移行する。[※13]

このような語りの口調が、やがて笑いの中の涙、あるいは、相反する二つの価値を融合させたグロテスクな語りといわれるにいたった所以(ゆえん)なのではないかと考えられる。

ちなみに、カイザーはゴーゴリの『外套』については、グロテスクな要素を見出すことができなかった。また、バフチンのグロテスク・リアリズム、あるいは、カーニヴァル性をゴーゴリの作品に認めようとするユーリィ・マンの著作が有名だが、『外套』についてはあまり触れられていない。

②誇張された比喩

役所では、彼にはいかなる敬意も払われません。彼が通行しても、守衛は席をたたないどころか、まるで受付の前をただの蠅が飛んで行ったかのように目もくれません。（罫線は論文筆者による）

ありえない比喩、非現実的な比喩のコンビネーションもグロテスクの特徴と言える。[※14]

ゴーゴリの『外套』では、亀の甲羅のように厚くて硬いペトローヴィチの爪とか、アカーキー・アカーキィエヴィチは自分の服装についてもまったくこだわりがなく、「その制服は本来の緑色を失い、何か赤茶けた麦粉色になっています。襟は縮んで幅が狭く、低くなっています。そう長くもない彼の首が、そんな襟からでていると、ロシアに住む外国人が数十個も頭に乗せて売り歩く、石膏の首振り子猫のように、特別長く見えるのです。しかも制服にはいつも藁や糸くずなど何かしらがまとわりつき、ぶら下がっています。その上まるで特技のように、窓からごみくずが捨てられる瞬間に、その下を通りかかるのです。そんなわけで彼の帽子はスイカやメロンの皮や、その類のごみを常に運んでいました」とある。

アカーキーが死んだときの様子も誇張された比喩で記述される。

アカーキー・アカーキィエヴィチの遺体は運び出され、埋葬されました。そして、まるで彼が一度も存在しなかったかのように、アカーキー・アカーキィエヴィチ抜きでペテルブルクはとり残されました。彼の存在は、誰からも守られることなく、誰にとっても大切ではなく、誰の興味も惹かず、普通の蠅さえピンでとめて、顕微鏡で観察する機会を逃さない自然科学者の目にさえ止まることもなかったのです。（罫線は論文筆者による）

アカーキーの死を現実における生の終わりと解釈するか、新しい生の始まりと捉えるかは、この作品にグロテスク・リアリズムの要素を見出す上で非常に重要な点である。アカーキーの死は哀れそのものであり、現実において浮かばれようがないとすれば、生と死を別のものと捉え、死を生の両面価値とは捉えていないことになる。死を生との両面価値と解釈するのは無理があるようにも思われる。

③リアリスティックな展開が突然幻想小説へと変わる
『外套』はアカーキー・アカーキィエヴィチの死後、現実的な展開から幽霊の出現によって幻想小説へと変わる。この点も異なるジャンルの混交という点において、グロテスクであるとエイヘンバウムは述べる。「幕切れで展開されるアネクドートがそのメロドラマ的エピソードをもった《哀しい話》を逸脱させる。あらゆる手法をもった彼の最初の喜劇的語りが立ち帰ってくる。口ひげのある幽霊とともに、すべてのグロテスクは闇の中に去り、笑いの中に分解する[※15]」。

3　バフチンが述べるグロテスク・リアリズムについて

バフチンが、カイザーが著した『グロテスクなもの』にアンチ・テーゼを示した点は、カイザーがモダニズムの作品以降に見受けられるグロテスクな側面を、ルネサンス期以前の作品にも当てはめることで、グロテスクの意味を矮小化した点にある。フランソワ・ラブレーの作品を論じるにあたって、バフチンは、グロテスク・リアリズムを提起し、カイザーが述べたグロテスクとの差別化を試みている。そのグロテスク・リアリズムを論じるにあたって、バフチンは、いくつかのキーワードを示している。ここでは、バフチンが、『ラブレー論』の中で述べるキーワードについて説明し、グロテスク・リアリズムの全体像を明らかにする。

バフチンによれば、ラブレーの民衆的な笑いとは、「①儀礼的な見世物の諸形式②多種多様な滑稽な言語作品③さまざまな形式、ジャンルの無遠慮な広場の言説」のことである。※16 ラブレーのイメージは民衆の笑いの文化の継承である。民衆文化に特徴的な、生に対する独特な美的概念を継承する。バフチンは、それをグロテスク・リアリズムと呼んでいる。グロテスク・リアリズムでは、物質的・肉体的な要素は極めて肯定的なものである（あふれかえらんばかりの豊さ。陽気で祝祭的な性格）。このグロテスク・リアリズムの特徴とは何か。バフチンの用語を集約するならば、カーニヴァル（あるいは民衆的な祝祭）※17 であり、格下げであり、アンビヴァレンスであり、異言語混淆性を特徴とすると言える。

それぞれの用語は、互いに連関するものであるが、その中でも重要な格下げとアンビヴァレンスについて説明する。バフチンが述べるに、グロテスク・リアリズムの主たる特性は格下げである。格下げは上部にあるものを下部に接続、あるいは、降格させることである。つまり、崇高なもの、精神的なもの、理想的なもの、抽象的なものをことごとく物質的・身体的領域に、大地と身体が不可分に統一している領域に移しかえる。グロテスク・リアリズムにおける崇高なものの格下げは、どのような特徴を持っているか？　それは相対的なものではなく形式的なものでもない、「上」

と「下」というトポグラフィカル（地形学的）に絶対的な意味を持っている。[※18] 大地は本源（墓、腹）であり、誕生と生誕をもたらす本源（母胎）である。

格下げは新しい誕生のために身体の墓を掘る。これは破壊的・否定的な意義だけでなく、肯定的・生産的な意義をも有している。格下げはアンビヴァレントなものであり、否定しつつ同時に肯定する。カイザーの著作はロマン派とモダニズムのグロテスク、いな、厳密に言えば、モダニズムのグロテスク理論だけである。というのも、カイザーはロマン派のグロテスクをモダニズムのグロテスクというプリズムを介して見ており、そのせいでロマン派のグロテスクをいささか歪めて理解し、評価しているからだ。ロマン派以前のグロテスクの数千年におよぶ発展には、カイザーの理論は適用できない、とする。

無論、このバフチンのグロテスク・リアリズムは、ルネサンス期のラブレーの文学の特性を説明したもので、現代の作品にそれを当てはめることは、単純にはできないことであるかもしれない。ただ、現代の作品においても、格下げ、あるいは、アンビヴァレンスは、いくつかの作品に見受けられると考えられる。次に筆者が考えるグロテスク・リアリズムの特徴の一部が見受けられる作品を紹介し、その特徴を考察する。

4　現代におけるグロテスク

(1) ロベルト・ベニーニの『ライフ・イズ・ビューティフル』

イタリアのロベルト・ベニーニ監督による『ライフ・イズ・ビューティフル』[※19]という映画がある。監督であり、主役に扮するベニーニが演じるのはグイードというユダヤ系イタリア人であり、一九三九年、トスカーナのある街に本屋を開業するために移り住んできて、小学校教諭のドーラに恋をする。ドーラには幼馴染(おさななじみ)で政治家の婚約者がいるのだが、婚約披露パーティのときに、ウエーターをしていたグイードとの思いがけない出会いに胸が弾み、「わたしをさらって」と。そうして、二人は結ばれた。

当時ムッソリーニ首相のファシスト党が台頭している時代。ユダヤ人とイタリア人というのも禁断のカップルだったので、その行為は駆け落ちに近いものがある。二人には息子ジョズエが生まれる。戦車が大好きな男の子との笑いの絶えない毎日を送っていたが、ジョズエの五歳の誕生日に、グイードとジョズエはナチスにつかまり強制収容所に追いやられてしまう。それを知った妻のドーラは、ユダヤ人ではないので名簿に名前がないにもかかわらず、二人の乗る列車に乗ることを望み、一緒に収容所に送られるが、男性と女性はばらばらにすみ分けられる。

カーニヴァル的転覆は、映画の冒頭シーン、グイードの乗ったブレーキの壊れた車が国王のパレードを群衆が待ち構える道路に入り込み、王と誤解されて大歓迎される。それによって、そのあとに来た本物の国王の車を群衆は見向きもしない。また、ドーラが勤める学校の職員がローマから査察官を待ち構える際に、（グイードはレストランのウエーターとしてその査察官の給仕をしており、学校視察の件をたまたま知っていた）その学校で教師をしていたドーラに会うために査察官になりすまし、学校に迎えられて生徒の前で特別の講義をする羽目になる。そのあとに来た本物の査察官がやはり冒頭シーンの国王と同様に見向きもされない。ゴーゴリの喜劇『査察官』（Ревизор、一八三六年）を彷彿（ほうふつ）とさせる展開とも言える。模範の授業を促（うなが）され、生徒の前で突然話をする羽目になるグイードは、アーリア人の誇りとして耳を震わせ腹を出し、教室を笑いの空間に変えていく。

この映画は本屋開業のためにローマに移り住むグイードが車での移動中、ブレーキが故障。その修理をしている最中に、突如天から舞い降りて来たドーラと出会うシーンで始まる。グイードは建物の上階で蜂に刺されて落下して来たドーラを受け止め、姫と名づける。グイードはお礼に卵をもらい、卵を頭に乗せ帽子で隠し、その場を立ち去る（映画において卵はライトモチーフとして使われる）。

作品のカーニヴァル性、格下げはいたるところに存在する。バフチンが述べるアンビヴァレンスがこの作品の中で見出せるのは、終戦後、グイードがジョズエを守るために、隠れ場所を見出し、人の気配がなくなるまで隠れ通せば、千点をもらい戦車に乗せてもらえる約束をする場面だ。グイードはドーラを探し出す途中、軍に見つかるが、ジョズエを安心させるために奇妙な行進をすることで息子を笑わせる。その直後に、銃殺されることによって、笑いのシーンは瞬（またた）く間に悲哀のシーンへと変わる。戦争が終わり、子どもたちが隠れ家としていた箱のような倉庫から出てきたジョズエは、アメリカ軍の戦車に載せられ、収容所から出、その途中で母ドーラに再会する。

（2）赤塚不二夫『天才バカボン』

古典の文学・芸術作品において認められる概念が、現代の表象芸術（大衆芸術と呼ばれるものを含む）を論じる際にしばしば見落とされがちになる現実を目（ま）のあたりにする。

二〇〇八年八月に亡くなった漫画家の赤塚不二夫の葬儀が営まれた際、タレントの森田一義（芸名・タモリ）が読んだ弔辞（ちょうじ）の内容が話題になった。九州から駆け出しの芸人として上京したタモリが、赤塚に才能を買われ、赤塚の家に泊まり込みながら笑いのいろはについて教えを受けた日々を偲（しの）んだその弔辞では、赤塚の作品が、あらゆる空間、例えば、葬儀のような悲哀の空間さえも笑いの場に変える独特の才能に溢（あふ）れたものであったことに触れている。

あなたは私の父のようであり、兄のようであり、そして時折見せるあの底抜けに無邪気な笑顔は、はるか年下の弟のようでもありました。あなたは生活すべてがギャグでした。たこちゃん（たこ八郎さん）の葬儀の時に、大きく笑いながらも目からはぼろぼろと涙がこぼれ落ち、出棺の時、たこちゃんの額をぴしゃりと叩（たた）いては、「この野郎、逝きやがった」と、また高笑いしながら大きな涙を流していました。あなたはギャグによって物事を動かしていったのです。

あなたの考えはすべての出来事、存在をあるがままに前向きに肯定し、受け入れることです。それによって人間は、重苦しい陰の世界から解放され、軽やかになり、また、時間は前後関係を断ち放たれて、その時、その場が異様に明るく感じられます。この考えをあなたは見事に一言で言い表しています。すなわち、「これでいいのだ」と。[※20]

しかし、人との別れを偲ぶ空間に笑いを持ち込む行為は、それ自体が、笑いと涙（悲哀）という歪（いびつ）な結合をもたらすグロテスクな精神に満ち溢れている。

では、赤塚不二夫の代表作である『天才バカボン』におけるグロテスクな側面を検証してみる。

①ありえない比喩、非現実的なコンビネーション

主人公はバカボンではなく、バカボンのパパであり、家の表札にもバカボンパパと書いてある。文字通りバカである。奥さんはバカボンママといい、貞淑で良妻賢母的な女性で、バカボンパパとは正反対、この非現実的な合体によって、授けられた子どもが、父親に似てちょっと間抜けでお人よしなバカボンと、天才少年のハジメちゃんである。

この非現実的なコンビネーションは、ありえないキャラクターにも表れる。怒るといつもピストルをガンガン打ち鳴らすおまわりさんは目がくっついているのが特徴的であり、バカボンパパとの明るく楽しいイタチごっこを繰り返す。いつも道端で掃除をするレレレのおじさんは耳がラッパの形をしている（インターネット上では、掃除で悟りを開いた釈尊の弟子チューラパンタカ〈周梨槃特〉が原型との説もあるが出典は定かでない）。そして、ウナギイヌは泥棒のために魚屋に入ったイヌが、そこにいたウナギに一目惚れして、駆け落ちし、できた子どもがウナギイヌ。ウナギイヌは半分川、半分陸に生活する両棲(りょうせい)類である。

②「格下げ」

天才バカボンは、バカボンパパと警察官とのやりとりが作品全体を笑いの空間に陥(おとし)いれるモチーフ

として常に使われる。勝者も敗者もいない代わりに、一方がもう一方に対して必ず優位な状況でことが運び、それがいつしか逆転し、途方もないゲームを繰り広げ続ける。

作品の至る所でカーニヴァルが繰り広げられ、価値倒錯の世界を創り出す効果を持つ。また、中世によく見られた笑いを隠れ蓑にしたパロディーにも、強いカーニヴァル性が見られる。中世においても笑いによってならば、聖なるものを俗的に扱うことが許された。聖と俗の交わりや交代、否定（嘲笑）と肯定（歓喜）、死と再生、などが笑いの中で行われた。笑いは社会風刺のために、無くてはならない要素であった。『天才バカボン』では、警察や寺の住職が絶えず格下げの対象とされる。『天才バカボン』のあるストーリーでは、寺で僧侶が木魚をボールにしてゴルフを楽しむ様子が示される。教会の神父や医者、警察官、学校の校長なども、好き放題にバカボンパパにかき回され、社会的立場や尊敬や威厳を失墜する。おごそかな冠婚葬祭、神聖な場所もことごとく笑いの空間に変えていく。寺の住職を真似して読経によって金儲けを始めるバカボンパパが読経するでたらめな経文を聞いて、憤りを感じた死者が蘇る。[※21]

（3）会田誠の『考えない人』

現代アート、会田誠の作品『考えない人』は、弥勒菩薩半跏思惟像、あるいは、ロダンの「考える人」へのオマージュとして作られたことは論じるまでもない。頭は、おにぎりでできており、糞尿の上に腰かけている。しかも全身は緑で、糞尿からは新芽が生えている。つまり、食し、排泄することによって堆肥、土壌が作られ、そこに新たな生が宿る。頭におむすびが位置することによって、人間にとっての頭脳（理性）が食物にとって替えられる。

会田誠《考えない人》。この画像は、2012年11月17日から森美術館にて開催された「会田誠展：天才でごめんなさい」にて、筆者が撮影したもの。この作品に限り撮影が認められた

上位から下位への移動、飲食は人間の口から行われるが、口そのものが排泄をも意味する（バフチンによればラブレーの作品において大きく開いた口は下方へ、身体の冥界へと通じている）[※22]。飲食は生物の死に直結するが、排泄によって糞尿が堆肥と化し次の生への営みに連動し、身体的上位から身体的下位、下位から上位へとその営みは流転し続ける様子を表している（バフチンのラブレー論に指摘される死—新生—豊穣のモチーフと通じている）。

5　まとめ

以上、カイザー、エイヘンバウム、バフチンによるグロテスクの定義を整理し、現代の表象芸術において、現代の文化表象におけるグロテスクな様相について、散見できるいくつかの作品から見出す試みをしてきた。赤塚不二夫『天才バカボン』、ロベルト・ベニーニ『ライフ・イズ・ビューティフル』、会田誠『考えない人』において、相反する要素の結合から生じるグロテスクな要素が見出せるのは間違いない。それのみならず、バフチンがグロテスク・リアリズムについて述べる格下げ、あるいは、カーニヴァル、アンビヴァレンスという観点で、グロテスク・リアリズムの諸相を見出すことができる。無論、バフチンがラブレーの作品において種々論じたルネサンス期のグロテスク・リアリズムの特徴をすべて見出すことはできないが、笑いと涙、死と生のアンビヴァレンスが、それぞれの作品独自の感性による格下げによって表現されていると結論づけられる。

【注】

※1　Wolfgang Kayser.*Das groteske - Seine Gestaltung in Malerei und Dichtung*, Berlin,1957.＝『グロテスクなもの――その絵画と文学における表現』竹内豊治訳、法政大学出版局、一九六八年。

※2　Михаил Бахтин. Творчество Франсуа Рабле и Народная культура средневековья и Ренессанса. 1965. 本論では川端香男里訳と杉里直人訳を参照した。

※3　前掲書『グロテスクなもの』、一五ページ。

※4　同前、一九～二〇ページ。

※5　同前、二三ページ。

※6　同前、二五五ページ。

※7　同前、二五七ページ。

※8　ミハイル・バフチン『ミハイル・バフチン全著作第七巻「フランソワ・ラブレーの作品と中世・ルネサンスの民衆文化」他』杉里直人訳、水声社、二〇〇七年、七三ページ。

※9　前掲書『グロテスクなもの』、一七〇ページ。

※10　以下、ゴーゴリ『外套』の引用は、平井肇訳、岩波文庫、一九三八年、及び、浦雅春訳、光文社、二〇〇六年を参考にし、一部改訳をしている。

※11　Н.Гоголь. Собрание сочинений в семи томах. М.Т.3.1977. С.116-144.

※12　シクロフスキイ、ヤコブソン、エイヘンバウム他『ロシア・フォルマリズム論集――詩的言語の分析』新谷敬三郎・磯谷孝編訳、現代思潮社、一九七一年、二四三～二七一ページ。＝Б.Эйхенбаум. Как сделана «Шинель» Гоголя.1918.

※13　同前、二六二ページ。エイヘンバウムの論文においては、「笑いの表情が悲しみの表情と交替する、つまりいずれにし

ても身振りとイントネーションの条件づけられた交替という遊びの様相を呈する、グロテスクが生じた」と述べられている。

※14　同前、二六八〜二六九ページ。エイヘンバウムは、このような比喩について「グロテスクな誇張」と述べている。

※15　同前、二七一ページ。

※16　前掲書『ミハイル・バフチン全著作　第七巻』、一七ページ。

※17　作品の至る所でカーニヴァルが繰り広げられる。ミハイル・バフチンがラブレー論において展開する文学作品におけるカーニヴァル性とは、国王の戴冠と奪冠、地位や役割の交代や変装、両義性、シニカルで無遠慮な言葉、などに見られるものである。

※18　ここでいうトポグラフィカルとは身体的位置のこと。

※19　ロベルト・ベニーニ『ライフ・イズ・ビューティフル』、配給：松竹富士、アスミック・エース エンターテイメント、一九九七年。ＤＶＤ発売：角川エンタテインメント。

※20　https://www.nikkansports.com/entertainment/news/f-et-tp0-20080807-393012.html

※21　赤塚不二夫「悪寛和尚の金もうけ」、『天才バカボン』第五巻、竹書房文庫、一九九四年、一六五〜一七七ページ。

※22　例えば、パンタグリュエルは猛々しいばかりの食欲を発揮する。食事と飲酒はグロテスクな身体活動の中で最も重要な現象の一つであり、世界を呑み込み、貪り食い、ばらばらに引き剝がして体内に摂取し、世界を犠牲に自ら肥えたり、成長したりする。

【その他の参考資料】

会田誠展『天才でごめんなさい』会期二〇一二年一一月一七日（土）〜二〇一三年三月三一日（日）、森美術館、出展カタログ、二〇一三年。
赤塚不二夫『赤塚不二夫自叙伝』文春文庫、二〇〇八年。

赤塚不二夫『天才バカボン』第一~七巻、竹書房文庫、一九九四年。

赤塚不二夫『天才バカボン　Ｂｅｓｔ』講談社、二〇〇七年。

ミハイール・バフチーン『フランソワ・ラブレーの作品と中世ルネッサンスの民衆文化』川端香男里訳、せりか書房、一九七三年。

ユーリイ・マン『ファンタジーの方法　ゴーゴリのポエチカ』秦野一宏訳、群像社、一九九二年。

II　ナボコフの作品における円環構造とシンメトリーにまつわる形象のパターンについて
――殺意の前兆、犬、カーブ、鏡そして殺人
――小説『ロリータ』および、二つの映画『ロリータ』から解き明かす試み

テクストが、ひとたび翻訳されたならば、そこになんらかの解釈が生み出され、新たな意味が付与されます。原語から異言語への翻訳のみならず、他の表象媒体への翻案において、なおさら顕著にその傾向が見受けられます。テクストの意味が変容し、解釈は進化を遂げ、時に作者の意図はねじまげられます。本論は、二十世紀最高峰に位置する文学作品の中から、ウラジーミル・ナボコフ著の『ロリータ』を取り上げ、この問題を考察します。

この作品は、英語で書かれた原作（一九五五年）が一九六二年、スタンリー・キューブリックによって映画化されるに際し、ナボコフ本人によって脚本化がなされました（キューブリックにとってはナボコフの脚本案は受け入れられず、原作者と監督の決裂の原因となった）。さらに、一九六七年の

ナボコフ本人によるロシア語への翻訳、一九九七年のエイドリアン・ラインによる二回目の映画化、一九九三年のロディオン・シチェドリン作曲によるオペラ化、二〇〇六年のジョシュア・ファインベルク作曲による二回目のオペラ化など、映画やオペラなど他の表象媒体に翻案される中で、原作のイメージが改変される様子が見て取れるからです。

無論、この限られた枚数で、これらの問題をすべて扱うことは不可能です。ウラジーミル・ナボコフは、アメリカのウェルズリー・カレッジ、コーネル大学、ハーヴァード大学で講じた文学講義が書物として刊行され、それらの本がナボコフ自身の作品の謎を解く鍵と見なされます。本論は、ウラジーミル・ナボコフが書き残した『ヨーロッパ文学講義』『ロシア文学講義』の中で言及されたエッセンスを、ナボコフ自身の作品を読み解くための視点として用います。さらに、ナボコフの代表作『ロリータ』を最初に映画化したスタンリー・キューブリックによる原作からの逸脱と、二回目に映画化したエイドリアン・ラインによるそれへの修正という観点から、この文学作品が映画に翻案される際に起きた解釈のずれとイメージの変容の問題について考えることを目的とするものです。その際にポイントを絞る必要があります。そのポイントとして、ナボコフの作品に特有とされる円環構造、さらにシンメトリーがどのような形象のパターンをともなって具象化するかという問題に限定し、本論では考察します。

1　分析の視点――円環構造とシンメトリーの形象のパターンについて

（1）形象のパターンについて

本論をはじめるにあたって、思想的核心となっているのは、ナボコフの『ロシア文学講義』の『アンナ・カレーニナ』論における次の一節です。ナボコフは、まず、リョーヴィンの信仰が芽生える苦痛についての描写を紹介します。以下は、その抜粋です。

《そうだ、頭をはっきりさせて、よく考えてみなければ》と彼は考えながら、目の前のまだ人に踏まれていない草をじっと見つめ、かもじ草の茎をのぼって行く途中で、エゾボウフウの葉に行手をさえぎられている青い甲虫の運動に目を凝らした。《初めから順序立てて考えよう》［自分の精神状態について］彼は心のなかで呟き、小さな甲虫の邪魔にならぬようエゾボウフウの葉をとりのけ、甲虫が先へ進めるように別の葉を折り曲げてやった。《おれを喜ばせるものは何か。おれは何を発見したか》……《おれはただ自分でも知っていたことをはっきり認識しただけなのだ……おれは虚偽から解放されて、ほんとうの主人を見出したのだ》。（第八編、第十二章）[※1]

ここからさらにナボコフ自身の解釈が展開されます。「しかし、私たちが注目しなければならないものは、そのような思想ではない。何はともあれ銘記すべきは、文学作品とは思想のパターンではなくて形象のパターンであるということなのだ。作品のなかの形象の魔力と比べれば、思想など何ほどのものでもない。ここで私たちを引きつけるのは、リョーヴィンの考えや、レオ・トルストイの考えではなくて、その考えの曲り目や、転換や、表示などをはっきりと跡づける、あの小さな甲虫なのである[※2]」（傍点は原著）。

文学作品と哲学書とは違います。哲学書であれば、作者が述べている思想が何かを論ずれば事足ります。しかし、文学作品研究においては、そこに何が書かれてあるかという事実以上に、どう書かれてあるかという事実が重要になります。「言葉、表現、形象こそが、文学の真の機能である。思想ではない[※3]」（傍点は原著）。ただ、こう述べるナボコフの言葉は逆説的に、ある思想を言明します。思想のパターンではなく、イメージのパターンにこそ文学の本質がある、という思想です。そして、その偉大なる思想の伝道者としての役目をナボコフは作家という職業に付与するのです。

(2) 円環構造について

ナボコフの作品の特徴として円環構造が指摘されています。その淵源をナボコフの著作の中に見出すならば、やはり『ロシア文学講義』の中のゴーゴリ論、あるいは、その前段階で書かれた著作『ゴーゴリ』が挙げられます。たとえば、「外套」論の中でナボコフは次のように述べます。「アカーキー・アカーキエヴィチが熱中する外套着用の過程、すなわち外套を仕立てさせ、それを身にまとうまでのことは、実は彼が身にまとったものを脱ぐ過程、自分の幽霊という全裸の状態への次第次第の回帰なのである」[※4]（傍点は原著）。

この図式を『ロリータ』に当てはめると何が言えるでしょうか。ハンバート・ハンバートは拘置所で死んだことが小説の冒頭で記されるように、この物語は牢獄で死ぬことを宿命づけられたハンバートが最後に人を殺して牢獄で死ぬまでの回帰を描いた物語という単純な読み方もできなくはありません。ただ、円環性というのはそればかりではない。まず、ナボコフ自身によって、ロリータはアナベル・リーの「生まれ変わり」[※5]であり、「アナベル・リーの輪廻転生であった」ことが繰り返し言及されます。さらに、小説を読むに際して「細部を愛(め)でよ」と文学講義の中で再三訴え続けたナボコフの作品を、「犬」や「カーブ」といった繰り返し使われる細部描写に着目して読んだとき、そのどこに円環構造を見出すことができるのでしょうか。ナボコフの文学講義を紐解(ひもと)きながら、原作『ロリータ』と二つの映画『ロリータ』[※6]を比べて、ロシア語『ロリータ』を随時参照します。

(3) シンメトリーについて

ナボコフの作品においては、「目」(「偵察」)に代表される登場人物の分身が問題にされます。それと同時に、主人公の目に映る映像が実は事物そのものの反映ではなく、実は何かの投影であったという例が散見されます。しかし、先に引用した文学作品にとって思想が重要なのではなく思想のパターンそのものが重要であるとのナボコフの考えを当てはめてみるならば、何がいえるでしょうか。鏡や湖面を利用しての反射、事物と映し出されている投影との対照性(Contrast)、相似性(Similarity)、相称性(Symmetry)が、実はなんらかの思想のパターンとして利用されている可能性はないのでしょうか。本稿においては、イメージのパターンとしての「犬」、あるいは、「鏡」の役割について考察します。

●分析(1) 殺意の前兆

『ロリータ』はハンバート・ハンバートというパリ出身のフランス人がアメリカに渡り、シャーロット・ヘイズという女主人の家に住み込み、その娘ロリータと近づくために偽装的な結婚をし、後に劇作家クレア・クィルティにロリータを（本人の同意とともに）連れ去られ、その怨念によってクィルティを殺害し牢獄で死ぬという話です。この暗殺の決行は、小説では末尾に行われますが、スタンリー・キューブリックの映画においてはプロットの最初に差し替えられます。一方、エイドリアン・ラインは、原作の意図を再現するために、ハンバートによるクィルティ殺しの後に警察に捕まるまでのシーンを映画の冒頭に据え、クィルティ殺しは小説のプロットと同じように作品の末尾に置いています。

ただ、残念ながら、キューブリック、ラインによる二つの映画作品いずれにも反映されていないシーンが、ナボコフ本人による映画脚本『ロリータ』には存在します。原作を読むと、ハンバートはパリ在住時にマドレーヌ通りをさまよい、モニークという娼婦にニンフェット的な魅力を感じるシーンがありますが、少年期に体験したアナベル・リーの再現であるロリータに出会う前兆として、モニークという女性との出会いが示されます。それに続いて、ヴァレリアとの結婚から破局に至る挿話があります。ナボコフの脚本において、実はこのヴァレリアとの破局の場面が細かく描写されているのですが、キューブリック及びラインによる映画では、このシーンはすべてカットされています。ヴァレリアとの結婚話は『アンナ・カレーニナ』におけるスティーヴ・オブロンスキーの浮気話のように、本編にはまったく影響を及ぼしません。

ハンバートが最初に結婚した相手ヴァレリアとの別れ話の最中に、妻の不倫の相手は二人が便乗する(白系ロシア人の)タクシーの運転手であることが告げられます。「職業上の身分に戻って、彼はハンバート夫妻を家まで乗せ、そのあいだずっとヴァレリアはしゃべりつづけ、ハンバート雷帝はハンバート小心帝とじっくり議論しながら、ハンバート・ハンバートは妻か妻の愛人かどちらを殺すべきか、どちらも殺すか、どちらも生かしておくか、と思案した。あるとき、同級生が所持していた自動拳銃を一度手にしたことがあるのを憶(おぼ)えていて(その時期のことはまだ話していなかったけれども、まあいいだろう)、その頃、彼の妹である、黒いヘアボウをつけたあえかなニンフェットを慰(なぐさ)みものにしてから、拳銃自殺をするのはどうかと夢想していたものだった。そこで私は今、ヴァレチカ(と大佐は彼女のことをそう呼ぶ)がはたして撃ち殺すか、絞め殺すか、溺れ死にさせるだけの値打ちがあるものかどうかと考えた。そして、彼女は脚がかよわいので、二人きりになったらすぐにこっぴどく痛めつけてやるだけにとどめておこうと心に決めたのである」[※7]。

二つの映画においてはカットされたこのシーンを、実はナボコフ自身が重要視していたのではないかと考えられる理由があります。それは、ハンバート・ハンバートによるクィルティ殺しが決行されるまで、ヴァレチカ、あるいは、不倫相手の白系ロシア人に対するものが、ハンバートが抱いた最初の殺意ということになります。この初めて抱いた殺意が、後にシャーロットへの殺意につながり、最後にクレア・クィルティの殺害につながります。そのプロセスを時系列的に考えると、殺意がクレッシェンドのように増長され三度目に殺人が決行されるわけですが、二つの映画において最初の殺意についてはまったく触れられておりません。

ただ、シャーロットへの殺意については、キューブリックの映画でも描かれています。シャーロットがハンバートに信仰心、つまり、神を信じるか否かを尋ねる場面があり、神を信じなければあなたを殺すと拳銃をふりあげる場面が描かれます。このときシャーロットは拳銃に弾丸が入っているとは知らなかったが、実は入っていることを知り、たとえ殺人を行っても、拳銃を握っていたシャーロット自身による暴発によって殺人は立証されないとハンバートは考えるというシーンです。キューブリックの映画では、やはりそれはできないとして決行にはいたりません。

ハンバートがシャーロットに対して殺意を抱いた最大のきっかけは何だったのでしょうか。その原因は、シャーロットがドイツ出身のちゃんと訓練を受けている女性を女中として雇い、ロリータが住んでいる部屋に住まわせる計画を話した箇所に見出すことができます。「あなた(シェリ)、ハンバート家をどう変えられるか、その可能性を低く見積もってるんじゃないのかしら。その娘をローの部屋に入れるのよ。いずれにせよ、あの穴倉は客室にするつもりだったし。家の中でもあそこはいちばん寒くてみすぼらしいでしょ[※8]」。シャーロットの計画は、ハンバートとの新婚生活を水入らずのものにし、ロリータを寄宿舎学校に預け、家から追い出すというものです。ロリータにニンフェットとしての資質を見出し、ロリータと近づくことが本命だったハンバートにとって、それはもちろん本意ではありません。さらに、シャーロットはイギリスへの旅行計画など、すべてを自分の思い通りに立案し、ハンバートに相談なしで決めていきます。そのことへの不満が殺意へと増長するのです。その思いが描かれるのが、近所のアワー・グラス湖に二人で水浴びに出かけた際のことです。「ここで背後にまわり、大きく息を吸い込み、それから彼女の足首をつかんで、虜にした死体と一緒に一気に水中にもぐりさえすればいいのだと思った」[※9]。しかし、殺意はあっても実際に殺すことはできなかったことが述べられます。つまりここでは、実際に人を殺めることがいかに決意をともなうことなのかが示されます。

●分析（2）犬

次に、キューブリックの映画においてはあまり描かれず、エイドリアン・ラインの映画において、ひときわクローズアップされる「犬」の登場シーンについて言及します。原作の『ロリータ』においても「犬」は何度も登場しますが、その「犬」がどのようなイメージのパターンとして機能するか、あるいは、どんな思想を代弁するものとして用いられているのかについて考察してみましょう。

まず、「犬」の前に、「カーブ」についての言及箇所を引用します。

彼がそそくさと立ち去っていくのを見ていると、お抱え運転手が首を横にふりながらクスクス笑った。行く道で、どんなことがあろうがラムズデールに泊まるなんて冗談じゃない、今日のうちにバミューダかバハマかブレイゼズかどこへでも飛行機で行ってしまおう、と私はぶつくさ言った。総天然色の浜辺でどんなすてきなことがあるやもしれぬ、という可能性はこれまでにもしばしば私の背筋にしたたり落ちてきたもので、実を言えば、そういう連想から急にカーブを切ってしまったのは、善意のつもりが今となってはまったくばかげたマックーの従兄弟の提案のせいだったのだ。[※10]

ここでまず、本物のカーブの前に、比喩としてのカーブについて言及されます。ハンバートがラムズデールに住み、シャーロットの家に住み込むようになったのは、まったくの偶然、つまり、急カーブに過ぎなかったと述べられるのです。

その後に、本物のカーブのシーンです。ここで登場するのが「犬」です。

急にカーブを切ると言えば、ローン街に大きくカーブを切って入っていったときに、私たちはお節介な郊外の犬（車が来るのを待ち伏せしているやつ）をもう少しで轢きかけた。[※11]

ナボコフはきめ細かな描写の中に小説の神髄が宿ると読者に促します。この場合も、何気ないカーブや犬の描写に小説のストーリー全体を解き明かす種を埋め込むのです。この場合、カーブや犬の描写がシャーロットの事故死につながるモチーフであると考えるだけであるならば、換喩的な技法としての意味しか持ち得ません。

では、『ロリータ』における隠喩的役割としての「犬」のモチーフについて考えてみましょう。

小説『ロリータ』には、シャーロットに代わって、ロリータが二階の書斎に朝食を届けにいく場面があります。この場面については、スタンリー・キューブリックとエイドリアン・ラインのそれぞれの映画において際立った違いが見受けられます。原作は以下の通りです。

するとそのとき、ロリータの甘くやわらかな笑い声が、半開きになったドアから聞こえてくる。「お母さんに言わないでね、あなたのベーコンぜんぶ食べちゃった。」あわてて部屋を出ると、もういない。ロリータ、どこにいるんだ？　女主人が愛情込めて準備した朝食のトレイが、早く

部屋に持って入ってくれと言わんばかりに、歯の抜けた口をあけてこちらをにらみつけている。[※12]

（傍点は原著）

キューブリックの映画において、ハンバートの朝食の一部であるトーストをつまみながらロリータが階段を上るシーンがあり、ハンバートが引き出しに隠した手帳を開けてのぞこうとした後に、犬にあげるように目玉焼きを食べさせる場面が原作にはない脚色を帯びています（写真1）。

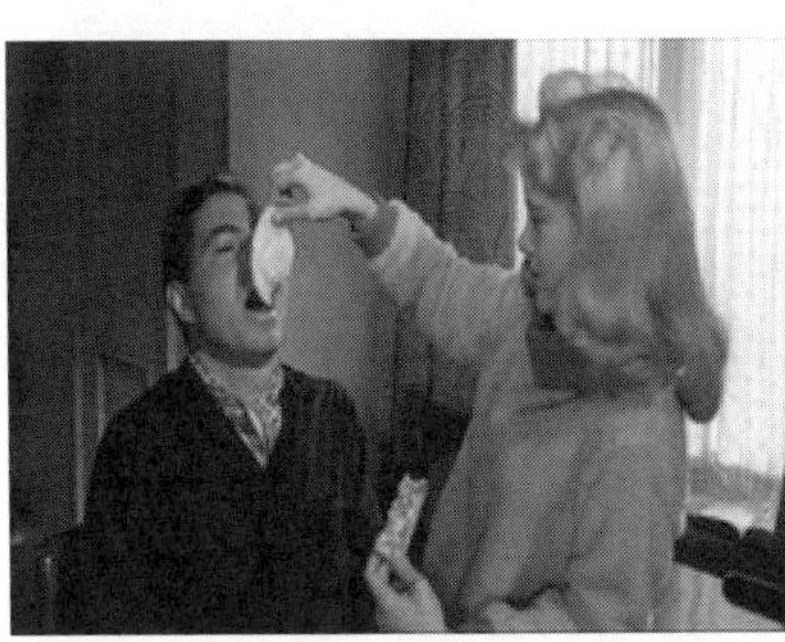

（写真１）スタンリー・キューブリックの映画においてロリータがハンバートに目玉焼きを与えるシーン（出典：DVD『ロリータ』、ワーナー・ホームビデオ発売、2001年）

（写真２）エイドリアン・ラインの映画における該当のシーン（出典：DVD『ロリータ』、東宝東和株式会社・株式会社ポニーキャニオン発売、1999年）

なぜかこの箇所だけがハンバートを犬のように扱うロリータの様子を再現します。エイドリアン・ラインによる映画においては、無論キューブリックの映画にあったようなシーンは存在しません（写真2）。

この後に、ストーリー展開に一見何の影響も及ばさないかのような犬の描写が見受けられます。

そこはタンポポだらけで、忌々しい犬が（犬は大嫌いだ）かつて日時計が立っていた場所にある平らな石の上で粗相をしていた。[※13]

隣に住む、金回りのいい廃品業者が飼っているばかな犬が、青い車を追いかけて飛び出してきた――シャーロットの車ではなかった。[※14]

「シャーロット」の車ではなかったと述べることによって、この犬とシャーロットとの関係を暗示します。

大通りの葉陰からステーションワゴンがひょっこり現れ、影が途切れるまでのその一部を屋根に載せて引きずり、狂ったような速さで通り過ぎ、シャツ姿の運転手が左手で屋根を押さえ、廃品業者の犬がその横に並んで突っ走っていた。[※15]

車の速さに追いつきながら走る犬についての描写の箇所。エイドリアン・ラインの映画では、この箇所が冒頭から強調されます（写真3）。

The dog pursues the taxi, which swerves and screeches. In the back seat. Humbert bumps his head on the door.※16

原作においてはおそらくこの場面に相当する描写は、二十三章の以下の場面に見受けられます。

廃品業者のセッターがリズミカルにキャンキャンと吠える声をかき消すほどには大声でなく、この犬は人だかりから人だかりへと歩きまわり、すでに歩道に集まっていたご近所さんの群れを離れて、なにやら格子縞模様の物に近づき、それからついに追いつめて捕まえた車に戻り、それから芝生にいる別の人だかりのところへ行ったが、そこにいるのはレスリーと、警官二人、それに

（写真3）エイドリアン・ラインの映画においてハンバートがラムズデールに到着するシーン（出典：同前）

がっしりした体格で鼈甲(べっこう)の眼鏡をかけた男だった。※17

続いて二度目のカーブ、犬、そして、シャーロットの死について考察します。

最初のカーブは、ビールの車が廃品業者の犬（犬は描かれていない）を避けようとしたもので、それをさらに大げさにして続けたような次のカーブは、悲劇を回避するつもりのものだった。※18

ちなみにナボコフは、作者が加える動物への描写が主人公の描写に乗り移る傾向があることを『ロシア文学講義』の「アンナ・カレーニナ論」において言及しています。代表的なのは、ヴロンスキーと馬のイメージとの関連性でしょう。次の引用は『ロリータ』においてナボコフ自身が犬の描写について言及する興味深い箇所です。

しかし、職業的小説家がある登場人物に癖やら犬を与えると、物語の途中でその人物が現れるたびにその犬やら癖をまたぞろ持ち出してしまうのと同じで、私もときどきは私の容貌に読者の注意を喚起せずにはいられないのである。※19

ハンバートとロリータがホテル「魅惑の狩人」にチェック・インする際のこと。ホテルにチェック・インしている間、ロビーにいるコッカースパニエルとロリータが戯れる場面がおとずれます。以下に引用します。

ロリータが尻を落としてしゃがみ込み、鼻面が青白く、青い斑点があり、黒い耳をしたコッカースパニエルを撫でてやると、その犬は花柄の絨毯の上で気持ちよさそうにうっとりしていて（誰でもそうなるだろう）、一方私は咳払いをしてから人混みをかき分けて受付に行った。※20

エイドリアン・ラインはクレア・クィルティの換喩（隣接的暗示）としてコッカースパニエルを解釈していますが、原作を読む限りではその根拠は乏しいように思われます。むしろ、ここでナボコフが述べたかったのは、ロリータが犬を見捨てる様子と将来ハンバートを見捨てる行為との類似関係によるもの、つまり、隠喩だったのではないでしょうか。以下は、エイドリアン・ラインのシナリオからの抜粋です。

The clerk looks at Lolita.

LOLITA with DOG *Quilty speaks from behind the fern.*

Quilty Nice dog, huh?

Lolita doesn't look up. She continues to caress the dog.

Lolita I love dogs.

We see Quilty's hands. with a distinctive ring, and we see his white suit, but not his face.

Quilty That's my dog. He likes you. He doesn't like everybody.

Lolita Who's he like?

Quilty He can smell when someone's sweet. He likes sweet people——nice young people. Like you.[※21]

コッカースパニエルの持ち主をクィルティと判断するのは根拠が薄弱であると考えられますが、原作の中でコッカースパニエルの記述が小説の後のほうでもう一度なされるのは事実です。それは、ハンバートがロリータと誘拐犯の跡を突き止めるという希望も捨て、ロリータへの追憶から彼女と過ごした日々をもう一度やり直したいと、思い出のホテルにツインルームの予約をした際に得た返事の手紙を紹介する件（くだり）においてです。

魅惑の狩人
近くに教会あり　犬お断り
合法な飲み物全てあり

最後の一文ははたして本当だろうか。全て？　たとえば歩道のカフェで出すグレナディンは？　そしてまた、魅惑されているにせよいないにせよ、狩人には教会の座席よりもポインター犬が必要ではないかと不思議に思ったが、そのとき胸を刺す痛みとともに思い出したのは、大画家が描いたとしてもおかしくはないような、「うずくまる妖精（プティット・ナンフ・アクルピー）」という場面だった。あの絹のようにすべすべしたコッカースパニエルは、もしかすると洗礼を受けていたのかも。いやだめだ――あのロビーをもう一度訪れるという苦悶には、とうてい耐えられそうもない。[※22]

「魅惑の狩人」とは、シャーロットが死んだ後に初めて訪れたホテルの名前であると同時に、ロリータが出演したクィルティ演出の芝居の名前と同じであったことが示されます。

その後、原作にはクレア・クィルティからハンバートが直接声をかけられるシーンがあります。

「いったいあの子をどこで拾ってきた?」(クィルティはここでハンバートがロリータを犬のように扱うと例える)。つまり、人を犬のように扱う(つまり、捨てる)のは将来のロリータだけでなく、クィルティによってロリータが将来犬のように拾われ捨てられることが暗示されています。

この箇所はハンバートとロリータが泊まるホテルで、二人のただならぬ関係を見抜いたクィルティが初めてハンバートに声をかける場面です。ハンバートがロリータを「どこで拾ってきたか」と質問する問いかけにも、先に使われた「捨てる」との対立的関連性を見出すことができます。

ロリータとの最後の出会いにおいても犬が登場します。これは突然失踪し、結婚後お金に困ったロリータが送金を依頼し、その宛先に行き着いたハンバートとロリータとの悲劇的な最後の出会い(別れ)の場面です。ハンバートは、最後はロリータによってその飼い犬とともに見送られるのです。

「入ってちょうだい」と彼女は力をこめて快活な口ぶりで言った。ささくれだった朽木のドアを背にして、ドリー・スキラーは無理に身体をへこませて(ほんの少し爪先立ちになることまでして)私を通し、一瞬磔(はりつけ)になったような恰好になり、笑みを浮かべて敷居を見下ろし、丸い頬骨(ポメット)のあたりの頬はこけ、薄めた牛乳のように白い両腕は横に広げられていた。私はふくれあがった胎児には触れずに通った。かすかな揚げ物の匂いが加わった、ドリーの匂い。私の歯は震えて白痴のようにがたがたと鳴った。「だめよ、お前は外」（犬に向かって）。彼女はドアを閉め、私と彼女のお腹（なか）の後について人形の家みたいな客間に入った。[※23]

つづいて、ロリータと犬にハンバートが見送られるシーンを引用します。

「さようならあ！」と、永遠に生き、そしてもう死んでいる、我がアメリカのすてきな恋人は歌うように言った。なぜなら、あなたが本書を読んでいる頃には、彼女はもう死んでいて、そして永遠に生きているからだ。つまり、それがいわゆる当局との正式な取り決めなのである。

それから、私が車で去るときに、彼女が震える大声でディックに叫んでいるのが聞こえた。そして犬がまるで太ったイルカみたいに車に並んで駆けていこうとしたが、身体が重くて年を取っているので、すぐにあきらめた。

やがて日も暮れゆき、私は霧雨の中を走っていて、フロントガラスのワイパーも大車輪で活躍したが、涙だけはどうすることもできなかった。[※24]

この場面をエイドリアン・ライン監督による映画の脚本と比べると、ほぼ原作通りに「犬」の動

写真4（出典：同前）

写真5（出典：同前）

きを描写しようと努めているのがうかがえます[※25]（写真4、5）。

●分析（3）シンメトリーを形成する鏡

『ロリータ』を読む視点としてのシンメトリーに着目しましょう。ナボコフの作品は、一見、隠喩として解釈できるイメージが換喩としても解釈できることが多いです。まず、シャーロット、ロリータ、ハンバートが近くのアワー・グラス湖に出かける予定であったところ、雨によって予定が中断されることが示される日記の記述の一部を引用します。

月曜日。罪深き愉しみ（デレクタチオ・モローサ）。悲しい日々を苦渋と苦痛のうちに過ごす。私たち（母親へイズ、ドロレス、私）は今日の午後にアワー・グラス湖に出かけて、水浴や日光浴をするはずだった。ところが真珠の光沢をした曙（あけぼの）が正午には雨に落ちぶれて、ローが大騒ぎした。[※26]

つづいて、雨のせいで、湖に行けなかった代わりに、シャーロットが不在で、ロリータとハンバートが残されて隠喩的な湖が現出する場面です。

> **火曜日**。雨。雨の湖。ママは買い物で外出。Lはどこかすぐそばにいるはずだ。隠密作戦の結果、母親の寝室で彼女とばったり出くわした。左目をこじあけて、埃（ほこり）か何かを取ろうとしているところだった。格子縞のワンピース。思わず陶然となるような、あの栗毛色の髪の香りをこの上なく愛してはいても、たまには髪を洗ってくれたらと本心で願わずにはいられない。一瞬、私たちは緑色のあたたかい鏡に一緒につかり、そこにはポプラの木のてっぺんが私たちとともに空の中で映し出されていた。[※27]

ここで述べられている「雨の湖」とは「水たまり」の隠喩として機能します。ただ、実際にそれが家の外にたまっていることを考えれば換喩的とも解釈できます。だが、それだけではありません。部屋の「鏡」の中にすっぽり収まった二人の後ろに、窓の外のポプラの木の葉が映し出され、新緑によって第二の「湖」（隠喩）が形成されます。

これと同じ技法がこの後にも使われます。ハンバートとロリータが初めて「魅惑の狩人」というホテルに泊まるときのシーンですが、先の「湖」とワンセットで考えると、さまざまな細部描写の謎が解き明かされます。

ピンクの豚二匹は私にとって大の親友になった。犯罪のゆっくりとして明瞭な筆跡で、私はこう記帳した。エドガー・H・ハンバート博士と娘、ローン街三四二番地、ラムズデール。鍵（三四二号室！）が半分私に見せられてから（奇術師がある物を手のひらの中に隠す前にまず見せるようなものだ）アンクル・トムに渡された。ローは、いつか私を見捨てるように犬を見捨てて、尻をあげた。雨が一粒シャーロットの墓に落ちた。美貌の若い黒人女がエレベーターの扉を開け、悲運の少女がその中に入ると、咳払いをした父親と荷物を持ったザリガニのようなトムが後に続いた。

ホテルの廊下のパロディ。沈黙と死のパロディ。

「あら、うちの番地と同じ数字」と陽気なローが言った。

そこにあったのは、ダブルベッド、鏡、鏡の中のダブルベッド、鏡がついたクローゼットのドア、同上のバスルームのドア、青暗い窓、そこに映ったベッド、クローゼットの鏡に映ったベッド、椅子二脚、天板がガラス製のテーブル、サイドテーブル二つ、そしてダブルベッドだった。正確に言えば大きな木製ベッドで、カバーは薔薇（ばら）模様のトスカーナ産シュニール織、そして襞飾りのあるピンクの傘が付いたスタンドが左右に置かれている。（中略）ただ勢いがいいだけ。本当はそんなに深刻には思っていない。

「いいか」と私は言って腰を下ろしたが、二、三歩離れて立っている彼女が喜びがなくもない驚きを覚えながら眺めていたのは、自分自身から発散された薔薇色の陽光であふれる、驚き喜ぶクローゼットのドアの鏡に映った彼女の姿だった。※28 （罫線は論文筆者による強調）

相称的なペア「ピンクの豚二匹」。「三四二番地」と「三四二号室」という奇妙な一致（シンクロニシティ）、「ダブルベッド」―鏡―「鏡の中のダブルベッド」（鏡像対称性）、「鏡がついたクローゼットのドア」と「鏡がついたバスルームのドア」（対称性）、「青暗い窓」「そこに映ったベッド」（窓ガラスとベッドが対称的）と「クローゼットの鏡に映ったベッド」、相称的なペア「椅子二脚」、「天板がガラス製のテーブル」、「サイドテーブル二つ」、そして「ダブルベッド」（ダブルベッドで始まりダブルベッドで終わる。描写が円環的なものとなることによって、そこに相称的図式が生まれる）。

襞飾りのあるピンクの傘が付いたスタンドが左右に置かれている（ピンクの豚二匹に対応するもう一つのピンクのペア）場面は、色彩的な照応関係を示しています。この色彩的な照応関係、そして、鏡の中の反映物と事物そのものとの相称関係は何を意味していると考えられるでしょうか。ラムズデールの住所「三四二番地」と部屋番号「三四二号室」との偶然の一致と、これらの相称性や照応関係のペアはどのように関連しているのでしょうか。そういえば、『ロリータ』のはじめに以下のような記述があるのが思い起こされます。

> アナベルが死んでからずっと後になっても、彼女の思考が私の思考の中をただよい過ぎていくのをよく感じたものだ。私たちは出会うずっと前から、まったく同じ夢を見たことがあった。お互いに自分のことを話してみると、そこには奇妙な類似があった。同じ年（一九一九年）の同じ六月に、迷子になったカナリアが彼女の家にも私の家にも飛び込んできたが、その二つの国は大きく離れていたのである。ああロリータ、おまえもアナベルのように私を愛してくれていたら！[※29]
> （傍点は原著）

ハンバートは、ロリータに、アナベル・リーとの相似性を見出しているとも解釈できます。そういえば、ナボコフの「アンナ・カレーニナ論」の中で、アンナとヴロンスキーが似通った夢を見ることが紹介されていました。おそらく、ナボコフが、夢の一致というモチーフを『アンナ・カレーニナ』から継承し、アナベル・リーとハンバートの見た同じ夢や迷い込んだカナリアの挿話に組み入れたと考えても間違いではないでしょう。その延長としてシンメトリーのモチーフを考えるならば、これらの鏡のシンメトリーが、三四二番地と三四二号室の一致（シンクロニシティ）と結び合わされることによって、ハンバートとロリータが初めて一つのベッドをともにする前置きとその予感、ハンバートの胸の高鳴りを象徴していると考えるならばつじつまが合います。

さらにそれだけではありません。「薔薇色の陽光」はトスカーナ産のシニュール織のベッドカバーと解釈すれば、「雨の湖」と同じ隠喩＝換喩がここでも成立していると理解できるのです。

●分析（4）犬と鏡　円環構造とシンメトリーとの問題

カーブと犬の話に戻りましょう。

最初のカーブは犬を轢きかけたものの、二回目のカーブはその後に出てきたシャーロットを避けきれずに轢いてしまったと述べられています。ハンバートが駆けつけたとき、視界にはシャーロットの死体の前に、車に乗っていた初老の男性が心臓発作で倒れて芝生の上に横たわっている様子が入ってきます。シャーロットは死に、男はかろうじて生きていました。それは、轢きかけて助かった犬とかばいきれずに死んでしまったシャーロットと、やはり対称性を成しています。

車の二回のカーブと横たわる二人への視点のカーブの相称関係、そして、病体と遺体のコントラストが次の図式です。

はじめのカーブ　　　二回目のカーブ
犬 ―― シャーロット
ハンバートが目にしたもの
初老の男 ―― シャーロット

犬のようにハンバートを捨てるロリータが、犬のようにクィルティに捨てられる、という対称性が構成され、それによって、犬のようにロリータに捨てられたハンバートが、犬のようにロリータを捨てたクィルティに復讐(ふくしゅう)を企(くわだ)てる物語という図式が形成されます。

では、犬をかばうことに端を発した二度目のカーブでシャーロットが轢き殺される偶発のモチーフによって、どのような思想が伝えられようとしていると考えられるでしょうか。おそらく、偶発性をイメージ化した「カーブを切る」という隠喩的モチーフは、偶発の重なり合いによって事故という必然が引き起こされることを暗示したものと解釈できるのではないでしょうか。そのことは、二つのカーブ（轢き殺されなかった犬と轢き殺されたシャーロット）が、初老の男とシャーロットという二つの寝そべる体（一人は生きており、もう一人は死んでいるという相違）とのシンメトリーを形成していることからも裏付けられます。

以下は、エイドリアン・ラインの映画脚本からの抜粋です。

The dog is barking and sniffing at people, Leslie, the black gardener, is standing with Mr. Beale, the driver of the car. Two policemen are questioning them. Beale is shaking his head and gesticulating helplessly.※30

ちなみにシャーロットの死は、最初のホテルから出たハンバートとロリータの車中の会話の中にも影を落としています。

言い換えれば、ハンバート・ハンバートはひどく不幸せで、レッピングヴィルへゆっくりと無意味に車を走らせているあいだにも、懸命に脳味噌（みそ）をしぼって何かうまい言葉はないかと探し、そのしゃれた隠れ蓑（みの）を利用して同乗者の方を振り向くことができればと願った。ところが、沈黙を破ったのは彼女のほうだった。

「あら、リスの轢(れき)死体」と彼女が言った。「なんてひどい」[※31]

注意深き読者でなければ、この箇所の何気ない記述に何も気づかないでしょう。ですが、シャーロットが死んだ場面とのつながりを考えてみればどうでしょう。まだ、ロリータは母親の事故死を知らされていないのです。交通事故で母親が死んだという事実をじきに知らされる直前に、ロリータが「リスの轢死体」に遭遇したと解釈すれば、この意味が判明します。偶然の一致に過ぎないかもしれません。しかし、芸術家の目はその一致を決して見逃さないのです。そして、この後すぐに、以下のやり取りのシーンがあります。

「お母さんに電話をかけたいのに、どうしていけないの？」

「実を言うとね」と私は答えた。「おまえのお母さんは亡くなったんだ」[※32]

話は前後しますが、小説『ロリータ』においてシャーロットの遺体の様子が示されるシーンは以下です。

この時点で説明しておくのがよさそうだが、事故が発生してから一分も経っていないのに、巡査がすぐに現れたのは、坂道を二丁さがったところにある交差路で不法駐車していた車に違反切符を切っていたからであり、眼鏡をかけた男はパッカードを運転していたフレデリック・ビール・ジュニアで、その七九歳になる父親は、倒れていた緑の土手でたった今看護婦に水を飲ませてもらったところで（いわば万苦を味わう銀行家といったところか）、べつに気絶していたわけではなく、軽い心臓発作かその可能性からゆっくりと段階を踏んで回復しつつあるところだったし、そして最後になるが、歩道に落ちている膝掛け（その歩道にくねくねと走っている緑の亀裂のことを、彼女はいかにも不満そうに何度も指摘したものだ）が隠していたものはシャーロット・ハンバートのぐじゃぐじゃになった死体で、彼女はお向かいさんの芝生の隅にある郵便箱に三通の手紙を投函しようとして、急いで道を横切ったときに、ビールの車に轢かれて数フィート引きずられたのだった。手紙の束を拾い集めて私に渡してくれたのは、汚いピンクのワンピースを着たかわいい子供で、私はそれをズボンのポケットの中で粉々に引きちぎって始末した。[※33]（傍線は論文筆者による）

2 おわりに

結論として、スタンリー・キューブリックによる映画『ロリータ』において原作特有の細部描写が汲み取られていないのに対し、エイドリアン・ラインによる映画においては、「犬」の描写を綿密に再現しようと努めている様子がわかります。ただ、その一方で、「鏡」のもつシンメトリーの意味については、二つの作品においてもほとんど反映されていないのが見て取れます。

さらに、ここからは原作『ロリータ』の解釈についての総括になるわけですが、小説『ロリータ』において「犬」は、アナベル・リーの再来として少女ロリータを愛し、無惨に見捨てられ、少女を連れ去ったクレア・クィルティに復讐の暗殺を成し遂げて拘置所で死ぬまでのハンバート・ハンバートの悲劇性の円環構造を表すためのモチーフとして機能します。さらにこの物語はハンバートが留置所で死ぬのと同時期に、ロリータ自身が出産に失敗して死ぬことが示されて終わるわけですが、そのハンバートとロリータの因縁性、親和性、あるいは、絆の深さを表すためのイメージとして、鏡を使ってのシンメトリーが形成されていると解釈できるのです。

【注】

※1　ウラジーミル・ナボコフ『ナボコフのロシア文学講義（下）』小笠原豊樹訳、河出文庫、二〇一三年、六四〜六五ページ。

※2　同前、六五ページ。

※3　同前。

※4　ウラジーミル・ナボコフ『ナボコフのロシア文学講義（上）』小笠原豊樹訳、河出文庫、二〇一三年、一四六ページ。

※5　「あのときのミモザの茂み、靄（もや）に包まれた星、疼（うず）き、炎、蜜のしたたり、そして痛みは記憶に残り、浜辺での肢体と情熱的な舌のあの少女はそれからずっと私に取り憑（つ）いて離れなかった――その呪文がついに解けたのは、二四年後になって、アナベルが別の少女に転生したときのことである」（ウラジーミル・ナボコフ『ロリータ』若島正訳、新潮文庫、二〇〇六年、二七〜二八ページ）。

※6　**Steven Schiff. The Book of the Film. Applause Book. New York.** 1998年。

※7　前掲書、『ロリータ』、五二ページ。

※8　同前、一四八ページ。

※9　同前、一五五ページ。

※10　同前、六四ページ。

※11　同前、六四ページ。

※12　同前、八九ページ。

※13　同前、一三一ページ。

※14　同前、一三二ページ。

※15　同前、一三三ページ。

※16 Steven Schiff. Opcit.p.8.
※17 前掲書、『ロリータ』、一七五ページ。
※18 同前、一八三ページ。
※19 同前、一八六ページ。
※20 同前、二一一ページ。
※21 Steven Schiff. Opcit. P.75-78.
※22 前掲書、『ロリータ』、四六四ページ。
※23 同前、四七九～四八〇ページ。
※24 同前、五〇〇ページ。
※25 Steven Schiff. Opcit. p.205.
※26 前掲書、『ロリータ』、七六ページ。Opcit.p.43.
※27 同前、七七ページ。ibidem.p.43.
※28 同前、二一二～二一四ページ。
※29 同前、二五～二六ページ。
※30 Steven Schiff. Opcit.P.62.
※31 前掲書、『ロリータ』、二五一ページ。
※32 同前、二五三ページ。
※33 同前、一七五～一七六ページ。

Ⅲ　ロシアのアニメはジブリに何を与えたか？

1　はじめに

表現文化論入門においては、小説のみならず、映画、舞台芸術、アニメーションについても分析対象とします。ここではアニメーションをどのように研究対象とするかという観点から、論を展開したいと試みます。本論のテーマはロシアのアニメーションと日本のアニメーションを比較する、あるいは、もっと直接的に述べると、ロシアのアニメーションが日本のアニメーションに何を与えたのか、影響関係を探るという少し壮大すぎるテーマになります。

ジブリアニメに代表される日本のアニメーションのレベルは非常に高く、ロシアのアニメーションから学ぶべきものは何もないと思われている方もいらっしゃるかもしれません。しかし、それは間違いかもしれません。むしろ、ロシアのアニメーションこそ世界的に比類なき地位にあるという意見もあります。ロシアのアニメはジブリに何を与えたか？　本論は、その結論を出すために書かれるものではなく、読者の皆さんにそのことを考えてもらうきっかけを与えるために、あえてそのような表題を付けさせていただいた次第です。

アンデルセンの童話に『雪の女王』という話があります。この話がレフ・アタマーノフによってアニメーション化されたものが『雪の女王』(Снежная королева)です。このアニメーションは三鷹の森ジブリ美術館ライブラリー提供作品として見ることができます。[※1]

以下は、ジブリ美術館のサイトに掲載されている宮崎駿(はやお)監督へのインタビュー記事です。

——宮崎監督はゲルダ(引用者注・主人公の少女)が大好きなんですね。

宮崎　もう、想いだけが貫かれていて、「安珍清姫(あんちんきよひめ)」の清姫が大蛇になって追うように、火をはきながら追うようにね、あとのことは一切かまわず靴も脱ぎ捨てて裸足でとにかく荒野に出て行って、北の果てまで自分のカイという少年を連れ戻すために、心を凍らせてしまった少年を助け出すために行くわけですよ。そのけなげさに、出会った女たちがみんな彼女を助けていくっていう、それが琴線に触れたんです。

——ゲルダは物語の前半で、川に靴を差し出します。これから歩いていくというのに。

宮崎　そういうのって理屈がないんだよね。これから歩いていくのに、なぜ裸足で行こうとするのか。裸足になるっていうのは必要なんです。主人公はものに守られていたらダメだって。素裸にならなきゃダメだって。どんどん失くしていく。失くしていって、初めてたどり着ける場所や、手に入れられるものがあるんです。

——そういえば、ゲルダは途中で靴をプレゼントされたのに、最終的にはやっぱり裸足になっていました。

宮崎　作っている人間たちはよく心得て作っているよね。そういうところはいさぎよくて好きですけど。神話的な部分と物語を映画にするためにアレンジしていく過程で、アレンジする側の人間に湧き上がったものっていうのが、幸せに一致した映画なんです。

——神話的な部分というのは？

宮崎　川が靴を受け取ったあと、もやい綱がほどけて、船が川から流れていくようなところは、やっぱりアニミズムの神話的発想でアニメーションが作られている。アニメーションの元はアニミズムからきているんだろうけれども、川が靴を飲み込んで、かわりに女の子を船で運んでいくっていう物語の運び、神話的な運び方をアンデルセンの童話の中に取り入れたのは、すごいなって思います。[※2]

非常に長い引用になりました。アンデルセンの『雪の女王』は、幼少期から仲良く愛し合っていたカイとゲルダの話です。雪の女王に冷たい刃を刺された故に、急に冷たくなってしまうカイは、やがて雪の女王に遠い国に連れて行かれます。

宮崎監督が『雪の女王』を観賞したときの感動をまとめてみると、次のようになるかと思います。

①少年カイを助けようとする少女ゲルダのまっすぐなおもい
②理性を超えた、神話的ストーリーの展開（アニミズム）
③すべてをなくそうとすることによって奇跡的な出来事が起こる

宮崎監督がこの映画を絶賛した場面として、ゲルダが川に靴を差し出して裸足になるシーン、もやい綱が勝手に解けて舟が流れ出すシーンが挙げられます。

2 『チェブラーシカ』

次にロシアアニメで最も有名かもしれない『チェブラーシカ』について説明を試みます。

まず、チェブラーシカの出生地について確認します。出生地は南アフリカ、輸入果実の箱の中に入ってロシアの果物屋に運び込まれます。果物屋の主人が持ち上げても、バッタリ倒れる。ロシア語のチェブラフヌッツァ чебурахнуться（バッタリ倒れる）という動詞を名詞化してチェブラーシカと名付けます。

チェブラーシカは正体不明であり、果物屋の主人は動物園に引き取ってもらうべく連れて行きますが、動物園でも身元不明の生き物として引き取ってもらえません。少しおかしい話ですね。現代の動物園であれば正体不明の動物を発見したら、学術上の功績も挙げられます。あるいは、その希少な生き物を飼育する珍しい動物園という名声を得ることができるので、喜んでその動物を引き取るはずです。しかし、その動物園においては、正体不明の動物は引き取ってもらえません。

なぜならば、その動物園は、ワニもライオンも猿も他の動物たちも、普通に人間のような格好をして出勤して、タイムカードに出勤時間を記載し、それぞれの檻(おり)に入って動物として勤務しているからです。ワニのゲーナはワニとして（ロシア語の造格は、職業などその人間の属性となる性質を表現するのに使用される）働いております。『チェブラーシカ』第一話のテーマは人間社会における「疎外・孤独」をどう乗り越えていくかというものです。一方で、動物と人間が麗(うるわ)しい共同生活を送っているというのも面白い点です。整理してみると、この作品には、①人間（善玉と悪玉。ここで善玉の代表はゲーナと友達になるガーリャであり、悪玉の代表は善の結合を茶化しにくるシャパクリャクばあさん）②市民権を得ている動物（ゲーナのように職業を持ち、定時に出勤し、定時に帰宅する。文字を書くこともできる）③正体不明の動物（チェブラーシカ）④人間に飼われる動物（ガーリャの飼い犬のトービクのように市民権を有していない）、の四種類が登場します。

ゲーナの「友達募集」の紙を見て訪ねてきたガーリャの飼い犬トービクは、ゲーナの家の冷蔵庫にある牛乳を分けてもらう動物だったはずです。ここで市民権を得ている動物とそうでない動物を隔てる最も重要なファクターは、ワニかライオンか犬かではなく、人のように話ができるか否か。つまり、人間の側にいるワニのゲーナと少女ガーリャのやり取りの中で、飼い犬のようにミルクを与えられていた時点で、トービクはまだ何も話をしない。しかし、ライオンのチャンドラが現れて「自分には友達がいない（У меня нет друзей!）」と告白すると、それに対して、「僕が友達になるよ（С Вами я буду дружить.）」と急に人間の言葉で話し始めるのです。

本論の冒頭に掲げた、宮崎監督へのインタビューにおいて、宮崎監督が答えた言葉を思い出してください。アタマーノフの作品『雪の女王』においては、カイを助けに行くゲルダが靴を川に投げ出し、もやいがひとりでに解けて川がゲルダを乗せた船を運ぶ場面に、宮崎監督はアニメーションの真髄を見出します。『チェブラーシカ』の第一話において、それに匹敵するアニメーションの醍醐（だいご）味（み）を見せつけられるのが、まさしくこのシーンなのではないかと思われるのです。

つまり、アニメーションの原義はアニミズムであるということです。チェブラーシカの第一話では、市民権を得ていない動物、つまり、人間の言葉を話さない正真正銘の動物であるガーリャの飼い犬トービクが、急に人間の言葉を獲得して話を始める。これこそ、『雪の女王』の船が走り出すシーンと同じアニメーションの真髄を見せつけている場面なのではないかと考えられます。

この後、チェブラーシカとゲーナの発案で、友達の家をつくる計画が推し進められ、そこには、人・動物の隔てなく、言葉を喋（しゃべ）る動物も、そうでない動物も協力し、一緒に建設がなされます。

3　ユーリー・ノルシュテインの証言

ロシアのアニメーションを語る上で忘れてはならない巨匠の一人に、ユーリー・ノルシュテインがいます。コンピューター・グラフィックによる制作を嫌い、セルロイドに描いた切り絵を動かしながらアナログのアニメーションを作り、一作に長いときには四十年近い歳月をかけることでも知られています。『チェブラーシカ』を制作したロマン・カチャーノフの元で修業しました。ノルシュテインが手がけたのは第一作の「ゲーナ」でした。

『ロシア・マギア』のインタビューに対して、ユーリー・ノルシュテインは、次のように語っています。『チェブラーシカ』という作品の中で、悲しい場面と明るい場面が次々と繰り返されるのはどうしてか。「それはエイゼンシュテインの考える弁証法に基づく」というのです。「明るい場面の後には、悲しい場面」、「悲しい場面の後には明るい場面」が来る、と。

『チェブラーシカ』に関連して言えば、「友達の家」をつくり上げた完成のセレモニーのシーンがあります。「僕たちは建設に勤しみ、そして、ついに完成することができました。万歳（Мы стройли, стройли, наконец постройли! Ура!)」とチェブラーシカが挨拶します。そのあと、ゲーナが、友達が必要な人たちに署名を呼びかけるのに対して、建設に協力してくれた友人たちは素っ気なく応答します。「なぜ、署名なんか必要なんだ（Зачем записывать?)」。もちろん、友人たちはゲーナの心を理解しなかったわけでなく、署名という形式にとらわれたくなかったのです。ただ、せっかくのセレモニーで完成を喜び合った後だけに、束の間の寂しさが込み上げてくるのも事実です。

しかし、ではせっかくつくり上げた「友達の家」はなんのために必要なのかという疑念が浮かび上がります。「チェブラーシカ、あなたが住めばいいわ」とガーリャが言います。それがいい、とみんなが応答します。「いやいや、これは幼稚園に寄付しよう」。チェブラーシカはみんなでつくった家に一人だけ住むのは潔しとしません。「じゃあ、チェブラーシカ、あなたはこの幼稚園で働けばいいわ」。「もし僕が園児たちのおもちゃとして雇ってもらえるならば、僕は正体不明だけど」。この不明というのはロシア語で неизвестная と言います。知られていない、という意味です。それに対して、ガーリャとゲーナが言います。「何が неизвестная（知られていない）なの。君は大変有名じゃないか（Даже очень известная!）」。そういえば、ロシア絵画で有名なクラムスコイの描いた「見知らぬ女」（неизвестная）という作品があります。「見知らぬ」というのはここに出てくるのと同じ単語、つまり「有名ではない」という意味です。どこにでもいる、どこにいても見かけることのできる、という意味。チェブラーシカの場合は、生物学的には「正体不明」だけど「みんなが知っている」、つまり、ロシア語でいうならば неизвестная なんだけど очень известная な存在。まさに二律背反的な存在です。その提案に対して、先ほどの形式的な署名に反対した仲間たちもみんなで賛成する。まさに物悲しさと嬉しさが弁証法としてぶつかり合う場面です。

ちなみにエイゼンシュテインは、『映画の弁証法』の中で、日本の能や歌舞伎からモンタージュ思考を見出し、モンタージュ理論を形成するためのヒントにしていきます。たとえば漢字の成り立ちもモンタージュ思考と通じるものがあります。部首の「さんずい」と「目」を合わせていけば、「泪」という概念が作られていきます。それと同じように、一見意味のないカットあるいは画像でも、別なものと合わせることによって、なんらかの意味を見出すことができるというものです。このようにノルシュテインは、エイゼンシュテインの弁証法について説明しながら、矛盾する場面を重ね合わせることによって、悲喜こもごもの人生を描写していけると考えたのです。

4　まっすぐな思い

①『アルプスの少女ハイジ』（第五十話）

『アルプスの少女ハイジ』[※3]は、宮崎駿監督がジブリ設立以前に手掛けた作品です。両親を亡くし、デーテというおばさんに育てられていたハイジは、デーテが働きに出たことによって、アルムの山の上に住む祖父のもとに引き取られることになります。アルムのおじいさんは人付き合いをせず、周りの人からも怖がられる存在でしたが、ハイジによって心が開かれて人間らしさを取り戻していくという話です。

この話の原作には、キリスト教信仰に基づく描写が多く見られます。しかし、アニメーションでハイジは洗礼名のアーデルハイドではなくハイジと呼ばれることを望みます。ハイジの天真爛漫（らんまん）さ、心の清らかさに触れ、おじいさんは次第に人間らしさを取り戻していきます。

すっかり、二人の家族としての愛情が深まりあったときに、別れの瞬間がやってきます。ハイジをアルムのおじいさんに預けたデーテが、ハイジを山に閉じ込めてはいけない、しっかりと教育の機会も持たせなきゃいけないと、クララの遊び相手としてアルムの山から連れ出すシーンです。文明至上主義の考えに立てば、デーテの考えは決して間違っているとはいえません。貴族の家に住み込むことでハイジには文字を覚える機会ももたらされます。デーテと同様に悪人っぽく描かれるのはロッテンマイヤです。教育を受けていないハイジの粗野な部分を指摘して、クララの遊び相手には不適格でないかと主人に讒言します。

やがてクララとハイジの間に友情が芽生えますが、ハイジはアルプスを恋しがり病気になります。ハイジはアルムへ戻る際、山羊飼いの少年・ペーターのおばあさんのところに立ち寄ります。ハイジはデーテにアルムを離れる理由として、フランクフルトに行けばおばあさんの大好きな白パンをいくらでも持ち帰ることができると吹き込まれていたのです。ハイジは、おばあさんに大好きなパンを食べさせたいと一目散に小屋に駆けつけ目的を果たします。そこでハイジは屋敷で着せられたものを全部脱いでしまい、下着同然になってしまいます。これもゲルダが川に自分の靴を捧げたことと同じ意味を持っていると述べたならば、あまりにも単純な解釈に聞こえてしまうかもしれませんが、その解釈をあえて主張したいと思います。宮崎駿監督がロシアのアニメに感じたひたむきな想いが、はっきりと見て取ることができます。

『アルプスの少女ハイジ』で次に忘れられないのは、第五十話の足の悪いクララが立つ場面です。

ナレーター

アルムの夏も次第に深まり、緑の色も一段と深さを増す頃、クララはなんとかつかまり立ちができるようになりましたが、もう少しというところで怖がってしまい、なかなか一人で立てるようにはなりません。ハイジは何としても立たせようとしますが、クララはすぐには立てないと諦めてしまいます。

「離す前に手と肩から力を抜いてなくちゃ。しがみついていたら離しても立てないわ」「それはわかっているけど、手がねじれてしまったわ。今日はダメ」「そんなに痛いの？　これくらい大丈夫よ。もう少し頑張らないと」「おじいさんだってゆっくりやりなさいって言ってたわ。それにダメなのよ。この足、ハイジが言うみたいにすぐには立てないわ」「クララのバカ、何よ意気地なし、一人で立てないのを足のせいにして。足はちゃんと治っているわ。クララの甘えん坊、怖がり、意気地なし、どうしてできないのよ、そんなことじゃ一生立てないわよ、それでもいいの。クララの意気地なし、私もう知らない。クララなんかもう知らないわ」「ハイジ、ハイジ」。

ハイジは真剣に怒り、その場を立ち去る。その瞬間に奇跡が起こる。クララはハイジを止めようとして立ち上がる。

「クララ」「ハイジ、私立てたわ」

このシーンは、エイゼンシュテインのモンタージュ理論あるいは弁証法を用いると、どのように解釈できるでしょうか。クララが自分の足で立てるように健気（けなげ）に応援するハイジに対して、クララは当初そのハイジの思いに応えることができません。もう少し頑張ってみなという励ましに対して、そんなには早く立てない、とクララは弱音をさらけ出します。すると、弱音を見せたクララに対してハイジは激昂（げきこう）し、罵声を浴びせ、駆け出します。それまで穏やかだったハイジの突然の感情の変化にクララは驚き、ハイジに嫌われたくないと必死に応えようとします。そこに奇跡が芽生えてクララは立ちます。それを見たハイジは感動して駆け寄り涙を流します。さまざまなシーンが結合することによって、喜怒哀楽や感情の移り変わりが表現され、悲しみのシーンは一気に喜びのシーンへと変わります。

歩けないクララがハイジを追いかけようとして立った、というのはまさしく奇跡ですが、ハイジに応えたいとする感情がクララの足にアニマ（精霊）を与えて奇跡が生じたとすれば、宮崎監督が『雪の女王』に見出したアニメーションの真髄、ノルシュテイン監督が『チェブラーシカ』において見出したモンタージュが、『アルプスの少女ハイジ』にも見出せるといえるのではないかと思います。

②『天空の城ラピュタ[※4]』

映画を観るということはモンタージュを観るということです。一つ一つのカットが組み合わされることによって生成される意味に着目しなければいけません。

宮崎駿監督の『天空の城ラピュタ』には印象的なシーンがあります。ロボット兵によって混乱する要塞。主人公の少女シータを見つけ、助けようと飛行船で近づく少年パズー。しかし、シータはロボット兵に捕まります。そこからのシーンを順番に記すと、次のようになります。

①シータを見つけて手を伸ばすパズー②ロボット兵にシータは捕まる③ロボット兵がシータを直視する④そのロボット兵が手を伸ばし⑤シータを城壁まで届ける⑥シータがロボット兵を見つめる。

一つ一つのシーンをコマで観ると、宮崎監督が紛れもなくモンタージュ理論に則りながら、この場面を組み立てたことが理解できます。ロボット兵の手に握られたシータの体はどうされてもおかしくない不安と緊張の状態にあります。しかし、それが次のカットに組み合わされることによって、シータが実はロボット兵に守られていたことが判明します。本来意思を持たないはずのロボット兵とシータとの間に、一つの絆が生まれゆく様子が見て取れます。

その後ロボット兵は、シータの命を救うのと引き換えに、軍隊の攻撃を受けて爆発します。一方でパズーたちが乗った飛行機も攻撃を受け、一度地上に落ちていきます。飛行機が落ちていくのを心配げに見守るシータ。その一方でシータは、滅びゆくロボット兵を見て悲しみが募ります。自分の命を救ってくれたロボット兵の爆発。しかし、そのロボット兵への未練・愛着・葛藤を振り切るように、パズーに思いを寄せる声を出して叫ぶシータの表情。シータの感情はアニメーションとは思えないほど豊かに表現されます。

するとと、いったん地上に落ちていったはずのパズーの飛行機が城塞の上まで戻ってきて、シータを助けに向かいます。まさに、一筋の想いが奇跡を生み、二人の心が真に結ばれる瞬間です。

③『となりのトトロ』

『となりのトトロ』[※5]については、詳しい説明をする必要はないかと思いますが、お忘れの方もいらっしゃると思うので概略を少々。草壁家は四人家族。大学で考古学を教える父は、生活費を稼ぐために翻訳の仕事もしています。娘は、サツキとメイの姉妹。この三人の家族が、体の弱い母の療養のためにある農村に越してきます。母は入院しています。

この作品には神話的な要素がちりばめられています。引っ越しした空き家には小さい黒いオバケがたくさん住んでいます。毛玉の形をしており、家霊、ススワタリのことですが、姉妹に「まっくろくろすけ」と名付けられます。入院している母に報告すると、そのオバケに母も会ってみたいと言います。メイが庭で遊んでいると不思議な生き物を見つけ、その生き物を追っかけていくと、それよりずっと大きな生き物が寝転んでいます。トトロと名乗ったようにメイには聞こえました。おそらく、ノルウェーの民間伝承に出てくるトロールをもじった名前なのでしょう。メイはサツキと父にトトロを見たのだと言いますが、なかなか信じてもらえません。雨が降る季節、サツキとメイがバス停で父の帰りを待っていると、頭に葉っぱを乗せたトトロがやってきます。ずぶ濡れのトトロに父のために持ってきた傘を貸すと、トトロはお礼に木ノ実を葉の包みに巻いて渡します。そこにやってきたネコバスに乗ってトトロは立ち去ってしまいました。トトロにもらった木ノ実を植えるとそれは巨木へと育ち、サツキとメイがそれに登ってトトロと空を飛びます。翌朝目がさめると巨木は消えていましたが、小さな芽が生えていました。夢のような本当の話だったのです。

夏休み、母が入院している七国山病院から連絡が入ります。母が体調を崩し退院が延びるのだというのです。メイは母親に一刻も早く退院をしてもらいたいと駄々をこねます。サツキがなだめてもメイは言うことを聞きません。母親が死ぬかもしれない。そのような不安が突然襲い、サツキも泣き出します。メイは突然一人で病院を目指して家からいなくなってしまいます。一人の幼児が消えたと、村中は大騒ぎします。近所の池の近くで、小さな子どもの靴が見つかり、大家のおばあさんも念仏を唱え始めます。サツキはなすすべなくトトロに会いに行き、助けを求めました。

「トトロ！　トトロ。メイが迷子になっちゃったの。捜したけど見つからないの！」

「お願い。メイを捜して。今頃、きっとどこかで泣いてるわ」

トトロはネコバスを呼び、サツキを乗せて、道すがらに途方に暮れて泣いていたメイを見つけます。母親に渡すトウモロコシを手にしたメイを乗せて、ネコバスは二人を病院へ運んでいきます。病院では父と母が愉快に話をしていました。安心してトウモロコシだけを病院の窓辺に置いて、二人はネコバスで家に戻ります。

宮崎監督がロシアのアニメーションの中に見出した感動は、ここでも再現されます。一つは退院延期を余儀なくされた母親にトウモロコシを届けるために、すべてを無にして遠く離れた病院へ駆け出すメイの行動です。幼少でありながら自暴自棄にも思えますが、まさに「まっすぐな思い」が感じられます。それに負けず劣らず、「まっすぐな思い」が見出されるのは、急にいなくなったメイを心配し、真剣に捜そうとするサツキがトトロにお願いをする場面です。ここでも悲しみと喜びは幻想と現実との巧みな交わりによって表現されます。

メイが樹の傍（そば）の穴に入り込んでトトロに会ったのは『不思議な国のアリス』の冒頭シーンを彷（ほう）

彿させますし、どんぐりの実を植えるとそれが育ち、サツキとメイを天空まで持ち上げるシーンは、『ジャックと豆の木』のオマージュであるとも解釈できます。サツキとメイが見た夢のような話が、どんぐりの芽が本当に出ていたことによって「夢ではなかった」と判明します。「夢のようで夢ではなかった」。現実と幻想の交わりは、サツキのトトロへのお願いによってネコバスがメイを捜し出し、サツキとメイ二人を乗せて、七国山病院まで連れて行くシーンにも見出せます。病院では母親が父親と話をしていましたが、二人は父母の会話に割って入ることはせず、トウモロコシと手紙だけを置いて、ネコバスで家に帰っていきます。この理屈では説明できない神話的な話の展開。この映画にも先の『チェブラーシカ』『アルプスの少女ハイジ』と同様、悲しみのシーンと喜びのシーンが弁証法のように対立しながら交互に積み重ねられていきます。「母親の退院の延期」の知らせ（悲しみ）⇓サツキのメイへの叱責（怒り）⇓メイの失踪（あせり）⇓サツキのトトロへの必死の懇願（祈り）⇓ネコバス（奇跡）⇓メイの発見（安心）⇓両親の話す様子（安堵）のようにです。これこそが宮崎監督が再現しようとしたアニメの真髄と言えるのではないかと考えられます。

④『崖の上のポニョ[※6]』

ポニョは魔法使いの父と海の女神の間にできた子どもです。海岸にやってきたポニョは、空き瓶に頭が挟まっていたところを宗介に助けられます。『雪の女王』ではカイは雪の女王に連れ去られてしまいゲルダに助けられる話でしたが、『崖の上のポニョ』は、そもそもポニョは陸ではなく海、人間ではなく魚（半分顔が人です）、まったく異次元に生活しているという点で違いがあります。やがて娘の失踪に気づいた父が、ポニョを連れ戻しに来ます。人面魚たちが住むのは海の世界です。しかし、宗介の傷口の血をポニョが舐めたことによって急に「ポニョ、宗介好き」と呟く場面は、まさにアニメーションの真髄ともいえます。人面魚が人の心を理解し始めるのです。「ブニューヒルデンではないポニョ。ポニョ人間になる」。自分に授けられた名前ではなく、宗介にもらった名前を名乗るポニョ。海に連れ戻されたポニョは、みるみるうちに人間の体に変わっていきます。海の世界に住んでいるポニョが、人間を好きになっても、人間のほうがポニョを好きにならなければ、関係は変わらないという設定があります。しかし、ポニョの気持ちをしっかり受け止め、人間と相思相愛の関係が築ければ、ポニョは人間になり、海に帰らなくてもいい。「ポニョ、宗介のところに行く」。ポニョの思いはひたむきです。ポニョが人間になるのを食い止めるために、魔法使いの父は海の女神に助けを乞わざるを得なくなります。魔法使いの父は、海の世界を強めることによって、忌まわしい人間の時代に終わりを告げさせようとします。

　ポニョが宗介のもとに再び姿を現したときは、女の子の格好をしています。それは、宗助が母のリサの車で小高い丘の上にある家に向かう途中、迫り来る津波に巻き込まれないようにスピードをあげて走らせるシーンでの出来事です。波の一つ一つが魚の大群に変わり、その波（魚の大群）の上にポニョが乗って、宗助を慕って走り出す場面です。宗介は波に乗っている女の子が自分が助けた魚であるということにはまだ気づきません。女の子が波の上にいるとリサに言い、リサが車を停めて道路を走り出している少女を受け止めようとします。しかし、ポニョはリサにではなくそのまま宗介に直行し抱きつきます。ポニョの顔は時折魚になったり人間になったりしていましたが、ついに宗介に会いたいという思いを叶えて変身を遂げる。その劇的な瞬間が連続して映し出されます。

他にもポニョが魔法を使って宗介のおもちゃの船を大きくさせ、母のリサを捜しに行く場面もアニメーションの醍醐味を感じさせます。リサはひまわりという介護施設で働いていますが、そこにいる老人が心配で嵐の中、出かけて行ったのでした。そのリサを追う宗介の真心に応えて、ポニョは魔法を使いおもちゃの船を動かします。その後、ポニョは、途中力尽きて魚に戻りそうになるシーンがありますが、リサを想いながらも、一方でポニョを心配する宗介の気持ちが細々と描写されます。

この映画が『雪の女王』との親近性を感じさせる要因として、カイを奪い去った雪の女王と、ポニョの母親であるグランマンマーレの風貌が似通っていることが挙げられます。宗介の母リサはグランマンマーレと話し合い、宗介が半魚人であるポニョに対しても人間に対するのと同じような愛情を抱くことができれば、ポニョを人間にすることができると約束します。その代わりポニョの魔法は奪われますが、人間世界を縮小し、海の世界の拡大を目論(もくろ)む魔法使いの意図は、それによってなだめられ、人間世界と海の世界が和解するという平和的結末を遂げるのです。

5　おわりに

以上、本論では、宮崎駿監督が直接影響を受けたと明言するレフ・アタマーノフ監督作品『雪の女王』において、宮崎監督が絶賛した①ゲルダの靴を川に差し出すシーン、②もやい綱がほどけるシーンを確認し、アニメーションの根源ともいえるアニミズムの要素について考察しました。また、(宮崎駿監督が親交を持つ）ユーリー・ノルシュテイン監督が、ロマン・カチャーノフのもとで制作した『チェブラーシカ』を回顧した際に、エイゼンシュテインが提起する③弁証法、モンタージュの技法の意味を確認した点を紹介しました。

この論考では、①～③のそれぞれのポイントが、宮崎駿監督作品のどうような場面に見出されるかを四つの作品において検証しました。結論として、この論考を書きながら改めて感じたことがあります。それはアニメーションの映画を観るとは、第一にその作品に潜んでいるアニメーションの真髄、つまり、アニミズムを見出すこと。そして、第二にすべての映画を観るのと同じように、クリエイター（監督）が一つ一つのコマに込めた意味を、モンタージュ理論（組み合わせ）の視点から見出すべきであるということです。今後、皆さんがアニメーションを研究する際の参考にしていただければ幸いです。

【注】

※1 **Лев Атаманов. Снежная королева.** レフ・アタマーノフ『雪の女王』、原作：アンデルセン、字幕翻訳：児島宏子、制作：ソユーズムリトフィルム、三鷹の森美術館、一九五七年。

※2 https://www.ghibli-museum.jp/snowqueen/interview/miyazakihayao/

※3 原作はJohanna Spyriの"Heidis Lehr und Wanderjahre"及び"Heidi kann brauchen, was es gelernt hat"。日本語には百種類以上の翻訳がなされている。アニメ制作会社瑞鷹によるテレビアニメシリーズが最も有名である。高畑勲・小田部羊一・宮崎駿らがズイヨー映像に加わり、一九七四年に放送される。一九七九年三月に劇場版が公開される。

※4 『天空の城ラピュタ』、制作：スタジオジブリ、原作・脚本・監督：宮崎駿、一九八六年。

※5 『となりのトトロ』、制作：スタジオジブリ、原作・脚本・監督：宮崎駿、一九八八年。

※6 『崖の上のポニョ』、制作：スタジオジブリ、原作・脚本・監督：宮崎駿、二〇〇八年。

表現文化論

第5章

キャラクター表現を論じる

―「キャラ」概念を用いた『モスラ対ゴジラ』(一九六四年)分析

創価大学文学部人間学科講師

森下 達

1 はじめに――氾濫するキャラクター――

現代の日本では、ある程度大きな街を歩けば、必ずといっていいほど何かのキャラクターを目にすることになる。自治体や企業の広告はもちろん、電車や自動販売機がマンガやアニメのキャラクターでラッピングされていることもしばしばだ。道行く人の中にも、キャラクター図像を用いたり、その姿を象(かたど)ったりしている衣服や鞄、文具、バッジやキーホルダーなどを身につけ、持ち歩いている人を容易に発見することができる。

これらの広告やキャラクターグッズは、当然、ほとんどすべてが、それらのマンガやアニメを世に送り出した側の承認を経てつくられたものである。ポピュラー・カルチャー産業の側も、キャラクターを非常に重視しているわけだ。

メディアの発達を経て、特に一九八〇年代以降、複数の媒体を横断する形で特定コンテンツの商業展開が行われることが一般化した。このような状況を指す言葉として、日本では「メディアミックス」という和製英語が用いられている。中央公論新社で編集者を務めていた澤村修治は、以下のように述べている。

戦後史に登場したメディアミックスの手法は、マンガのアニメ化という小規模の次元から、多数のメディア展開を伴うキャラクター事業まで実に幅広い。後者では、ストーリーとキャラクターがまずマンガに登場し人気を得ると、テレビアニメ、劇場映画、ゲーム等へと展開、フィギュアがあらわれ、玩具から日用品までさまざまな商品にキャラクターが露出する。加えて、プロモーションのための広告があちこちで目立つ……かくして、一つのマンガ作品に「日常生活が取り囲まれている」印象さえ人びとに与えるまでとなる。[※1]

ここで重要なのは、多メディア展開される際、物語の単一性がしばしば失われることである。好きなマンガが映像化されたものを観たとき、ストーリーに変更が加えられていて、何かちがうと感じた経験は多くの人が持っているだろう。しかしそれでも、受容者であるわたしたちは、ストーリーが異なる複数の作品が同一タイトルで括られることに違和感を持つわけではない（「こんなの○○じゃない！」と怒る人はいるだろうが）。逆にいえば、メディアミックスの中心にあるのはストーリーではない、ということになる。

このことについて、もう少し考えてみよう。受け手や、昨今ではしばしば権利者側によっても行われる二次創作では、本来は異世界を舞台に戦いを繰り広げていた登場人物たちが現代日本の学園とおぼしき場所で穏やかな日常生活を送るなど、まったく異なるストーリーが展開されることすらある。また、商品化に際しては、作中では八頭身で描かれていたキャラクターが、二頭身のかわいらしい姿にデフォルメされることも多い。これらの事例では、受け手は、特定のキャラクターをストーリーから切断された形で消費しているといっていいだろう。

ここからは、キャラクターが物語テキストから遊離して存在し得るものであることがわかる。ハローキティをはじめとするサンリオのキャラクターや日本各地の「ゆるキャラ」など、そもそも特定のテキストの登場人物にならないキャラクターが存在することを考えれば、このことは納得できるはずだ。

先に引用した澤村の記述は、原作マンガという物語テキストの存在を前提としていた。しかし現代では、確固たる「原作」がないまま、ゲームやマンガ、アニメ、小説などを同時多発的に展開することも一般的である。また、多メディア展開にあたり、商品化の対象となる複数のキャラクターが、ストーリーに先立つ形で用意されていることも多い。こうしたキャラクターはだれもが主人公を務めることができるポテンシャルを持っており、実際に、各メディア、各ストーリーで主役が異なっていることもしばしばだ。

すなわち、メディアミックスの中心にあるのは、ストーリーよりむしろキャラクターなのである。そして、メディアミックスを通じたキャラクターの氾濫は、最初に述べた通り現代日本では当たり前のものになっている。では、どうすれば、このようなキャラクターのありようを念頭に置きつつ、文化や表現を論じることができるのか。

キャラクターと不可分な表現文化としては、第一にマンガが挙げられよう。本章ではまず、マンガ評論家の伊藤剛（ごう）が『テヅカ・イズ・デッド――ひらかれたマンガ表現論へ』（二〇〇五年）において提唱した「キャラ／キャラクター」論を紹介したい。このことを通じて、キャラクターを論じるための共通理解をつくることが、その目的である。

その上で、本章後半では、この概念がマンガ批評以外の分野でも活用できることを、作品分析を通じて示していく。マンガ・アニメと並んでキャラクターが重要な地位を占める領域に、ジャンル的には「特撮（とくさつ）」と総称される、怪獣映画やテレビヒーロー番組がある。[※2]このジャンルに属する映画『モスラ対ゴジラ』（一九六四年）を取り上げ、既存の人気怪獣の扱いに着目して内容を検討することで、キャラクター表現との関係を軸に物語コンテンツを論じる、ひとつの実例を見せたいと思う。

2 マンガ研究における「キャラ」への着目

伊藤の議論をよりよく理解するために、まず、一九八〇年代末から二〇〇〇年代半ばにかけてのマンガ界の流れを整理しておこう。

一九八九年、マンガ家・手塚治虫が亡くなった。これによって手塚の再評価が進んだ一方で、九〇年代初頭には、巨大化したコミック市場に対し猥褻（わいせつ）な作品の規制を求める運動が盛んになり、「有害コミック騒動」が起こる。この時期、新聞等では、手塚作品と比較する形で現代のマンガ状況を批判する議論も見られた。※3

さらにその後、一九九〇年代半ばをピークに、少年マンガ雑誌の発行部数が右肩下がりになっていく。こうした中、児童文化研究者やマンガ評論家もまた、同時代のマンガに対し「つまらなくなった」という物言いを繰り返すようになる。※4 二〇〇〇年代に入ると、マンガやアニメ、ゲームといったポピュラー・カルチャーを愛好する層の中で、特定のキャラクターに対する愛着を指し示す「萌（も）え」という言葉が流行し、若い女性を中心とする登場人物の日常を淡々と描いた「日常系四コママンガ」と呼ばれるジャンルも勃興（ぼっこう）するが、この種の「キャラ萌え」の動きに対しても評論家の多くは否定的な反応を見せた。

『テヅカ・イズ・デッド——ひらかれたマンガ表現論へ』が刊行されたのはこのような状況下においてであり、著者の伊藤は、手塚の不在を直視しつつ、批評や研究が、過小評価される現代のマンガ状況に対応できるようになることを意図していた。したがって同書では、キャラクターという存在をどう捉えるかについて、ドラスティックな転換が図られることとなった。

従来は、マンガの作り手ですら、キャラクターを映画や小説における登場人物に等しいものと見なし、物語テキストを通じて成長を描き、彼／彼女の生き方や人生観を表現することを重視していた。こうした試みに成功し、作者や読者にそれが現実の人間に相当する存在だとまで感じられるようになると、「キャラクターが立っている」と称賛される。この点に注目し、伊藤は、この種の「人格」を持った「身体」の表象としての登場人物図像を「キャラクター」と呼ぶ。以降、鍵カッコつきで「キャラクター」と書いた場合、伊藤の説明に則って（のっと）いることを示す。

しかし伊藤は、「キャラクター」は実は、マンガなどにおいて必ずしも当たり前のものではないと主張する。一例として「ゆるキャラ」のことを考えてみよう。彼らは、必ずしも明瞭な人格を持ってはいない。身体はあるものの、ご当地の偉人や名所、名産などを象って（かたど）おり、一種の象徴としての意味合いが強い。リンゴの形をしたゆるキャラがいたとして、それを見て「おいしそう」と思う人はあまりいないはずだ。ゆるキャラの身体は、現実に存在する事物そのものではないし、経年変化とも無縁である。

　こうした特徴は、ハローキティやミッキーマウスにも妥当するだろう。「目、顔、体のある『人間のような』図像」があり、それが特定の名前を持っていれば、それだけでわたしたちは「何か『存在感』『生命感』のようなものを感じさせ」られる。[※5] このように述べた上で、伊藤はそれを「キャラ」と名づける。こちらについても、これ以降彼のいう「キャラ」を指し示すときは、鍵カッコつきで記すこととしたい。

　繰り返しも含まれるが、伊藤の定義を確認しておこう。「キャラ」とは、「多くの場合、比較的に簡単な線画を基本とした図像で描かれ、固有名で名指されることによって（あるいは、それを期待させることによって）、『人格・のようなもの』としての存在感を感じさせるもの」を指す。マンガやアニメなどの登場人物図像はまず「キャラ」としてある。こうした『キャラ』の存在感を基盤として、『人格』を持った『身体』の表象として読むことができ、テクストの背後にその『人生』や『生活』を想像させるもの」（傍点原著）が「キャラクター」である。[※6]

　第一節では、簡単ながら現代日本におけるキャラクターの氾濫状況を論じた。ここまでの議論を踏まえれば、街中にあふれているのは「キャラクター」ではなく、テキストから切断された「キャラ」だ、ということができそうだ。

「キャラ」は、その同一性が確保されることで特定のテキストからの遊離が可能になる。この徴候は一九二〇年代にすでに確認することができるが、「一九八〇年代以降の二次創作やメディアミックスを通して、より顕著にみられるようになっ[※7]」たと、伊藤はいう。このような認識のもと、彼は、二〇〇〇年代の「萌え」が、性愛というよりも自律化した「キャラ」の強度そのものに対する反応である可能性を示唆する。マンガ評論家が「萌え」に対して冷淡だったことの背景にも、「キャラ」という存在に対する世代間の感覚の相違が横たわっていた。

3　「キャラ」を前提とするフィクション

伊藤の提起した「キャラ／キャラクター」論をめぐっては、既存の文芸批評の概念との接続が図られたり、メディア論の視点から受け手の実践の重要性が強調されたりするなど、現在も批判的に問い直され続けている。[※8]また、現代の若者の人間関係を分析する際にも「キャラ」概念が用いられるなど、[※9]この議論はマンガ論に留まらず広く受容された。もっとも、これらについて詳細に論じる余裕はないため、興味がある方には自分で参考文献にあたってもらうことにして、ここからは「キャラ」概念を用いた実際の分析に進みたい。

「特撮」は、マンガ・アニメと同様に「キャラ」が欠かせないジャンルである。このジャンルを代表する「キャラ」は、なんといっても怪獣だろう。日本では、おもちゃ屋に行けばソフトビニール製の怪獣の人形をいくらでも目にすることができるし、絵本なども含めれば、怪獣図鑑の類を一冊も置いていない本屋もまず存在しない。さらに、これらの主要受容者である児童たちは、当の怪獣が登場するフィクション作品を目にしたことがない場合も多い。彼らは、テキストから遊離した「キャラ」としてそれを受け止めた上で、怪獣たちと自在に戯(たわむ)れているはずだ。

こうした光景は、一九六〇年代後半まで遡(さかのぼ)ることができる。背景には、映画会社が怪獣映画を競作し、さらに六六年には、『ウルトラQ』や『ウルトラマン』といった基本的には毎週一体のペースで新しい怪獣が登場するテレビ番組が人気を博した事実があった。[※10] これに伴い、怪獣を扱ったマーチャンダイジングが盛んになったのである。

これ以前にも、一九五四年に映画『ゴジラ』が公開されて以降、怪獣映画は何本も製作されていた。しかし、そこでの怪獣たちは、「キャラ」的側面があったことは間違いないにせよ、特定の物語テキストに比較的強く結びついた存在だった。怪獣が「キャラ」として広く消費されるようになったのは、六〇年代の現象だといっていい。

映画の内容の点でも、一九六〇年代初頭には怪獣がこれまで以上に「キャラ」としてアピールされるようになった。映画会社の東宝は、六二年、創立三十周年記念作品の一本として、アメリカからキャラクター使用権を購入したキング・コングと、七年ぶりに復活したゴジラが戦う『キングコング対ゴジラ』を製作する。五八年をピークに年間映画観客動員数が落ちこんでいく中、本作は一千二百五十五万人を動員する大ヒット作となった。それゆえ、これ以降の東宝は、客を呼べる興行として怪獣対決路線に活路を見出(みいだ)していく。[※11] 本章で取り上げる『モスラ対ゴジラ』は、これに続く対決ものとして六四年に公開された映画だった。

すでに述べたように、怪獣を扱った大規模な商業展開はこの直後からはじまるわけであり、作り手・送り手もまた、特定の映画テキストからは遊離した「キャラ」として怪獣を捉えはじめていた。すなわち『モスラ対ゴジラ』は、商業展開の対象となる複数の「キャラ」の存在を前提にしてつくられた物語コンテンツであるといえる。この点で、この映画は、「キャラ」中心のメディアミックスが一般化した現代日本のポピュラー・カルチャーのはるかなる先駆として位置づけることができる。

4 『モスラ対ゴジラ』(一九六四年)における『モスラ』(一九六一年)の問い直し

「キャラ」を中心とする作劇は、『モスラ対ゴジラ』に何をもたらしたのか。モスラとゴジラという怪獣キャラクターについて説明しながら論じていこう。

怪獣モスラは、映画『モスラ』(一九六一年)に初めて登場した。『モスラ対ゴジラ』は、モスラが登場する二本目の映画になる。『モスラ』の前半部分は、はるか南海の孤島・インファント島が舞台となる。無人島と思われていたインファント島近辺で、ロリシカ国の水爆実験が行われた。しかし、この島には実は、原始的な生活を営む住民たちが暮らしていたのだった。洞窟に生い茂る不思議な菌類から生成した赤い汁を飲むことで、彼らは放射線障害を防いでいた。

この島で彼らの崇拝の対象となっていたのが、身長三十センチメートルほどのよく似たふたりの女性「小美人」である。島の神殿には巨大な卵が安置されており、その卵から孵(かえ)った守り神が、巨大な蛾(が)の姿をした怪獣モスラだった。小美人は、いわばモスラに仕える巫女(みこ)の役目を担っている。

このように、モスラはそれまでの怪獣よりも神秘性が強調されており、性格も特に好戦的というわけではない。『モスラ』においてモスラが街を破壊するのは、小美人が誘拐され、日本で見世物にされたからだ。彼女たちを取り戻すために、モスラは日本にやって来る。そして、小美人に同情した日本人記者やカメラマンが、彼女たちを島に帰すべく奮闘するというのが、『モスラ』のドラマ部分の中核をなす。

神秘的で非好戦的という属性は、怪獣モスラという「キャラ」の「存在感」の多くを占めている。したがって、『モスラ対ゴジラ』以降の怪獣映画でも、怪獣モスラを登場させる際は、インファント島や小美人という設定も拾われることが非常に多い。[※12] これらはモスラの「キャラ」性の描出に欠かせないのだ。

こうした制約は、当然、ストーリー面にも影響を与えることになる。『モスラ対ゴジラ』のストーリーは以下の通りだ。台風がインファント島を襲い、地崩れのせいでモスラの卵が海に流れ出てしまう。日本に漂着したその卵を、ある興行師と実業家が漁民たちから買い上げる。彼らは、卵を中心とするテーマ・パークを建設し、一儲けすることを企んでいた。これに対し、小美人は卵を取り戻すべく日本に現れる。彼女たちと知り合った記者やカメラマンは、小美人に同情し、興行師たちに卵を返すよう要求する。

このまとめからもわかるように、『モスラ対ゴジラ』のストーリー展開は、『モスラ』における小美人をモスラの卵に置き換えたものになっている。その「キャラ」性を尊重するならば、モスラが進んで都市を破壊するわけにもいかず、似通ったストーリーに落ち着くしかないわけだ。

とはいえ、大まかな筋立てが共通する一方で、細部には大きな差異が生じてもいる。先に述べた通り、『モスラ』ではインファント島は植物や菌類が繁茂する楽園として描かれていた。ところが『モスラ対ゴジラ』では、人間はかろうじて生きているものの、ほとんどの生物が死滅した死の島として描かれている。島に上陸した日本人記者たちは、以下の会話を交わす。

酒井「凄(すご)いなあ……こんなところに人が住んでいるんですかね？」
純子「原水爆実験のためなんですか」
三浦「わかりやすく言えば、後遺症とでも言うのかな、昔は全島緑の美しい島だったろうにね」
純子「……なんだかあたし、責任感じちゃうわ……」
三浦「人間なら当然ですよ」
酒井「しかし原水爆禁止の掛け声も、近頃じゃ耳にタコって感じだが、こう目の前に見せつけられるとそうじゃないですな※13」

なぜ、インファント島の描写は大きく変更されたのか。作り手が明言しているわけではないが、そこには、怪獣対決の相手としてゴジラを導入したことが関係していると思われる。『ゴジラ』に登場した怪獣ゴジラは、海底に棲息していたジュラ紀の生物の生き残りだと設定されていた。ゴジラは、水爆実験によって棲み処を追い出され、東京を襲う。したがって劇中でも、その足跡から放射性物質が検出されるなど、ゴジラが被曝していることが強調されている。さらに、その魁偉な容貌や、口から吐く息——あるいは熱線——で人びとを昏倒させ、家々を燃え上がらせていく描写は、放射線被曝による突然変異すら連想させる。一九六〇年代初頭においても、『キングコング対ゴジラ』にて、ゴジラが眠る氷山が青く光るのを見た科学者が、原子炉が発するチェレンコフ光のようだと呟くなど、ゴジラと核エネルギーとを結びつける描写は継続されていた。

つまり、都市を襲う恐怖の怪獣であるというゴジラの「キャラ」性は、被爆／被曝が個々の身体に影響を及ぼすことを前提にして成り立っている。そのゴジラを登場させる以上、放射線障害を抑えることができるという『モスラ』の設定を、そのまま踏襲するわけにいかないことは明白だ。それでは、赤い汁を飲めばゴジラの脅威も大して気にしなくてよくなってしまい、ゴジラという「キャラ」が生きてこない。モスラとゴジラという二大怪獣の「キャラ」性を尊重した結果生まれたのが、「赤い汁によってかろうじて生命をとりとめることはできるが、被爆／被曝の後遺症は防ぐことができず、インファント島は荒廃するしかない」という、本作に見られる折衷的な設定だったのだろう。

おもしろいことに、こうした設定変更は、『モスラ』にはないテーマ性を『モスラ対ゴジラ』にもたらした。『モスラ』では、小美人を誘拐するのはロリシカ人のネルソンであり、日本人記者たちは善意のヒーローであり続ける。ここで、大国であるロリシカが、日本と軍事的な繋がりを持っているなど、現実のアメリカを思わせる形で描かれていることに注目したい。戦後日本は、安全保障の点でアメリカの「核の傘」のもとにあったばかりか、経済的にも同国に庇護されていたし、また、朝鮮戦争などのアメリカの対外戦争によって利益を得てもいた。[※14] 現実の歴史においてもアメリカは太平洋上で水爆実験を繰り返していたが、日本が同国と同盟関係にあった以上、これについてまったく無関係だと見なすことは妥当ではない。にもかかわらず、『モスラ』は、アメリカを思わせる外国を敵役としつつ、日本人は南方の人びとが友人とするに足る、中立的な第三者であるように描き出している。これは日本人観客にとってきわめて都合のよい描写であり、現代の視点からは大いに問い直されるべきであろう。[※15]

ひるがえって『モスラ対ゴジラ』では、モスラの卵の私物化を企む悪役は日本人であると設定されている。また、主人公たちとインファント島のあいだの精神的な繋がりさえも、ストーリー展開の中で危機に直面することになる。

干拓地に眠っていたゴジラが復活し、日本を蹂躙(じゅうりん)した。主人公の記者たちは、ゴジラを倒すために、卵の親である成虫モスラの力を借りようとインファント島に赴(おもむ)く。そこで彼らを待ち受けていたのが、インファント島の無惨な光景だった。さらに、島の長老は彼らの頼みをにべもなく拒絶する。

長老「モスラの力貸せぬ」
三浦「しかし、我々の仲間がゴジラのために危機におちいっているんです」
長老「悪魔の火もて遊んだムクイだ、我々は知らん。むかし、この島いいとこだった……平和な緑の島だった。それを悪魔の火ィ焚(た)いたのは誰だ、神も許さぬ火ィ焚いたのは誰だ！　その日から、この島は受難の島になった。我々、この島以外の人間信じない。信じたばかりに、今まで背(そむ)かれてばかりきた。モスラの卵返さない！」

ここでは、観客の感情移入の対象である主人公たちに、容赦ない非難の言葉が突きつけられている。結果として、日本が単なる善意の第三者ではなく、原水爆実験を挙行する側の存在でもあることが暴かれている、といっていい。

このように『モスラ対ゴジラ』は、『モスラ』のストーリーを再演しながらも、わたしたち自身のあり方に再考を促すことを新しく試みている。怪獣キャラクターどうしを、その「キャラ」性を崩さないままに対決させねばならないという商業的要請こそが、こうした試みを実現させた。

5　おわりに

『モスラ対ゴジラ』の事例から見えてくるのは、監督や脚本家といった特定個人の作家性よりも、「キャラ」性への配慮という商業的要因こそが、フィクション作品の内容に決定的な変化をもたらすことがあるということである。そして、この種の変化が新たなテーマの導入を導くなど、コンテンツを活性化させることもないわけではない。

とはいえ、商業性が手放しで褒められるわけではもちろんない。例えば『モスラ対ゴジラ』では、荒廃したインファント島の描写がきわめてチープなものになっている。岸には草木の一本もなく、水は茶色く濁り、なんの生物かもわからない骨がいくつも転がる。汚染の可視化としては確かにわかりやすいが、イメージ優先で、被爆の実相をきちんと踏まえたものではない。これについては、監督を務めた本多猪四郎（ほんだいしろう）も、後年のインタビューでこう述べている。

インファント島の住民のところに入っていくまでの、原爆の恐ろしい爪跡がまだ残っているあのシーンが、もっともっとふくらんでたわけですよ。あのセットはもっと大きくて、もっと怖い、原爆の後遺症のひどいものを描き出す予定だったんだけど。美術の方のいろんな、金も足りなくなっちゃったとか。（中略）
そりゃ、ある意味ではなくたって話がわかるじゃないかっていう、会社的な考え方ね。これに対する、どうしてもこのシーンがなくちゃいけないんだという演出家の粘り方が足りなかったということになるんだと思うけどね。[※16]

商業作品である以上、製作期間や予算は厳格に定められている。この述懐からは、そうした縛りが作品製作の上でマイナスに働いたことがわかる。

なんにせよ重要なのは、ポピュラー・カルチャーは商業性と不可分だという点を理解することである。特に現代日本のそれにおいては、「キャラ」を軸としたメディアミックスが前提となっていることが多い。こうした特徴が、フィクションのありようにどのような限界をもたらし、またどのようにその可能性を広げているか。複眼的に見る感覚を養ってほしい。

【注】

※1 澤村修治『日本マンガ全史——「鳥獣戯画」から「鬼滅の刃」まで』平凡社新書、二〇二〇年、三〇六ページ。なお、メディアミックスに関しては、大塚英志『定本 物語消費論』（角川文庫、二〇〇一年）、マーク・スタインバーグ『なぜ日本は〈メディアミックスする国〉なのか』（大塚英志監修、中川譲訳、角川EPUB選書、二〇一五年）も参照。

※2 このジャンルの全体像をまとめたものとして、庵野秀明、樋口真嗣（全体監修）、尾上克郎、境真良、氷川竜介、三池敏夫（調査実施・執筆）「日本特撮に関する調査報告書」（文化庁、森ビル、二〇一三年。URL:https://mediag.bunka.go.jp/projects/project/images/tokusatsu-2013.pdf。二〇一三年五月二一日更新、二〇二〇年八月五日最終閲覧）がある。

※3 大塚英志「5『有害コミック騒動』と戦後民主主義という装置」『戦後まんがの表現空間——記号的身体の呪縛』法蔵館、一九九四年、九一〜一一二ページ。

※4 伊藤剛『テヅカ・イズ・デッド——ひらかれたマンガ表現論へ』星海社新書、二〇一四年、一六〜二〇ページ、三九〜四五ページ、五六ページ（NTT出版、二〇〇五年の新書化）。

※5 同前、七九ページ、一二四ページ。

※6 同前、一二六ページ。

※7 同前、一四九ページ。

※8 順に、小田切博『キャラクターとは何か』（ちくま新書、二〇一〇年、一〇一〜一三六ページ）、足立加勇「人間の表象としてのキャラクターとファンのコンテクストとしてのキャラクター——消費者集団の社会活動が生み出すキャラクターの二面性」（永田大輔、松永伸太朗編著『アニメの社会学 アニメファンとアニメ制作者たちの文化産業論』ナカニシヤ出版、二〇二〇年、二〇四〜二二〇ページ）。

※9 土井隆義『キャラ化する／される子どもたち——排除型社会における新たな人間像』岩波ブックレット、二〇〇九年。

※10　「怪獣ブームにもの申す　筋も技術もマンネリ」（『読売新聞』一九六七年十月十六日付け朝刊、二〇面）をはじめ、こうした状況はメディア上でも「怪獣ブーム」として報道された。

※11　これ以前の『ゴジラの逆襲』（一九五五年）でも、怪獣どうしの戦いが描かれている。ただし、ゴジラの対戦相手であるアンギラスは、この映画で創造された怪獣であり、すでに知名度のあった存在ではない。その上、両者の対決は映画終盤に置かれてもいない。一九六〇年代以降の怪獣対決ものとは質的に異なると見なすべきだろう。

※12　『南海の大決闘』（一九六六年）、『ゴジラVSモスラ』（一九九二年）、「平成モスラ三部作」（一九九六〜九八年）、『ゴジラ×モスラ×メカゴジラ　東京ＳＯＳ』（二〇〇三年）、『GODZILLA FINAL WARS』（二〇〇四年）が該当する。

※13　『東宝ＳＦ特撮映画シリーズＶＯＬ．２　モスラ／モスラ対ゴジラ』（東宝出版事業室、一九八五年）所収のシナリオも参照しつつ、東宝株式会社より二〇〇三年に発売されたＤＶＤを使用して聞き取りを行った。これ以降の引用も同様である。

※14　ジョン・Ｗ・ダワー「二つの『体制』のなかの平和と民主主義――対外政策と国内対立」アンドルー・ゴードン編『歴史としての戦後日本（上）』中村政則監訳、みすず書房、二〇〇一年、四六〜五八ページ。

※15　これに関しては、拙著『怪獣から読む戦後ポピュラー・カルチャー――特撮映画・ＳＦジャンル形成史』（青弓社、二〇一六年、一〇六〜一一二ページ）も参照。

※16　本多猪四郎『「ゴジラ」とわが映画人生』ワニブックス【ＰＬＵＳ】新書、二〇一〇年、一五七〜一五八ページ。

マンガ家・マンガ研究家

みなもと太郎

マンガ表現論——何をやってもいいジャンル

聴き手　寒河江光徳

マンガの歴史

私はマンガ家であるとともに、マンガの歴史を研究しています。マンガの歴史というと、手塚治虫から始まったと思っている人もいますが、手塚以前にも多くのマンガ家がおり、エポックメイキングな作品も生み出されていました。

たとえば、一九二三（大正十二）年に『アサヒグラフ』で連載がスタートした『正（しょう）チャンの冒険』（画・樺島勝一（かばしまかついち）、作・織田小星（しょうせい））は四コママンガですが、主人公の少年が相棒のリスと世界を旅する冒険物語になっており、子どもたちに大変な人気を博しました。似たような作品として、ベルギーのエルジェによる『タンタンの冒険』（一九二九年）があります。スティーブン・スピルバーグ監督によって映画化もされたので、世界的に有名な作品ですが、『正チャンの冒険』は『タンタンの冒険』より六年も前に発表されていました。これは当時の日本のマンガが世界の最先端を走っていた証左です。

『正チャンの冒険』に影響を受けた作品として挙げられるのが、横山隆一の『フクちゃん』（一九三六年）です。この作品には子ども向けのヒーロー性とともに、大人向けの社会風刺的要素もあり、戦前・戦中時代を代表するマンガになりました。

その後、戦況が深刻になると、マンガは不謹慎な存在とされ、姿を消してしまいます。

そして、戦後に登場したのが手塚治虫です。なかでもセンセーショナルだったのは、一九四七（昭和二十二）年に発表された『新宝島』でした（原作・構成の酒井七馬との合作とされているが、実質的にはほとんど手塚が描いたとされる）。

『新宝島』を読んだ当時の読者は、「絵が動いているようだ」「音が聞こえる」と、その衝撃を語っています。それは、まるで映画のようだったのです。その後、手塚は『ロストワールド』『来るべき世界』や『ジャングル大帝』など、次々に大ヒット作を生み出します。

そうした手塚作品を読んで育ち、マンガ家を志した世代は、仮に「トキワ荘世代」と呼ばれます。トキワ荘というのは、もともと手塚治虫が住んでいた東京都豊島区にある木造アパートで、いつしかマンガ家が集団で住むようになりました。主だったメンバーは、寺田ヒロオ、藤子不二雄（藤子・F・不二雄と藤子不二雄Ⓐ）、石ノ森章太郎、赤塚不二夫など。一九五〇年代後半から六〇年代前半にかけて、トキワ荘メンバーは数々のヒット作を生み出しました。

もちろん、トキワ荘メンバー以外にも、この時代に優れたマンガ作品を発表した人たちはおります。たとえば、さいとう・たかを、松本正彦、辰巳ヨシヒロたちは「劇画」を生み出し、六〇年代にマンガ界を席捲しました。

それまでのマンガ雑誌では、一作品八ページ程度が限界とされていましたが、さいとう・たかをは、「より大人を対象にして、必要なら雑誌に五十ページを割かせるんだ」と主張しました。そして編集者に渋々認めさせ、増刊号で彼は二十一ページの作品を描いたんです（「どぶの流れ」、『別冊週刊漫画TIMES』芳文社、一九六四年十月）。すると、それが大人気になり、翌年には二十ページほどの作品を七〜八本収録した青年コミック雑誌が出始めました。劇画ブームによって、ページの制約がなくなったんです。

次に人気を得たのが少女マンガです。少女マンガは戦前からありましたが、ほとんどが牧歌的なユーモアか、貧しい少女が健気に生きる話で、恋愛はまったく描かれていませんでした。そんななか、一九五三（昭和二十八）年に手塚治虫『リボンの騎士』の連載がスタートします。『リボンの騎士』には恋愛が描かれていました。恋心のときめきや切なさ、苦しさまで真正面から取り上げていました。現在の少女マンガにあるさまざまな特質は『リボンの騎士』から始まったのです。

それをさらに推し進めたのが、トキワ荘唯一の女性だった水野英子です。女性特有の感性で描いたという意味では、水野英子が最初の人です。謎の青年が現れ、目と目を合わせ、互いの心が惹かれ合うような、大人の恋が初めて描かれます。彼女が描く本格的恋愛少女マンガは他の追随を許さないレベルでした。

一般に少女マンガの歴史というと、竹宮惠子、大島弓子、萩尾望都（もと）などの「花の二十四年組」（少女マンガを「文学化」させた昭和二十四年前後生まれの少女マンガ家の通称）が有名ですが、その前にも新たな表現に挑戦してきた先人がいたのです。

マンガは自由

「トキワ荘世代」が腕を上げて十年ほど経（た）った時期に、小生意気な読者になったのが、戦後生まれの私たちの世代です。

私が小学校を卒業し成人するまでの約十年、マンガは次から次へと新しい表現を試みていました。たとえば、石ノ森章太郎はレイモンド・チャンドラーの小説のように、リアルを描きました。さいとう・たかをと比較するとわかりやすいのですが、さいとう・たかをの作品は、絵はリアルなんだけど、話は王道です。逆に石ノ森章太郎は、絵は手塚調だけど、話がリアルなんです。あるとき石ノ森は小学生向けの雑誌に、スパイに追われている夫のもとに彼の妻をかばいながら連れていく話を描いた。二人の逃避行には男女の関係を匂わせる怪しい雰囲気があるんだが、そんなの小学生に絶対わかるはずがない。それが翌週には、忍者が出てきて巨大ロボットと戦うというストーリーに変わるんです。おそらく編集者から作風変更の要請があったのでしょうが、石ノ森章太郎はそういう実験をたくさんしています。

他のトキワ荘の人たちも、少年マンガと少女マンガを両方描いていました。当時、少女マンガは一段下に見られていましたが、それがかえって良かったのか、少女マンガには「自由さ」があった。それで、少年マンガ以上に実験的なことをやっています。

私は子どものころからそういうのを読んでいたんで、マンガというものは何をしても構わないと思ってやってきました。のちに『ホモホモ7(セブン)』はそういうことを意識して描きました。先輩の作家からは「風刺の効いていないギャグはだめですよ」と言われたのですが、そんなはずはない。マンガは何をやってもいいんだ、意味のないギャグをやってもいいんだ、と自由に描いてきた。マンガ家入門などを読むと、劇画はこういう描き方をしなければいけない、ギャグはこう描かなきゃいけないと、型にはめようとする。それを一度ぐちゃぐちゃにしてしまえ、というのが私の意図でした。

当時の文化人やマンガ家は、劇画とギャグが融合する『ホモホモ7』の様式ばかりに注目していましたが、小学生くらいの読者が、私の言いたいことの本質、つまりマンガは何をしても構わないということを、摑(つか)んでくれていました。

もちろん、描きたいように描くことで叱られたこともあります。たとえば、カラーの扉ページに女の子の顔だけをアップで描いたら、「少女雑誌じゃないんだから、二度とやるな」と怒られました。しかし、半年も経たないうちに、『あしたのジョー』（原作：梶原一騎（いっき）、作画：ちばてつや）で白木葉子のアップが描かれたり、『愛と誠』（原作：梶原一騎、作画：ながやす巧（たくみ））でも同じような方法が使われたりしました。

『風雲児たち』はいくつかの雑誌で連載しましたが、いずれもお上品な雑誌ですので、わざと色情的な描写を加えました。許されるギリギリを何とかして掻（か）い潜（くぐ）りたいんです。性格が天邪鬼（あまのじゃく）のため、「これはやってはいけない」「様式に従って行え」と言われると、その逆をやりたくなる。やってはいけないと言われると、やりたくなるんです。

質疑応答

Q　みなもと先生の作品には、さまざまな作品へのオマージュ、パロディが満載ですが、なぜそのような作品を描かれたのですか。

みなもと　マンガに限らず、表現の文化というものは、すべて先人たちのものを繰り返していくことなんです。チェロの世界的巨匠であったパブロ・カザルスは、次のように語っています。「もっとも偉大な作曲家はもっとも偉大な泥棒であったということを忘れないようにしよう。彼らはいたる所から、あらゆる人から盗みまくった」（ジュリアン・ロイド・ウェッバー『パブロ・カザルス　鳥の歌』池田香代子訳、ちくま文庫、一九九六年）と。

盗作とパロディの違いは何かというと、元ネタを知られるとヤバいと思って描いているものが盗作、元ネタを知ってほしくてウズウズしながら描いているのがパロディだと言えると思います。

誰の影響も受けていないという作家・マンガ家は信用できない。そんな人物は存在しない。自分が創り出したと思ってはいけない。手塚治虫先生は特別ですが、その作品には戦前のマンガやディズニーのアニメなどさまざまな要素が込められていて、遊びに溢（あふ）れています。

学び続けることが大切です。学び続けない人は先が続きません。そして、学んだことへの感謝を忘れてはいけない。そのうえで、マンガの表現を少しでも広げていくことができれば、それが先人への恩返しになるのです。

Q　赤塚不二夫が描いた〝レレレのおじさん〟は、杉浦茂の『猿飛佐助』のキャラクターを模したものですが、これは問題がないのでしょうか。

みなもと　赤塚不二夫は杉浦茂先生のファンだったと公言していますし、〝レレレのおじさん〟をキャラクターにしたところまでは問題ないと思います。しかし、以前、何かのCMで〝レレレのおじさん〟が使われ、キャラクター使用料が発生したはずです。それは杉浦先生にお渡しすべきではないかと思いました。キャラクターの著作権については考慮が必要だと考えています。

Q　同じく赤塚不二夫の『おそ松くん』には、O・ヘンリーの作品をベースにした話があります。これはいかがですか。

みなもと　『おそ松くん』の「チビ太の金庫やぶり」の元ネタはO・ヘンリーの「よみがえった改心」ですが、これは「可」です。O・ヘンリーは一九一〇年に亡くなっていますので、著作権の問題はありません。

私も小学生のころから、O・ヘンリーの代表作「最後の一葉」を元ネタにしたマンガを数多く見てきました。たとえば、あすなひろしは非常に細密な、シャープなマンガを描く人でした。彼は

O・ヘンリーの作品を二本描いています。「最後の一葉」と「妻の肖像」です。「妻の肖像」はあまり有名な作品ではないので原作に忠実に描いていますが、「最後の一葉」は誰もが知っているほど有名なものですから、暗黒街ギャングのボスが死ぬ、皮肉の効いたストーリーにしています。そのように、O・ヘンリーの作品などは、テクスト（元ネタ）にしていいと思います。

Q『風雲児たち』で、井伊直弼（いいなおすけ）の兄の顔が『笑ゥせぇるすまん』の喪黒福蔵（もぐろふくぞう）になって、「ドーン！」（人差し指を相手に突きつける喪黒の決めポーズ）をしているコマがあります。なぜ井伊直弼の兄を喪黒福蔵にしようと考えたのですか。

みなもと　藤子不二雄Ⓐの『笑ゥせぇるすまん』（元々は『黒イせぇるすまん』という題名だったが、「黒い」という言葉が問題視されてタイトルが変わった経緯がある）は、高望みするところに怖い落とし穴があるぞ、というのが全体を通じてのテーマですから、井伊直弼の人生がそれにぴったりだなと思って、喪黒福蔵にしました。井伊直弼が殺される最後の場面にも喪黒福蔵を再登場させるのは、最初に喪黒を描いたときから決めていました。ただし、喪黒の顔を出すとくどいと感じたので、最後は口だけを描きました。口だけで何のキャラクターかわかりますから。こんなキャラクターを生み出した藤子不二雄Ⓐ先生はさすがだな、と思いながら描きました。ちなみに、喪黒福蔵の顔は七福神の大黒様をモチーフにしていますが、表情は般若(はんにゃ)なんです。自分で描いてみて、初めて気づきました。

Q　みなもと先生は絵コンテをされますか。

みなもと　私は絵コンテは描かないです。普通はみんなネームを一生懸命に書いて、編集部とやりとりして……と進めますが、私はいいかげんなものですから(笑)。特に今は編集部の規制がうるさすぎて、管理されるんです。私は管理されるのが嫌ですから、自分の描きたいものを描いて、「よければ使ってください、嫌なら使わなくても結構」という姿勢でやっています。ですので、ここ二十年くらいは絵コンテやネームを描かず、ぶっつけでやっています。

Q　難しいことや複雑な内容を子どもたちに伝えるとき、どのようなことを意識して描かれていますか。

みなもと　作り手はサービス精神旺盛でないといけない。そこで、自分自身を読者の立場におき、たとえば小学二年生の自分なら理解できるかと想定して、考えます。作者と読者という両方の自分がいないと描けません。作者自身が好奇心の塊（かたまり）じゃないとだめですし、どうすれば子どもにわかるだろうかと、徹底して考え抜くほかありません。私がそうでしたが、自分が理解したことを人に伝えたくて仕方がないという強い思いがないといけないんです。

表現文化論

第6章

文学の力と可能性

作家
創価大学文学部人間学科非常勤講師

村上 政彦

I 言葉と想像力

世界すべてをとらえる言葉

言葉と想像力は何のためにあるのでしょうか？　僕は、言語学者でも、心理学者でもありません。一人の小説家として、言葉と想像力の意味を考えたいと思います。

言葉の働きを考えると、言葉のベクトルとして、他者に向かうベクトルと、いったん外へ向かうが、ぐるっと回ってこちらへ戻り、自己完結するベクトルがあります。他者に向かうベクトルは、コミュニケーション、つまり対話です。自己完結するベクトルは表現です。

これは論証できない直感ですが、言葉は、まず、自己完結する表現として生まれたのではないかと思います。たとえば、風呂に入るとき、「あー」と声を出す。また、びっくりしたとき、「わっ！」とのけぞる。言葉の初めには、こういう単純でかつ素朴な表現があったのではないか。

それが群れる動物という人間の本性に従って、コミュニケーションの要請が生まれ、表現が複雑になって、言葉がコミュニケーションの働きを持つようになっていったのではないか。

ただし、自己完結型の表現であっても、受け手が現れれば結果としてコミュニケーションは成立するので、すべての言葉は開かれていると言えます。ここでは表現という言葉の働きを考えます。

なぜ、言葉があるのでしょうか。さまざまな議論がありますが、僕は、人間の謎に迫り、世界を手に入れるためだと思います。

僕の好きな詩人に、十九世紀フランスの詩人、ステファヌ・マラルメがいます。マラルメはこんなふうに考えていた。

「どんなひとの奥底にも、かならず何か隠密のものがあるはずだ[※1]」

「インクの壺（つぼ）はクリスタル・ガラス製で、まるで意識のように透明だが、底には暗黒の滴（しずく）が貯（た）まっている。何かあるものが存在するということに関係する黒い滴が[※2]」

フランス文学者の清水徹氏は、マラルメの考えをこう解説する。

「書くという行為は、白い紙のうえに黒いインクで書くというそのありようが示しているように、人間の内部の暗黒に由来すると考えていた。折り畳まれたページの集積としての書物は、その内部に、いわば黒い活字というかたちをとって『暗黒』が散らばっているわけであり、指がそのページを開いて、その黒い文字を読むとき、それは読者に『神秘』を明かす『破片』として受けとめられるだろう[※3]」

「ひとがこの世にあるということ、そして物があるということは、ついに解きえぬ謎であり、あらゆる人びとの心の奥底には、たとえ意識の光を当ててもけっして透明たりえないそうした謎が黒々と横たわっている。そして、文学とはそういう謎に関連する営みなのだ。（中略）書くとは、黒い滴を使って、白い紙のうえで黒を追究してゆくことなのである[※4]」

また、マラルメはこうも語っています。一八九一年、ある新聞のインタビューに答えて、「結局のところ、世界は一冊の美しい書物へと到りつくためにつくられている[※5]」。

世界と等しい書物、世界のすべて、世界の究極の秘密がそこに託されているような書物。僕らを取り巻いている世界を、言葉によってとらえ、一冊の書物に封じ込める。このとき、書物は小宇宙となる。これは小説家の見果てぬ夢です。

人間の謎に迫り、世界そのもの、小宇宙をつくる言葉――この考えは、実に魅力的です。

想像力で現実を変える

次に想像力について考えます。

ずいぶん前のこと。あるビルを訪れたとき、中庭のオブジェに眼が留まりました。数羽の鳩が地面に据えられている。特に珍しいこともない、ありふれた作品でした。僕は、その鳩を見ているうちに、なんだかかわいそうになってきました。脚が地面に据えられていて、身動きできない。本当なら、いますぐにでも飛んでいきたいだろうに。

そこで、僕は鳩を飛ばせてやることにしました。もちろん、魔法使いではないから、杖(つえ)を一振りしてオブジェの鳩を、生きている鳩に変えて、飛ばすことはできない。でも、僕には想像力がります。想像力で、鳩の眼を空に向ける。羽を広げてやる。そして、はばたかせて、飛ばさせてやる。僕は、数羽の鳩が空へ飛び立つのを見て、満足してその場を去りました。

フランスの哲学者、ガストン・バシュラールは、想像力を次のように定義します。

「いまでも人々は想像力とはイメージを形成する能力だとしている。ところが想像力とはむしろ知覚によって提供されたイメージを歪形する能力であり、それはわけても基本的イメージからわれわれを解放し、イメージを変える能力なのだ[※6]」(傍点は原著)

現実をそのまま受け入れるのではなく、現実を変えるため、あるべき現実を思い描くために想像力はあるのです。

さて、では、そういう言葉と想像力を掛け合わせると、何ができるでしょうか。

皆さんは、『千夜一夜物語』をご存じでしょう。※7 船乗りシンドバッド、アラジンと魔法のランプ、アリババと四十人の盗賊などの物語が収められた説話集です。『アラビアンナイト』ともいいます。もともとは、アラビア語で中世のイスラム世界を描いたもので、最も古いアラビア語本は九世紀に成立したとされ、日本では一八七五年に英語版から翻訳されたそうです。

『千夜一夜物語』は、シェヘラザードという女性の語り手が、千と一夜にわたって語った物語を集めたものとされます。なぜ、シェヘラザードは物語を語ったのでしょうか？

昔、ある王に二人の息子があった。兄のシャハリヤールと弟のシャハザマーン。彼らはそれぞれの国を治めていたが、兄が弟を招いた。お土産を忘れたことに気づいて弟が宮殿へ帰ると、妻が奴隷と不倫をしていた。頭にきた彼は、妻と奴隷の息の根を止める。そして兄の国へ行ったが、ずいぶん落ち込んでいた。

兄が宮殿から出掛けた。そのとき、弟は兄の妻が複数の奴隷と不倫しているのを知った。で、兄の不幸を見て、ちょっと元気になった。外出から帰った兄は、落ち込んでいた弟が元気になっているので、「元気になってよかったな。なんか、いいことでもあったか？」と訊(き)く。すると弟は、兄の留守にあった出来事を告白する。驚いた兄は、こっそり隠れて妻の不倫が本当であることを確かめ、落ち込む。そして弟と二人で旅に出た。

やがて宮殿に戻った兄のシャハリヤールは、妻と不倫相手の奴隷の息の根を止めた。その後、大臣に命じて、毎晩、一人の娘を連れて来させた。そして一夜を共にした後、命を奪った。

三年後、都に若い娘の姿は見られなくなった。それでもシャハリヤールは、誰か娘を連れて来い、と大臣に命じた。大臣が困り果てていると、娘のシェヘラザードが、私を王のもとへ連れて行ってください、と言った。王のもとへ行ったシェヘラザードは、妹のドニアザードを呼んだ。すると妹は、姉に物語を語ってほしい、と言った。これは姉妹の申し合わせ通り。シェヘラザードは、夜を徹して物語を語り、話がクライマックスに来ると、「この続きは、また明日」と語り終える。王のシャハリヤールは、物語の続きが聴きたくて、シェヘラザードを生かしておいた。

さて、千と一夜にわたって物語を聴いたシャハリヤールは、すっかり心を入れ替え、シェヘラザードを殺さず、妻に迎えることを誓った。弟のシャハザマーンは、妹のドニアザードと結婚。姉妹の父の大臣は、ある国の王になり、シャハリヤールは、シェヘラザードの語った物語をしるして国中に配布した。

シェヘラザードは、言葉と想像力によって巧みに物語を語ることで、人間不信に陥(おちい)っていたシャハリヤール王の心を変えてしまったのです。シェヘラザードを小説家、王を現実の危機と考えてください。小説家は、研ぎ澄まされた言葉と逞しい想像力によって、過酷な現実と対峙し、現実に変更を迫る。彼は、生きるために物語るのです。

小説の機能とは?

ここで言葉と想像力からできている小説というものについて考えてみたいと思います。小説には、どのような機能、働きがあるのでしょうか? いまから二十年ほど前、韓国で日本の作家と韓国の作家のシンポジウムがありました。そこで僕は小説の機能について、次のように発言しました。

小説には、いくつかの機能がある。

①小説は社会を写す鏡である(ミラー理論)→だいたいこのような小説はリアリズムで書かれています。読み手は、小説を通じて、人間や社会のあり方を認識します。たとえば、フローベールの『ボヴァリー夫人』、ゾラのルーゴン・マッカール叢書、バルザックの作品、日本の自然主義文学などです。いまでも、このタイプの小説は少なくありません。

②小説は、人間を縛っているくだらないモラルを壊すハンマーである（ハンマー理論）↓たとえば、奴隷解放を主題にしたストウ夫人の『アンクル・トムの小屋』。あるいは、男女七歳にして席を同じゅうせず、などの古臭いモラルを葬る性の文学などです。

③小説は、現実には起きていない出来事をシミュレーションする試験管である（テストチューブ理論）↓僕はこのタイプの小説を、リアリズムのSFと呼んでいます。たとえば、ドストエフスキーの小説『罪と罰』『悪霊』『白痴』『カラマーゾフの兄弟』などです。また、トマス・モアの『ユートピア』を嚆矢とするユートピア文学。普通のSFもこの範疇に入ります。

④小説は、現実の危機を先取りし、焼き切れるヒューズである（ヒューズ理論）↓ヒューズは、電気製品に内蔵されている安全装置です。電気製品に容量以上の電流が流れ、熱が高くなりすぎると、製品がだめになる前に、これが焼き切れます。

アメリカの作家カート・ヴォネガットは「芸術家＝炭坑のカナリア論」を主張しています。石炭を掘る炭坑には、時として有毒ガスが発生し、坑夫が犠牲になる。それを避けるために坑夫はカナリアを連れて行く。カナリアは空気の汚れに敏感なので、有毒ガスが発生すると、すぐに倒れる。そしてそれを見た坑夫は炭鉱から逃れて助かる。

たとえば、僕の小説『魔王』。これは邪悪な新興宗教の教組が、社会不安を引き起こし、自滅する、という小説です。オウム真理教事件が起きたとき、ある人が、文学は現実に追い越されたと発言し、批評家の蓮實重彦が朝日新聞の文芸時評で、ビートたけしの『教祖誕生』という小説と『魔王』を引き合いに出して、文学は現実に追い越されたどころか、オウム事件を予見していた、と結論しました。これはプチ・自慢です。しかし『魔王』は、残念ながらあまり売れませんでした。

この他にも、小説には、さまざまな機能があります。

たとえば、フランス在住の作家ミラン・クンデラは、文学は社会のバランスを取る錘（バラスト）であるというような発言をしています。あるいは実験的自我による実存の探究ともいいます。実存とは、人間に固有の存在のありようのことです。

さらには、モデル形成という働きもある。小説は、新しい人間のモデル、社会のモデルをつくり、提示するのです。

小説執筆時の「父との再会」

現在、どのような小説が求められるかを考える前に、言葉と想像力のプライベートな使い方について語ります。

まだ三十代の若い頃、『ナイスボール』という小説を書きました。これは子どもの頃に死んだと思っていた父親が、実は生きていて、二十数年ぶりに息子の前に現れるという物語です。実は、僕は父を早く亡くしました。父は、僕が九歳のとき、アルコール依存症で内臓がぼろぼろになって三十一歳で死んだのです。だからあまり父と一緒に過ごした思い出はありません。

僕は二十九歳で結婚して、翌年、息子が生まれました。この息子がまだ幼いとき、僕の運転する車で出掛けた。小雨の降る夜、うちの近くにある中学校のグラウンドの傍（かたわ）らを通ると、明るい照明の下、野球をしていました。車を止めて、息子を膝の上に抱いて、それを観（み）ていました。カクテル光線に、小雨がきらきら光り、ボールを追って選手たちが走り回る、その光景が、夢のように綺麗（きれい）で、ふといつか遠い昔に、同じ光景を見た記憶がある、と思いました。

そのとき、不思議なことに、僕は、息子の気持ちになっていたのです。膝の上の息子が自分で、抱いている自分が死んだ父だという錯覚にとらわれました。そして、父が死んでから、恐らく初めて、切実に、父と会いたいと思いました。しかし彼は、もう二十年も昔に死んでいる。僕はうちへ帰って、当時使っていたワープロの前に座って、キーボードを叩（たた）きました。小説でよみがえらせることにしたのです。そして、『ナイスボール』という小説ができあがりました。

死者のよみがえり。これは現実にはありえません。でも、小説ならできます。僕は、この小説を書いているとき、本当に父と会っている気がして、何度も泣きました。僕は、小説家の特権を行使したことになります。小説を書くということは、作家個人に、このような快楽をもたらすこともあるのです。たとえば、いとしい人を失った者が、このような想像力の使用法をするのも、一つの救済のかたちではないでしょうか？

『ナイスボール』は松竹で映画化されました。ベルリン国際映画祭で国際批評家連盟賞を受けて、その年の邦画のベストワンに選ばれもしました。興味のある方は、ご覧ください。

文学の使命と可能性

この十数年、僕の文学的な関心は、いかにグローバリゼーションに対応するかにありました。対応の仕方は三つ。一つは、その潮流に乗ることです。これをやったのが村上春樹です。もう一つは、対極をつくることで、これは三島由紀夫にあたるでしょう。

僕は、第三の途（みち）を選びました。それはみずからの伝統をグローバリゼーションの鑿（のみ）で加工して、新しく変えていくことです。

僕は伝統を日本ではなく、アジアに求めました。そのためには、まず、アジアとは何かという問いかけがなされねばなりません。そうすることでアジアの伝統を露わにし、グローバリゼーションを活用して、二十一世紀にふさわしい姿に変えていく。そしてアジアからグローバリゼーション発祥の西洋を包み返して、西洋の達成したものをさらに高みへ引き上げるのです。

日本文学がアジア文学に昇華するに当たって、総括しなければならない過去の歴史があります。七十年前、日本語は、支配者の言葉として、アジアの国々に君臨しました。それを清算しなければなりません。これは、これからの日本文学の大きな課題です。

ポスト・モダンはとうに去って、いまやネオ・モダンの時代に入ったと思っています。ポスト・モダンは、モダンを無効にする流れでしたが、ネオ・モダンはモダンを篩にかけ、その成果だけを遺産として活用し、新しい現代性をつくる構えです。

僕は小説家として、日本文学がネオ・モダンのアジア文学に変容してゆく先導役を務めたいと思います。

いまどのような言葉と想像力が求められているか？　構築的な言葉、構築的な想像力が求められています。ドストエフスキーは、人間が自由を持て余し、重荷になることを自由の背理といいました。

僕は、小説は人間を縛るくだらないモラルを破壊するハンマーになるといいました。しかし逆に社会のモラルがなくなり、人間が無重力状態に置かれたとき、文学は重力をもたらすために、新しいモラルをつくる方向へ動かねばならない。

また、これから、どのような日本をつくるか。つまり、どのような世界をつくるか。どのような日本人をつくるか。つまり、どのような人間をつくるか。それを考え、提示することが文学には求められているし、これは文学でなければできない仕事だと思います。小説の機能で言えば、③のテストチューブ理論です。

繰り返します。文学は無力ではない。世界を変える力を持っている。右の拳（こぶし）は言葉、左の拳は想像力。両方の拳でファイティングポーズを取って、皆さんは、若きシェヘラザードとして、この現実、この世界と向かい合ってください。

ぜひ、皆さんの言葉と想像力の、新しい使い方を見せてほしいし、驚かせてほしいと思います。僕は、皆さんが、研ぎ澄ました言葉を操り、逞（たくま）しい想像力を発揮するための、砥石（といし）になりたい。皆さんの中から、ノーベル文学賞を受けるような、大作家が出ることを信じています。

【注】

※1　清水徹『マラルメの〈書物〉』水声社、二〇一一年、五九ページ。引用文はマラルメ「文芸のなかにある神秘」を清水氏が訳したもの。

※2　同前、五八ページ。引用文はマラルメ「限定された行動」を清水氏が訳したもの。

※3　同前、五一ページ。

※4　同前、五九ページ。

※5　同前、一三ページ。引用文は一八九一年に『エコー・ド・パリ』紙のインタビューにおけるマラルメの発言とされる。

※6　ガストン・バシュラール『空と夢——運動の想像力にかんする試論』宇佐美英治訳、法政大学出版局、二〇一六年新装版、一ページ。

※7　「千夜一夜物語」、『フリー百科事典　ウィキペディア日本語版』二〇一九年六月二十五日（火）二時四〇分現在 UTC、URL: https://ja.wikipedia.org/wiki/%E5%8D%83%E5%A4%9C%E4%B8%80%E5%A4%9C%E7%89%A9%E8%AA%9E

II　読書について

『三国志』にみる読書の効用

「眼が潰(つぶ)れるほど、本が読みたい」——これはずいぶん前に、ある文庫のキャッチコピーとして、新聞に掲載されたと記憶しています。第二次大戦に従軍した若い兵士が、戦争が終わって母国に生還した。そのとき、やりたいことは何かを考え、本が読みたいと思った。戦場では思うような本もなく、読書の時間も取れなかったでしょう。読書に対する飢えや渇きが伝わってくる言葉です。

一方、近年、若者の読書離れが指摘されています。「大学生の半数が一日の読書時間ゼロ分」という調査結果もあります。ある新聞には、現役の大学生が、積極的な読書不要論を投稿し、話題になったようです。

しかし、読書は、人を成長させる大きな力を持っています。読書の効用を知るために二人の人物を紹介したいと思います。一人は中国の呂蒙(りょもう)。こちらは二～三世紀の人です。もう一人はアメリカのエリック・ホッファー。二十世紀の人です。

呂蒙は、『三国志』に登場する人物です。戦に勝つためには、腕力だけでなく、知力も必要です。気象や地勢に通じ、人間を洞察しなければ、いい戦略は立てられない。『三国志』を読むと、戦場を駆ける英雄たちが、武芸にすぐれているばかりか、なかなか教養もあったことが窺えます。たとえば曹操は、息子の曹丕、曹植とともに、「建安文学」と称される中国文学の画期を築いた文学者でもありました。彼の配下には、「建安七子」という孔融らを代表とした文学者グループがあって、さまざまな政策の提言を行った。その一つが「修学令」です。〈官渡の戦い〉を終えて、宿敵の袁氏を滅ぼした曹操は、このような布令を出した。

「動乱以来十五年間、若者たちは仁義礼譲の気風に接していない。わしはそれをはなはだいたましく思う。よって郡国に命じてそれぞれ学問を修めしめよ。五百戸以上の県には校官（学官？）を置き、その郷（県の下の行政単位）の俊才を選抜して教育を施せ。願わくは先王（過去の聖王）の道がすたれずに、天下に利益のあらんことを」※1

曹操は、天下取りの戦いのさなかにあって、青年の教育を重んじた。このあたりに、彼の率いる魏が、三国のうちで最も充実していた秘訣があるのかもしれません。曹操は、自身も学問に通じ、『孫氏兵法』を注釈したのは、よく知られているところです。

ただ、学問によって成長したといえば、その代表は呉の呂蒙でしょう。※2 中国には、彼の名を借りた諺があります。「呉下の阿蒙」――これは「呉の蒙くん」という意味で、成長のない人物を指すのですが、実際の呂蒙は違いました。呂蒙は少年の頃に孫策の配下だった義兄・鄧当の世話になりました。鄧当が戦に出ると、密かにあとをついて、帰れと言われても聞かなかった。それを知った母親が叱ったところ、「いつまでも貧しい暮らしをするのは嫌です。戦で手柄を立てて出世がしたいのです。多少の危険は仕方がありません」。

これを伝え聞いた鄧当に従っている役人は、「子どものくせに生意気な。どうせ、戦場で野ざらしになる運命だ」と笑ったそうです。彼は、呂蒙に出会ったとき、やはり口汚く少年を罵った。辱められるのは耐えられない。次の瞬間、刀が抜き放たれ、役人が倒れた。絶命した相手を見て、自分のしたことに驚いた呂蒙は、思わずそこから逃れたが、やがて自首しました。

この経緯を孫策が知って、呂蒙を呼びます。恐れる様子も、悪びれたところもない。しっかりした眼差しで、まっすぐにこちらを見返してくる。

「戦は、子どもの遊びではないぞ。命を落とすこともある」孫策が言うと、「命は惜しくありません」と呂蒙はこたえました。孫策は笑いました。そして側近に、呂蒙を使ってやれ、と促しました。何年かして鄧当が死にます。呂蒙は、そのあとを継ぎました。やがて孫策も死にます。呉は孫権に代替わりしました。

「いま何を読んでいるか？」

呂蒙は、孫権のもとで従軍を重ね、昇進していきます。典型的な、武闘派の猛将でした。そんな呂蒙が、ある出来事をきっかけに、大きな変貌を遂げるのです――。

諸葛亮の好敵手だった呉の名軍師・周瑜が死にます。後継者は魯粛と決まりました。荊州における関羽の駐屯地と境界を接した、重要な軍事拠点の陸口へ赴任するとき、呂蒙の陣営にさしかかった。彼を単純な猛将と軽んじていた魯粛は、そのまま通り過ぎようとしたが、挨拶したほうがいい、という側近の進言で、仕方なく陣営の門をくぐります。何度か杯を挙げた頃、呂蒙が言いました。

「関羽には、どのように対応するおつもりですか？　呉と蜀は同盟を結んではいますが、奴は、こちらの隙を狙っていますよ。しかもなかなかの策謀家です。しっかり方策を立てておかないと、取り返しのつかないことになります」

立て続けに五つの計略を示します。魯粛は感心して聞いていたが、やがて杯を置いて、ほうっと息をつき、「私はあなたを見損なっていたようだ。子明（呂蒙）殿がこれほどの戦略家だとは。呉下の阿蒙ではないな」。

呂蒙は、魯粛の杯に酒を注ぎながら、『十八史略』を引いて言いました。

「『士別れて三日ならば、当に刮目して相待つべし』（士は、三日会わないでいたら、どれほど成長するかもしれないから、新しい眼で見なければならない）」

実は、呂蒙が変貌したのには、こんなわけがありました。

ある日、呂蒙と蔣欽は孫権に呼ばれます。さまざまな懸案を処理して、ふと孫権が訊きました。

「二将軍、いま何を読んでいるかな？」

二人は答えに詰まった。すると孫権は笑いながら、

「あなたがたは、人を導く立場にある。それには学問が必要ではないか？」

蔣欽が黙っているので、呂蒙がこたえました。

「軍務が忙しくて、書物をひもとくような時間がございません」

「忙しいといっても、私ほどではないだろう」

あいかわらず孫権は笑っています。

「はあ」と呂蒙は頷くしかありません。

「何も博士になれ、というのではない。人を導くために、戦に勝つために、必要なことを学んでほ

しいだけだ。私は、兄から国を引き継いでからも、『史記』や『漢書』、さまざまな兵法書を読んでいる。これは王として国を治めていくうえで、とても参考になった。あなたがたは、学問をすれば、きっといまよりも大きくなれる。まずは、『孫子』『六韜（りくとう）』などの兵法書から、『左伝』『国語』、それから歴史書を読むといい」

王命には従わなければなりません。それからの呂蒙は、人が違ったようになりました。少しでも時間があれば書物を読む。戦場で発散するエネルギーを学問にも注ぎ込んだのです。いつか彼は、眼の前の敵を倒すことしか考えない猛将から、知力を備えた名将に変貌していました。

孫権の呂蒙評が残っています。

「若い時代には、どんな困難をも厭（いと）わぬ、果敢で大胆な人物にすぎぬと思っていたのだが、立派な大人になってから、学問によってみずからの視野を広げ、とびぬけて優れた企図計略を立てるなど、公瑾（こうきん）（周瑜）に次ぐ人物だと評価できよう。（中略）積極的に関羽を捕えようと計った点では、子敬（しけい）（魯粛）に勝るものであった」

呂蒙を成長させた学問とは、おもに読書のことです。

放浪する思想家・ホッファー

近代人の典型的な生き方は、学校で学んで、会社で働くことです。しかし、近年になって学び方と働き方には選択肢が増えてきました。その気になれば、学校や会社という組織に属さないで、学び、働くこともできる。エリック・ホッファーは、そういう生き方の先駆的な存在だったのかもしれません。

ホッファーは、一九〇二年にニューヨークで生まれました。幼い頃、母が彼を抱いて階段から転落。それがもとで母は亡くなり、彼は失明する。しばらくは記憶もなく、父は彼の知能が低いと思い込んでいたそうです。十五歳のとき、突然、視力が回復。またいつか盲目になると考えて、三年のあいだ読書に没頭しました。

やがて父も亡くなる。家族を失って独りになった彼は、生活のためにカリフォルニアへ渡ります。市立図書館のそばに安いアパートを借り、やはり読書に耽（ふけ）りました。手持ちの金がなくなると、さまざまな職を転々とする。味気ない仕事を続けるのが嫌になって自死を試みましたが、結局、生きることを選び取り、放浪者になりました。

三十二歳のとき、季節労働者のキャンプに滞在し、ここでの生活が思索者・ホッファーの原体験となりました。彼はキャンプにいる人々の大半が「社会的不適応者（ミスフィット）」であることを発見します。

「社会的不適応者」とは、社会の最底辺でうごめく、生きるだけで精いっぱいの存在です。ホッファーはみずからもその範疇に属する彼らを観察し、「不適応者」こそは、いまとは異なる新しい世界を拓くための、別の選択肢であるという確信を得る。

彼は独学で学び続け、大学の研究所に誘われるほどの能力を身につけますが、放浪生活をやめない。一九四一年の真珠湾攻撃のとき、国のために役立ちたいと赴いたサンフランシスコで港湾労働者となりました。ホッファーは、やがて四十歳を迎えようとしていました。

『波止場日記――労働と思索』※3（以下、『日記』）は、ホッファーが思索者兼港湾労働者として暮らした頃の日記。彼は四十歳から六十五歳まで港湾労働者でした。これは一九五八年から五九年にかけての一年間の記録です。

「十二月六日（注・一九五八年）
第三十七埠頭、グレース・ライン船、八時間半（注・八時間半の港湾労働をしたということ）。ペルーからの鮭の缶詰の荷降し。忙しい一日だったが、きつくはなかった。終日鉛筆には手をふれなかった。

今年はもう働くのをやめてもいいのだが、何となくそうしたくない。もう一週間、十五日まで働いて、あとは気楽にやるつもりである」

「一月三十日（注・一九五九年）

トルシュタイン号にて八時間。ここの仕事終る。

戻ると、『ニューヨーク・タイムズ』から兄弟愛についての論文の原稿料として三百ドルの小切手が届いていた」

「二月二十六日

休みのときにはほとんど何も書く気がしない。休息するだけなのである。十分すぎるほど長く休めば最後には書く気になるかもしれない。しかし、これまではすべて仕事から仕事へ駆け回っているあいだに著作をしてきた」

「三月二十日

午後六時三十分。五時間半かかってバンガイ号を完了。部屋に戻ると眠くてたまらないので寝てしまった。一眠りし、風呂にも入り、今テーブルに向って過去数日間浮んできそうになっていた考えの筋をとり出したくてうずうずしている」

「四月十日

本部へ行ったが派遣されなかった。昼寝をして、それから図書館に行くことにしよう」

「五月八日

第四十一埠頭、Ｗ・Ｌ・ルンドグリーン号、七時間。昨夜はほとんど眠らなかった。夜半すぎまでハミルトンの本を読んでいて、そのあと眠れなかった。さいわいなことに今日の仕事は楽だった。現在（六時半）やっとのことで目を開けている状態」

ホッファーは、港湾労働者として働きながら思索を深め、一九五一年には初の著作『大衆運動』を出版し、バートランド・ラッセルなどから高い評価を受けます。その後も精力的に著述を続け、十数冊の著作をしるしました。大学で教えてもいます。

しかし、『日記』でわかるように彼は安楽な知識人としての生活を拒み、港湾労働者としての生活を手放さない。ここがホッファーの思想家としての肝（きも）といえます。

読書は創造的な営み

ホッファーは、知＝言葉を持っている。しかし、彼は知＝言葉の側にはいない。彼がいる場所は、「不適応者」の側です。「不適応者」を、原・人間とでもいってみましょうか。彼の言葉は不適応者＝原・人間の生活の最深部にある、生の根源ともいえる何かをくぐり抜けて、手応えと重みを獲得している。

ホッファーの言葉に観念の上滑りはありません。彼の観念からは血が流れる。彼が紡ぎ出すのは、根源の生活に根差した思想・哲学なのです。多分、だからホッファーの言葉にはアカデミズムには回収しきれない何かが孕まれています。それが彼の魅力でもある。

『安息日の前に』[※4]は、港湾労働者を引退したあとの暮らしをしるした日記です。一九七四年から翌年にかけての七カ月の記録ですが、ホッファーの晩年を窺うことができます。彼は七十歳を超えて、自分はまだ思索者として価値のある生き方ができるのかをみずからに問い、この日記を「砂金採りの洗鉱桶」になぞらえ、「洞察の断片」を掬い上げようとします。

老境に入ってなお、知性を冴えわたらせて、社会を見据え、人間に眼を凝らし、歴史に思いを馳せ、国際情勢や政治を論じる彼の取り組みは、読む者に強い感銘を与えます。この一節。

「一月二十六日（注・一九七五年）

退屈や不振に陥ってはならない。考え、学び、書きつづけなければならない。許されるのは、テンポを緩めることだけだ」

あるいは、七十二歳のときのインタビューに応えた言葉。

「有意義な人生とは学習する人生のことです[※5]」

呂蒙とホッファーは二千年近い歳月を隔てていますが、どちらも人を成長させる読書の力を示しています。

石川淳がエッセー[※6]で書いているのですが、かつて中国の文人・黄山谷（こうさんこく）が、士大夫（したいふ）（知識階級）は三日読書をしないと、顔が醜（みにく）くなり、言葉にも味わいがなくなるといっているそうです。彼らにとって読書は、一種の美容術でもあり、文章とは酒や山水で服するものだったという。黄山谷は北宋時代の人だから、時代のせいもあるのかもしれませんが、何とも優雅な話で、大陸の文人たちの余裕を感じさせます。

小さな島の日本になると、少し事情が違ってきます。こちらは大いに時代が関係しているでしょう。幕末から維新に活躍した福沢諭吉[※7]は、若い頃にどっさり読書をした。たいていが洋書で、先進的な文明を誇っていた西洋の知識を得るためでした。彼の読書の姿勢はすさまじいものです。終日、辞書を片手に洋書を「読み砕く」。深夜になって眠くなれば、その場で横になり、空が明るくなると、また書物に向かう。だから家には枕がなかった。西洋の学問を身につけなければ、国としてサバイバルできない、という危機感がもたらした、武器としての読書ともいえます。

これはどちらが正しいというのではない。読書の効用の幅広さと受け止めたいと思います。読書は、ただ受容するだけの消極的な行為ではありません。もっと創造的な営みです。実は、書かれたテキストは完成品ではないのです。たとえて言うなら、それは楽譜であり、読み手は演奏家です。テキストを手掛かりにして、読み手の心の中に奏(かな)でられるもの——それが完成した〝本〟です。だから読み手が百人いれば、一つのテキストが百通りの〝本〟となります。読み方に正誤はありません。ただし、巧拙(こうせつ)はあります。

悪書を避け、良書を読むために

さて、読書論の古典といえば、ショーペンハウアーの『読書について』[※8]でしょう。彼はこの著作で、おもに読書の心構えを説いています。いわく、「本を読む場合、もっとも大切なのは、読まずにすますコツだ」。

おやおや、読書の勧めではないのか、と読者は混乱するかもしれません。いや、哲学者だから、ちょっとひねって、逆説的な言い方をしているのか。違う。しごくまっとうな意見なのです。

彼は続けて言います。「良書を読むための条件は、悪書を読まないことだ。なにしろ人生は短く、時間とエネルギーには限りがあるのだから」。また、ドイツの文学者シュレーゲルの「古人の書いたものを熱心に読みなさい。まことの大家を」という言葉を紹介しています。

つまり、だらだらとくだらない本を多読するのではなく、選りすぐりの、読むべき本を読め、と述べているのです。「重要な本はどれもみな、続けて二度読むべきだ」。そして、読んだら、きちんと内容を消化して、反芻（はんすう）し、自分でもじっくり考えないと、血肉にはならない。

良書を選んで熟読玩味（がんみ）し、著者の考えを触媒（しょくばい）にして、自分の考えを発展させてこそ、本当の意味で読書をしたと言えるのです。読書は他者との対話なのです。これは、すぐれた読み方と言えます。

もう一つ読書論の古典を紹介しましょう。M・J・アドラー、C・V・ドーレンの『本を読む本』[※9]です。『読書について』が、正しい意味での読書論とするなら、こちらは読書術と言えます。おもに読むための技術を説いています。

この本が参考になるのは、悪書を読まないためのやり方が示してあることです。著者らは、読書のレベルを四種に定めていますが、ここでは便宜的に二種のレベルに触れます。一つは「点検読書」であり、次に「分析読書」です。

現在、日本では年間に八万点近くの本が刊行されているそうです。どれほどの読書家でも、すべてを読むのは難しい。ショーペンハウアーの勧めるように、古典を選ぶのも有力なやり方ですが、新刊本にも良書が含まれていることがあります。それを検知し、なおかつ悪書を読まないために「点検読書」は役立ちます。

「点検読書」とは、一言でいえば下読みのことです。①表題や序文を見ること。②本の構造を知るために目次を調べる。③索引を調べる。④カバーに書いてあるうたい文句を読む。⑤その本の議論のかなめと思われるいくつかの章をよく見ること。⑥ところどころ拾い読みしてみる。

「探偵になったつもりで、その本の大きなテーマや意図を見いだす手がかりを探し求め、あらゆるヒントに注意をはらうのだ」

この作業によって、読むに値（あたい）すると判断した本は、「分析読書」の対象とします。これは、理解するための読み方で、一言でいえば精読のことです。著者の伝えたいことを読み取って、その当否を吟味し、批評し、評価を下すのです。

僕の好きな作家のひとりに永井荷風がいます。彼は小説作法について、こんなことを言っています。

読書思索観察の三事は小説かくものの寸毫も怠りてはならぬものなり。読書と思索とは剣術使の毎日道場にて竹刀を持つが如く、観察は武者修行に出でて他流試合をなすが如し。（中略）己が才をたのみて実地の観察一点張にて行くものはその人非凡の天才ならぬ限り大抵は行きづまつてしまふものなり。[※10]

小説家でなくとも、読書は必要です。読書は、愉しみながら、生きるための力を養う作業です。

※「Ⅱ　読書について」は拙著『三国志に学ぶリーダー学』（潮出版社、二〇〇八年）とウェブ連載「本の楽園」第一回・第四回（WEB第三文明　https://www.d3b.jp/tag/rakuen）の内容に加筆・編集したものです。

【注】

※1 陳寿『正史 三国志1 魏書Ⅰ』裴松之注、今鷹真・井波律子訳、ちくま学芸文庫、一九九二年、五四～五五ページ。

※2 以下、呂蒙のエピソードは陳寿『正史 三国志7 呉書Ⅱ』裴松之注、小南一郎訳、ちくま学芸文庫、一九九三年、八六～一〇七ページから。

※3 エリック・ホッファー『波止場日記――労働と思索』田中淳訳、みすず書房、二〇一四年、一一三・一四八・一六八～一六九・一八五・二〇二～二〇三・二二二～二二三ページ。

※4 エリック・ホッファー『安息日の前に』中本義彦訳、作品社、二〇〇四年、七五～七六ページ。

※5 エリック・ホッファー『エリック・ホッファー自伝――構想された真実』中本義彦訳、二〇〇二年、一六七ページ。

※6 石川淳『夷斎筆談・夷斎俚言』ちくま学芸文庫、一九九八年、一一ページ。

※7 福沢諭吉『新訂 福翁自伝』富田正文校訂、岩波文庫、一九七八年。

※8 ショーペンハウアー『読書について』鈴木芳子訳、光文社古典新訳文庫、二〇一三年、一四六ページ。

※9 M・J・アドラー、C・V・ドーレン『本を読む本』外山滋比古・槇未知子訳、講談社学術文庫、一九九七年、四〇～四四ページ。

※10 永井荷風『荷風随筆集（下）』野口冨士男編、岩波文庫、一九八六年、一八七ページ。

作家

村田 喜代子

インタビュー

「小説」の時空をめぐる語らい
――現実と虚構のパラレルワールド

聴き手 村上政彦
司 会 寒河江光徳

寒河江　私は専(もっぱ)らナボコフを専門としておりますが、村田喜代子さんとナボコフの共通点は、共に教育の現場に立ちながら、作品を書いていらっしゃるということです。もう一つ共通点を挙げるならば、ご自身の代表作が著名な映画監督によって映画化されている。原作と映画への翻案（アダプテーション）、原作者と翻案者との解釈の溝という点で、ナボコフと村田さんの作品及び映画を比較することは興味深いです。ナボコフは『ロリータ』[※1]を製作したスタンリー・キューブリックと仲違いしておりますが、村田さんは原作『鍋の中』[※2]が『八月の狂詩曲（ラプソディー）』[※3]に翻案されるに当たって、原作の意図が歪(ゆが)められたことに異論を唱えつつ、ラストの場面で黒澤明監督を許されておられますよね。[※4]

村田　あのラストシーンについては、『野薔薇(のばら)』の音楽が流れるところといい、本当に素晴らしかったです。

寒河江　まず代表作であり芥川賞受賞作でもある『鍋の中』についてお話を伺いたいのですが、私はあの作品は、メタフィクション的な作品だと解釈しており、以前そのことを告げた際に村田さんに笑われてしまいました。その理由は、おばあさんの認知症が現実と虚構を混ざり合わせるのに実に有効な働きを果たしていること、さらに、一つ一つの素材を鍋に入れてグツグツ煮込むシーンを読むと、現実の生きた素材が煮込まれてフィクションがあれよあれよという間に調理されていくような不思議な感覚を覚えるからです。一昨年に書かれた『エリザベスの友達』[※5]でも老人の認知症を利用して虚構と現実を織り交ぜていく。老人ホームにいらっしゃる認知症の方々の口から出てくる言葉によって、絶妙に現実と嘘を混ぜ合わせるフィクションが形成されていきますね。

村田　そのように読んでいただけると嬉しいです。

寒河江　ナボコフは『文学講義』（ここでは『ナボコフのロシア文学講義』と『ナボコフの文学講義』のこと）[※6]の中で、カフカとゴーゴリの世界を五、六次元の世界だと評価しております。ユークリッド幾何学を否定したロシアの数学者ロバチェフスキーの話がそこでも取り上げられております。

村田　そう。ロバチェフスキー。私にとってはお婆さんがその役割なんですが、最近、島田雅彦氏が書いた「スノードロップ」[※7]ですと、どうやら現皇后の雅子妃にその役を演じさせているようです。それから以前の作だけど津原泰水の「五色の舟」[※8]も素晴らしい作品です。見世物一座を生業とする、血のつながらない五人の奇妙な「家族」の物語で、戦争が激しくなる中、お互いの幸せを思い合いながら家族が一緒にいることが難しくなっていく。傍目（はため）に見える成功と本当の幸せは別。もう一つの平行世界のように、現実と心の中がパラレルになるという物語の中で、生まれつき両腕がなく、耳が聞こえない子ども役に現実と虚構の橋渡し役をやらせています。こういう小説には、現実と虚構を行き来する存在が必要なんです。異次元への橋渡し的存在が。物理学では世界は十次元か十一次元くらい存在するといわれているようです。こうなると現実というものの定義もまた変わってくるのでしょうが。

寒河江　それともう一つ気になることがあります。それは村田さんの作品はいつからかリアリズムに転じたなどと言われていますが、リアリズムと言われて嬉しい作家なんてこの世にいるのかなと……。ナボコフの話ばかり引き合いに出して申し訳ないんですが、彼は、もし虚構が現実を再現しているだけならば、小説のほうが負けになる。そんな小説を書くのは二流、三流の仕事である。虚構に現実味がないと批判することも、虚構に対しても真実に対しても失礼な話であると強調しています（「良き読者と良き作家」『ナボコフの文学講義』序文）[※9]。

村田　たしかに。私も自分の作品をリアリズムだと思ったことは一度もありません。一九九八年に書いた李朝初期の叙事詩『龍秘御天歌』をアレンジした小説[※10]などを書き始めたとき、リアリズムに転じたと言われたようです。ただ、フィクションの中からリアリティを求めているのが通常の作品だとしたら、私の場合はその逆で、リアリティからフィクションを求めているんです。その点でもこれから作品を書くときの新しい異次元との仲介者を、どんな存在にしようか考えているところです。『エリザベスの友達』を書いた後で原武史さんと『新潮』で対談しましたが[※11]、私自身の問題としては、大西巨人の存在は非常に意味がありました。『神聖喜劇』[※12]の中に描かれる主人公の藤堂太郎。この小説は多次元を主人公の藤堂という一次元に収斂するダイナミズムに見事さを感じます。

埴谷雄高は『神聖喜劇』についてこう述べています。「彼の文章は、もし目的地まで百歩の距離があるとすると、ただにそのすべての一歩一歩を熟視して踏みしめゆくばかりでなく、その一歩と一歩のあいだにあるところのまことに微細な、他のものなら決して見おろさぬ、長さも幅も僅か数ミリといった一種『隠れひそんでいる』小さな事物までも、まるごと見逃さぬほどの『探索的』で、また、『徹底的』に『論理的』である。つまり、この世の事象も人物も、いってみれば、強烈なサーチライトの光で照らされた上、レントゲンで透視されてしまうといった『全剿滅的』解明をうけることになるのである[※13]」

寒河江　ところで、村田先生が授業で使われている文章スケッチを私の授業でも取り入れさせていただいております。八王子に都立小宮公園という自然豊かな森林地帯がありまして、そこに入ってスケッチするというものです。

村田　私が授業で使っているいくつかのバリエーションのひとつです。もうひとつは山下清の日記を使います。文法はだいぶおかしいんですが、ものを書くときの視点はすごいんです。文章に最重要なものは何かという問題を考えるヒントになります。もうひとつはルナールの『博物誌※14』です。これは岸田国士はじめ数人の翻訳家の文章を、原文と読み比べながら味わうのです。

世の中を知りたいという欲求

寒河江　ここで同じく作家の村上政彦さんに登場していただき、お二人で話を進めていただきます。

村上　村田さんとお付き合いして面白いと思うのは、年を経れば経るほど文学的感性が豊かになる。いろんなものを面白がる好奇心。普通は子どもがたくさん持ってて大人になるにつれて衰えるんですが、年を経るほど関心の幅が広がる。

村田　今は小説を書くのが楽しい年代でしょうか。何十年も前に小説を書き始めた頃と今は違う。机の上が広がっている。絵画。絵の世界の広がり。詩の世界。漢詩の世界のイメージも好きです。生物学、史学（ことに近現代史）にもいつも目を光らせている。昔は机の周りが静かだったと思います。国語辞典がせいぜいあった程度。志賀直哉と三島由紀夫とか数冊の本くらいでした。今は文学だけでなくいろんな本が陣取っている。いろんな世界の本が私の机の上を陣取っています。昔は、時空を超えるのが不自由だったのに、楽々に超えられる時代になった。映画監督であれば、舞台装置から撮影を考えるはずです。舞台装置から考えるとそこに絵画の世界が入ったり、そこから人間、登場人物を考えたりする。それこそが多次元世界と言えるのではないかと思います。時空を超える。それが今はいくらでも超えられる。私は芥川賞をもらって三十年経ちますが、今が一番面白いです。今が一番自由なんです。

以前は持ち物といえば手と足だけだったけど、今は羽根もあります。体が軽くなって楽しい。七十過ぎると小説を書いている人が周囲から少なくなってくる。同世代の芥川賞受賞者でも残っている方はわずかです。私は、今、高齢者で、そして羽根が生えている。自由を得るために一番大事なものは現実の経験でしょうか。空想力、想像力というものは、リアリティの地面を蹴って、それで異空間に跳ね上がるものだと思います。蹴るものがない所からは撥ねあがれない。水鳥が水の上をタタタタッと走りますね。そこからパアーッと飛び上がる。水面の水の抵抗が現実からの飛翔の跳躍台になる。

若い大学生と話していると、彼らは当然そこが弱いです。拠り所となる現実世界の体験が少ない。事実を書く書かないが問題ではないんですね。一冊の本を読むにも、経験のあるなしで理解力は変わります。リアリティの大地を蹴る。その足元が弱かったり狭かったりすると飛翔力が落ちる。

村上　村田さんの場合、文学だけでなく、物理学や数学にまで好奇心が向いて行く。それって一体なんだろうと思います。

村田　好奇心をどうやって生み出せばいいのか。その答えを出すことは簡単ではないでしょう。笑えない人に笑えとは言えない。好奇心がなくては面白がれない。いえ、好奇心ではなくて、知りたがり、知識欲みたいなものじゃないかと思います。世の中をもっと知りたい。私のひとつ年上の友達の装丁家が、あるとき言ってました。「私、こないだまた一つ歳をとったんだけど、あれも勉強したい、これも勉強したい。いろんな本が読みたいの」って。これは単なる好奇心ではなく、世の中の姿が知りたいのですね。そういう本質的な欲求があるんだと私は思いました。だから私は友達になれるんだと。それがなくなってしまったら小説書きはできない。小説を書く者は外に行くより家の中にいる人のほうが多いかもしれません。私は雨の日のほうが好きだった。好奇心というと外へ活発に出て行く印象があるけれど、じつは考えることへの欲求でもあります。

朝のニュースで香港が大騒動になっていると報じられていました。イギリスの植民地時代と今とでは意識が違います。今は、ネットがある。アマゾンで本をいくらでも買える。香港の人々は現代の世界を知っている。かく言う私は中東にはまっています。ペルシャ文学者の岡田恵美子さんが書いた『言葉の国イランと私——世界一お喋り（しゃべ）り上手な人たち』[※15]は素晴らしかった。その書評を書きました。岡田さんは現在八十代半ばでいらっしゃるけど、二十代で中学校の教師をしていたとき偶然に東京でペルシャ展を見て、不思議なペルシャ文字の形に眼を奪われたのですね。イランという国の文字です。それを勉強したいと強く思ったと記しています。

しかしアメリカにさえまだあまり行く人がない時代に、イランへなど行くすべがない。この言語を学ぶために留学するにはどうしたらいいか。彼女はパーレビ国王に手紙を書いて、「あなたの国の言葉を勉強したいので、留学させてください」とお願いした。するとやがて渡航費と奨学金が用意されて、何とペルシャに行けるようになりました。この意志こそ学問の源泉ですね。すると父親が、「君はイランに行くんだったら、今の職場を失うことになる。帰国後はさらに就職が難しくなるだろう。それでもいいのか」と聞いた。「それでもいいのです」と彼女は答えます。「そうか、それならば行きなさい。学問というのはもともと何かの役に立つというものではない。君がそう思うなら行くがいい」。この父親の言葉は学問の神髄を言い得ていますね。

彼女はそうしてかの国へ旅立ちました。やがて彼女はテヘラン大学で学んで帰国すると、折から東京外大で新設されるペルシャ語科の教授になりました。今から半世紀前の女性の快挙です。知識欲といい、好奇心といい、文字に書くと堅いですが、新しい世界への扉が開いていくものだと感心します。

それからもう一つ、感銘を受けたことがあります。イスラム教の神秘主義は難解で有名です。その中に鳥が神に会いに行く寓話(ぐうわ)があるそうです。これは美しく荘重な詩の言葉で書かれていて、マントを着た教授が朗唱するのだそうです。あるとき鳥たちが「神様」を探そうということに話が決まり、高い山のてっぺんを目指して登って行きます。けれど山は険しくて次々と鳥たちは落伍(らくご)していく。最後にわずかな鳥たちがやっと頂上に着くと、そこに「神様」の姿はなく、ただ朝日が燦々(さんさん)

と輝いていた。そうか、神はわが身の内にあるのだ、と鳥たちは歓喜のうちに悟ります。

私もそのくだりを素晴らしいと思いました。私は日本人で、仏教さえも深く知ることはありませんが、しかし山の上り道はそれぞれ違うけれど、最後に登っていくと具体的な姿形を脱した大きな存在に行き着くという話にはうなずくことができました。また、東アジアの仏教文化圏には、これも鳥たちが成道を語る「鳥の仏教」という訓(おし)えがあって、異なる宗教の内に相似するものがあることに驚きました。そのように感じたことを書評に記すと、岡田さんに大層喜ばれて、以後の交流が始まりました。そうして私はペルシャ文学や宗教にも興味を覚え始めました。それから現在の中東情勢なども調べるようになった。一つのことを知ることで世界が広がるのを感じます。

小説における風土の役割

村上　ここからは村田さんご自身の小説に即して、どう小説を書いておられるかについて伺いたい。村田さんの作品は、風土が重要なテーマになっています。フォークナーは、アメリカ南部の架空の土地を舞台にして、『ヨクナパトーファ　サーガ』を書きました。大江健三郎は、四国の山の森の中を舞台にした小説、中上健次は紀州の「路地」と自らが名づけた被差別部落を舞台にした小説を書きました。現在、莫言（ばくげん）や閻連科（えんれんか）も中国内陸部の自分が育った田舎町を舞台にして、その土地や風土がないと書けない小説を書いている。村田さんの作品は九州を舞台にしていますが、そこが世界の中心になっていますね。村田さんにとって小説を書く上で風土の役割って何ですか。

村田　それはすごく嬉しい質問です。最初にお話ししたように、生まれ育った土地は世界認識の最初の出発点です。小説の世界に向かうための足場ですね。それはこの土地、私にとって慣れ親しんだ土地は九州しかない。そして自分がすぐ手に取れる現実がある。数字の１、２、３、４の無限数の出発点です。ここを軸にして比較、類推、創造の羽根が開きます。例えば、私は九州生まれだから北陸の小説は書けないかというと、九州を知っているからこそ書けるとも言えます。例えば姥捨て（うばすて）の小説『蕨野行（わらびのこう）』[※16]の取材で東北に行ったとき、九州の山との違い、つまり自然の植生の違い、人間の暮らしの違いが、それがもう驚くほど迫ってきました。異なるから知りたくなる。異なるから鮮やかな驚きになる。生まれ故郷の風土を知ってこそ、他国の風土も眼に沁（し）みるのです。そこから小説のフィクションへの飛翔は大仕事だけど、やりがいがある。

村上　それが小説のベースになるってことですね。

村田　ええ。北九州の八幡は玄界灘に臨む洞海湾沿いの街ですが、海は視界から隔てられています。なぜならば、街と湾の間に八幡製鉄所の広大な工業地区があるからです。ところが今度書き上げた『飛族』※17という小説は、九州の五島の海が舞台です。国境離島が点在する長崎の海です。そこを長距離飛行する渡り鳥が書きたくて始めたのです。最初に自然界の鳥への憧れがあって、鳥と海に密接な関係があることを知り、海のことを調べ始めた。海といえば島で、島といえば老人で、そこから年取った海女の姿が浮かんできた。

私は日本でも有数の工業地帯を故郷にしました。もっとも自然から遠い場所に育ったことが、山や鳥や海への感受性を強めたと思います。私は結婚して八幡の山手の町に住むまで、夏に出る蚊という厄介な虫をまったく知りませんでした。映画などに出る蚊取り線香の昔ながらの豚の容れ物、ご存じですか。あれを何だろう、何だろうと首を傾げて育ってきたのです。

それで海や島を書くために調べ始めると、わくわくするほど海が不思議に満ちて迫ってきた。私は閉所恐怖症で海の中のあの圧迫感というか、閉塞感、密閉感がとても怖く、一方で魅力的なのです。閉所恐怖は肺呼吸に関係があるんじゃないかと言われたことがありますが、不思議に満ちて恐ろしい。苦手な分だけ潜水のこと、水圧のことなど、なまなましく想像できるのです。それで年取った海女とその娘を登場人物にして書いていきました。

村上　海女さんには取材したんですか？

村田　海女さん本人には取材しません。なまじ教えてもらうと、書きにくいのです。いいことばかり書くふうになりやすい。だから済州島（チェジュ）までも取材に行きましたが、個人的には尋ねません。昔の海女の本がいろいろあるんです。それに今の海女はウエットスーツを着ている。昔の海女と全然違う。昔の海女はあんなの着ないんです。あれは楽でいつでも海に入れる。冬も寒くないから長く入っていられる。それで乱獲につながることもあるんですよ。

村上　『飛族』の、海に潜ってアワビを獲（と）るのは調べた上での想像ですか。

村田　資料を読めばわかります。昔の海女たちの貴重な記録がある。森崎和江さんが聞き書きしたものなど素晴らしいです。あの方はお供はつけず、一人でてくてくと海辺を歩いて調べられる。美しい孤独の方です。私はおもにネットでいろいろ探って、そこから資料の世界の入り口を見つけました。

村上　まずはネットから入って書籍にたどり着いて、書籍を読んで情報をインプットをした上で、そこから想像力で広げていく。その順番ですね。

村田　ええ。本人は一度も潜りませんけどね、まざまざと面白い世界が広がる。椎名誠の本に参考資料として出ていた『クストー　海の百科』（全二十巻、平凡社）を古本で買ってきて、毎日毎日ベランダで日光干しをしながら読むんです。近所で有名になっちゃって。「本が下に落ちてますよ」って声がしたり。

水中に潜るとどれだけ過酷かを知らされました。五メートルも潜ると水圧で目玉が飛び出たりもする。だから耳抜きができないと潜れないのですね。風邪をひいて鼻が詰まってたりしたらもうだめですね。飛行機に乗ってるときに耳が塞（ふさ）がるのと同じ。

潜水で怖いのは潜水病ですが、海女さんたちは三十メートル潜る人がいる。それでも平気です。普通、スキューバダイビングの教室でも水深二十メートル以上は潜らせない。なぜ海女さんは潜れるかというと、錘（おもり）を付けて一気に潜水するからです。アワビを獲って上がってくるまで息を止めて、所要時間は三分ほど。潜水病になる暇がないんです。スキューバを付けて足ヒレ付ければ長時間、海底散歩ができる。それが危ないんですね。酸素ボンベの中の空気は圧縮されているんです。それを人間は吸うわけです。深く潜れば潜るほど水圧が高くなって圧縮度も増していく。だから二十メートルを超すと、長く潜るだけ危なくなる。海女さんはそれを難なく回避しているわけです。

酸素ボンベには窒素酔いの危険も付きまといます。私たちの吸う空気の八割は、実は窒素なんです。これには麻酔作用があって、二十五メートル以上潜水する辺りから強く作用し始めて、酒に酔ったような症状が出るんです。椎名誠がクストーの船に乗って潜ったときの話を書いています。そばにいたダイバーの一人が急に潜水具を外して、恍惚（こうこつ）として歌を歌うみたいな行動を始めるんですね。それからどんどん深い、行く手の真っ暗な方向に進んで行く。止めようとするけれど、そうなると自分も危なくなる。早く上へ上がらねばならない。それで為（な）すすべもなく見送るしかない、と。

村上　その人は死んじゃうんですね。

村田　そうです。窒素酔いや減圧症を防ぐためには、一分あたり九メートルというゆっくりした速度で上昇し、水深五メートルのところで三〜五分間停止して、体を慣らすことが推奨されているんです。窒素酔いがどんな気分のものか。調べてみると、とにかくすごい多幸感があるようです。酒酔いよりももっと強い。そこへいくと人間の体の機能だけで潜水する海女の仕事は自然で素朴です。

昨年、この『飛族』が第五十五回谷崎潤一郎賞に選ばれたとき、選考委員の選評で、「上には無窮の空が広がっている。空以上に海の描写が見事。アワビを求めて海底への潜水があり、凪（なぎ）の光景があり、嵐の海に沈んだ漁師たちの詠嘆がある。つまりこれは人事よりも天象の方に重きを置いたネイチャー・ライティング、日本にはまだ少ないこの分野での傑作である」[※18]と過分の評価をいただきましたが、自分の書く小説が年齢とともに人間関係の構図を脱して、小説の縛りを取り払っていくのを感じました。小説はどう書いてもよいのだという安堵（あんど）感。どう書いてもよいというのは、何でもよいというのでなく、逆に何をどう書くかの意識に関わります。つまり何かを意識的に選び取る。その選んだテーマが従来よく書かれたものとは違っていたということでしょうか。年を取って違った景色へ入り込みたくなったという感じかもしれません。

「飛ぶ」とはどういうことなのか？

村上　『飛族』は最初のアイデアはなんだったんですか？

村田　今だから堂々とお話しすることができますが、私の小説の発想はとんでもないことから生まれたりします。『飛族』の最初のひらめきは火山の爆発からの連想でした。九州は昔、阿蘇山の大爆発で二つの島が一つにくっついた。それで九州の縄文文化が灰の中に滅びてしまったんです。私はあるときそれをふと思ったことがあるんです。おかしな光景ですが、その爆発のとき、もしかしたら縄文人のどのくらいかの人たちは真っ赤な溶岩流に逃げ惑い、空へ飛んだんじゃないかと。

鳥の先祖は肉食恐竜と言われてますよね。だからティラノサウルスなんかも、後ろ足二本だけで歩いて、前脚はあんなに短い。あれは手ですよね。それがやがて羽根になった。生きものは生き延びるために身体の形を変えることがある。キリンは首が伸びた。兎は耳が伸びた。人間だって一大事のときは腕が羽根になってもいい。（笑い）

この馬鹿げた妄想にはタネがあって、地元で続けている社会人の文章教室で、内田百閒（ひゃっけん）の「坂の夢」[※19]という文章を生徒さんに読ませたことがあります。百閒みずからとおぼしき主人公が毎晩、小石川の音羽（おとわ）通りの坂道で飛ぶ練習をする。足を上げて地面すれすれに宙に浮いて飛ぶことができる。体の曲げ具合で舵（かじ）も取れるんです。原稿用紙半分くらいの本当に短い文章ですが、結末が見事です。毎晩、眠ってから何度でもこの練習をするので、十年ぐらい前からすると大分上手になった、と言って終わるんです。

何度読んでも文章の妙というか、ストンと終わらせます。私がしきりに褒めると、ある初老の女性が「いいえ先生、これは夢の話じゃなくて百閒自身の実話です」と熱をこめて言うのです。なぜそんなことがわかるかと聞くと、自分も飛ぶからです、と答えました。百閒の言うことはその通りだと。教室が騒然となったのは言うまでもありません。興味を覚えた私はその夜、彼女の家に電話をかけたのです。最初に電話に出たのは彼女の夫で、じつは彼も昔、大学で寮生活を送っているとき飛んでいたと言います。けれどあるとき途中で眼を覚まして、それが「明晰夢（めいせきむ）」であることに気づきました。明晰夢は夢の入り口と出口の記憶がはっきりしないので、本当に空を飛んでる気になるそうです。自分の妻はまだ気がついてないままだと、彼は言うのでした。

人間はなぜ飛ぶ夢を見るのでしょうか。以来、友人、知人に聞くうちに、空を飛ぶ夢を見る人が意外に多いことに気づきました。明晰夢までいかなくて、夢を見ていることを自覚している人もたくさんいました。知人の間では僧侶、ドイツ文学の学者、主婦、学生、中学校の教員、男女混ぜて取り取りの顔ぶれで、見る夢も成層圏まで行くものから、庭の木の梢（こずえ）に登るもの、一人乗りの小型飛行機に自分の首が付いているなど、様々です。「飛ぶ夢茶会」を催して話を聞きたいと思うほど面白い。そのうち、これを書いてみようかと思ったのです。この、人を食ったような話をそのまま書いて現実世界を揺さぶれないものかと考えて、実際のお寺の娘である女性を主人公に、書き始めました。

もちろん題名は『飛族』です。文藝春秋の『文學界』に出したのは言うまでもありません。一回目はまああの滑り出しで、二回目に早くも波間の岩に乗り上げました。それきり三回目が書けなくなった。編集者にこの小説を中断したいと切り出しますと、苦衷（くちゅう）を察して了解してくれました。ただ『飛族』のタイトルは引き継いで、別の小説を新たに書き継いでいくこと。なんだ、続行じゃないか、というわけです。

気がつけば次号の締め切りの日が迫っていた。タイトルの『飛族』という文字のイメージから必死の連想ゲームでした。先ほども申しました飛ぶといえば鳥。鳥といえば魚です。鳥と海と島をつなげて必死で三回目を書きました。まったく登場人物も土地も何もかも違う話です。おそるおそる次の月から辺りの様子を眺めながら書き続けました。幸い誰からも何も言われません。ホッとしていると、谷崎賞の式場で、ある人物から小声で囁（ささや）かれました。「最初のところのお寺の娘はいつ出てくるんだろうと、しばらく待っていました」

村上　『飛族』で、嵐に見舞われた漁師が、逃げ場がないから飛ぶというのはリアリティがありますね。生きたいという本能が絡んでいるから、イメージとして鮮明に残ります。それは飛ぶという明晰夢を見た人との出会いと文学的想像力がもたらしたんですね。

村田　必ずリアリティが大事ということ。人には会ったほうがいい。外国には行ったほうがいい。本は読んだほうがいい。勉強はいろいろしたほうがいい。文学の友達とだけ付き合ってもだめだと思います。

人物造形のポイントについて

村上　小説を書くときの、人物造形のポイントはなんですか。

村田　俳句みたいなものでしょうか。一粒の小さな小さな粟(あわ)の中に三千世界、仏教で言う宇宙全体がある。寺田寅彦の俳句に、「粟一粒秋三界を蔵しけり」とあります。粟の一つに三千世界が仕舞われている。一言で表現するんですね。全部描こうとするんじゃなくて、こう、身長が高いとか、髪の毛が硬いとか、ヒゲが生えていて、メガネをかけていて、とか。小説の人物描写をどうするか。

よく生徒さんにいうのは、説明するほど対象から遠ざかる。例えば新聞紙の中をビリビリ破いて穴をあけて、この穴を対象のどこに置くか？　描写されるのは破れから覗（のぞ）く部分で充分。

寒河江　フレーミング。ピクチャレスク。何かを切り取るということですね。

村田　書きすぎるのではなく、書き渋るほうがいい。私のリアリティはそれですね。

村上　書き渋るというのがポイントなんですね。モデルはあるんですか。

村田　どこか部分としてはありますね。娘さんのカーディガンの一番上のボタンだけが留めてある、なんて。慎（つつ）ましい彼女の感じが出ている。それを一人の人物にデフォルメします。何人分かを融合したりはしない。第一ボタンを留めている。そこだけ。男なら白いシャツに白いジャケットを着て、あごひげもわずかに白が混じる、それで充分。白ということが男の風貌プラス何かになる。この何かは説明ではない何かです。表現は抑制されるのがいい。

寒河江 「説明過剰はだめだ」とナボコフも言ってます。

村田 作家は凸レンズの大きいのを持っているといいです。新聞紙の上に置くとワッと文字が盛り上がってくる。水玉が載ったみたいです。凸レンズって下の絵でも何でも隆起させるでしょう。拡大率が高い凸レンズほど、リアリティから遠のいたりしますね。そんなときは書きすぎると異次元小説になる。描写は決して文章じゃなくて眼のありどころですね。眼が機能する。私は眼の人間でありたいと思います。

【注】

※1 スタンリー・キューブリック『ロリータ』、原作・脚本：ウラジーミル・ナボコフ、一九六二年。
※2 村田喜代子『鍋の中』文藝春秋、一九八七年。
※3 黒澤明『八月の狂詩曲（ラプソディー）』、一九九一年。
※4 村田喜代子「ラストで許そう、黒澤明」、『別冊文藝春秋』第一九六特別号、文藝春秋、一九九一年七月。
※5 村田喜代子『エリザベスの友達』新潮社、二〇一八年。
※6 順に、ウラジーミル・ナボコフ『ナボコフのロシア文学講義（上・下）』（小笠原豊樹訳、河出文庫、二〇一三年）、ウラジー

※7 ミル・ナボコフ『ナボコフの文学講義(上・下)』(野島秀勝訳、河出文庫、二〇一三年)。ロバチェフスキーへの言及については『ナボコフのロシア文学講義(上)』、一四五~一四六ページ。

※8 島田雅彦「スノードロップ」、『新潮』二〇一九年六月号、新潮社。

※9 津原泰水「五色の舟」、『11 eleven』河出書房新社、二〇一一年。

※10 前掲書、『ナボコフの文学講義(上)』、六一ページ。

※11 村田喜代子『龍秘御天歌』文藝春秋、一九九八年。

※12 村田喜代子・原武史「対談 エリザベスたちは消えない」、『新潮』二〇一九年六月号、新潮社。

※13 大西巨人『神聖喜劇(全五巻)』光文社、一九七八~一九八〇年。

※14 埴谷雄高「マラソンのゴール到達」、大西巨人『神聖喜劇』第一巻に収録、光文社文庫、二〇〇二年、五七二~五七三ページ。

※15 ジュール・ルナール『博物誌』岸田国士訳、新潮文庫、一九五四年。

※16 岡田恵美子『言葉の国イランと私──世界一お喋り上手な人たち』平凡社、二〇一九年。

※17 村田喜代子『蕨野行』文藝春秋、一九九四年。

※18 村田喜代子『飛族』文藝春秋、二〇一九年。

※19 池澤夏樹「選評」、『中央公論』二〇一九年十一月号、中央公論新社、二一六ページ。

内田百閒『百鬼園百物語』平凡社ライブラリー、二〇一三年、二五〇ページ。

執筆者略歴（掲載順）

大野久美（おおの・くみ）
創価大学文学部教授。大谷女子大学大学院文学研究科英語学英米文学専攻博士後期課程満期退学。博士（文学）。著書に『オニール劇の真髄』（大阪教育図書）など。

大林貴子（おおばやし・たかこ）
バレエ研究家。早稲田大学大学院文学研究科・日本学術振興会特別研究員DC（2020～2022年）。2003年からロシア国立ペルミ・バレエ学校、07年から09年までロシア国立チュヴァシ・オペラ・バレエ劇場に在籍。

宮島達男（みやじま・たつお）
現代美術家。1957年生まれ。東京芸術大学大学院美術研究科絵画専攻修了。LEDのデジタルカウンターを使用した作品で、世界的に高く評価されている。

山中正樹（やまなか・まさき）
創価大学文学部教授。1962年生まれ。名古屋大学大学院文学研究科博士課程後期（国文学専攻）満期退学。博士（文学）。著書に『高校生のための文章表現法入門』（桜花学園大学生涯学習センター・三恵社）など。

上田正樹（うえだ・まさき）
R&B・ソウルシンガー。1949年生まれ。74年、上田正樹とサウストゥサウスを結成。後にソロとなり、「悲しい色やね」がシングルチャート1位に。その後は活動の場をアジアへ広げ、日本を代表するシンガーとして高い評価を受けている。

森下達（もりした・ひろし）
創価大学文学部講師。1986年生まれ。京都大学大学院文学研究科博士課程修了。博士（文学）。著書に『怪獣から読む戦後ポピュラー・カルチャー』（青弓社）など。

みなもと太郎（みなもと・たろう）
マンガ家・マンガ研究家。1947年生まれ。67年にマンガ家デビュー。代表作に『ホモホモ7』『レ・ミゼラブル』など。2020年、『風雲児たち』で日本漫画家協会賞コミック部門「大賞」受賞。2021年、逝去。

村田喜代子（むらた・きよこ）
作家。1945年生まれ。87年「鍋の中」で芥川賞、98年「望潮」で川端康成賞、2010年「故郷の我が家」で野間文学賞、14年「ゆうじょこう」で読売文学賞、19年「飛族」で谷崎潤一郎賞を受賞。

編著者略歴

寒河江光徳（さがえ・みつのり）
創価大学文学部教授。1969年生まれ。東京大学人文社会系大学院欧米系文化研究専攻スラヴ語スラヴ文学専門分野博士課程修了。博士（文学）。著書に『文学という名の愉楽――文芸批評理論と文学研究へのアプローチ』（春風社）など。

村上政彦（むらかみ・まさひこ）
作家。創価大学文学部非常勤講師。1958年生まれ。87年「純愛」で福武書店（現・ベネッセ）主催・海燕新人賞を受賞。これまでに芥川賞候補に5度選ばれる。日本文藝家協会理事。日本ペンクラブ会員。著書に『トキオ・ウィルス』（ハルキ文庫）、『ハンスの林檎』（潮出版社）など。

表現文化論入門（ひょうげんぶんかろんにゅうもん）
――インターメディアリティへの誘い（いざない）

2021年3月16日　初版第1刷発行
2023年3月16日　初版第2刷発行

編　者　寒河江光徳（さがえみつのり）・村上政彦（むらかみまさひこ）
発行者　大島光明
発行所　株式会社　第三文明社
東京都新宿区新宿1-23-5
郵便番号　160-0022
電話番号　03-5269-7144（営業代表）
03-5269-7145（注文専用）
03-5269-7154（編集代表）
振替口座　00150-3-117823
URL　https://www.daisanbunmei.co.jp

印刷・製本　藤原印刷株式会社

ISBN 978-4-476-03383-0